ハヤカワ文庫 SF

〈SF2020〉

ブラックアウト

〔上〕

コニー・ウィリス

大森　望訳

BLACKOUT

by

Connie Willis

Translated by

Nozomi Ohmori

Published 2015 in Japan by

HAYAKAWA PUBLISHING, INC.

This book is published in Japan by

arrangement with

THE LOTTS AGENCY, LTD.

through JAPAN UNI AGENCY, INC., TOKYO.

いつも、それぞれの分を尽くすことを
はるかに超えて働いてくれる、
コートニーとコーディーリアに

歴史は今でありイングランドである。

T・S・エリオット「四つの四重奏曲」より

目次

謝辞 11
1 オックスフォード 二〇六〇年四月 15
2 ウォリックシャー州バックベリー 一九三九年十二月 32
3 オックスフォード、ベイリアル・カレッジ 二〇六〇年四月 51
4 ウォリックシャー州バックベリー 一九四〇年二月 60
5 オックスフォード 二〇六〇年四月 72
6 オックスフォード 二〇六〇年四月 89
7 オックスフォード 二〇六〇年四月 116
8 オックスフォード 二〇六〇年四月 128

9　ウォリックシャー州バックベリー　一九四〇年春　150
10　ソルトラム・オン・シー　一九四〇年五月二十九日　164
11　オックスフォード　二〇六〇年四月　179
12　ソルトラム・オン・シー　一九四〇年五月二十九日　207
13　サリー州ダリッジ　一九四四年六月十三日　226
14　ウォリックシャー州バックベリー　一九四〇年五月　245
15　ケント　一九四四年四月　262
16　ロンドン　一九四〇年九月十五日　275
17　ロンドン　一九四五年五月七日　305
18　ウォリックシャー州バックベリー　一九四〇年五月　313

19　ロンドン　一九四〇年九月十七日　328
20　サリー州ダリッジ　一九四四年六月十四日　341
21　英仏海峡　一九四〇年五月二十九日　355
22　ロンドン　一九四〇年九月十七日　362
23　ロンドン　一九四〇年九月十八日　374
24　ダンケルク　一九四〇年五月二十九日　394
25　サリー州ダリッジ　一九四四年六月十五日　408
26　ウォリックシャー州バックベリー　一九四〇年五月　429
27　ケント　一九四四年四月　454

謝辞

『ブラックアウト』が一巻本から二巻本に変身し、そのストレスでわたしがじわじわおかしくなってゆくあいだも、ずっと力を貸し、支えてくれた人たちみんなに感謝します。信じられないほど忍耐強い担当編集者のアン・グローエル。辛抱強いエージェントのラルフ・ヴィチナンザ。さらに辛抱強い秘書、ローラ・ルイス。娘であり一番の相談相手であるコーディーリア。家族と友人たち。うちから半径百マイル以内にある図書館の司書全員。毎日のように、お茶と——チャイだけど——気づかいを与えてくれた、マージーズとスターバックスとノースカロライナ大学学生会館のバリスタたち。わたしのわがままにつきあい、わたしの味方になり、わたしとこの本を見捨てずにいてくれたすべての人々にお礼をいいます。ありがとうございました。

中でも、とりわけ大きな感謝を捧げたいのは、わたしが取材で訪れた日に帝国戦争博物館に居合わせた、すばらしいご婦人たちの一団です。グループの全員が、ロンドン大空襲のあいだ、救出作業員や救急車運転手や防空監視員の仕事をしていたことが判明し、彼女たちが次から次へと披露してくれた逸話は、ヒトラーに立ち向かった英国の人々の勇気と決意とユーモアを理解するうえで、わたしと本書にとって計り知れないほど貴重な財産になりました。その彼女たちを見つけ出し、席に着かせ、お茶とケーキをふるまってから、ぜひこの人たちに取材しなさいとわたしを呼びにきてくれた、すばらしい夫にも感謝します。史上最高の旦那さま!

ブラックアウト

〔上〕

おもな登場人物

〔2060年〕

ポリー・チャーチル（ポリー・セバスチャン）
メロピー・ウォード（アイリーン・オライリー）
マイクル・デイヴィーズ（マイク・デイヴィス）……オックスフォード大学の史学生
コリン・テンプラー……高校生
ジェイムズ・ダンワージー……オックスフォード大学史学部教授
バードリ・チャウドゥーリー、リナ……ネット技術者

〔1940年〕

ビニー・ホドビン……疎開児童。アルフの姉
アルフ・ホドビン……疎開児童。ビニーの弟
シオドア・ウィレット……疎開児童
レイディ・キャロライン……バックベリーの領主館の主人
ミセス・バスコーム……領主館の料理人
ユーナ……領主館の台所女中
グッド……教区牧師
サー・ゴドフリー・キングズマン……舞台俳優
ミセス・リケット……下宿の主人
ミス・スネルグローヴ……タウンゼンド・ブラザーズのフロア主任
マージョリー・ヘイズ……同店員
コマンダー・ハロルド……レイディ・ジェーン号の船長
ジョナサン……コマンダー・ハロルドのひ孫

「来るなら来い。われわれは、おのれの職務に、戦いに、労苦に立ち向かう――各人が分を尽くし、持ち場を守る。一週間、一日、一時間たりとも無駄にはできない」
――ウィンストン・チャーチル、
一九四〇年一月二十九日

1　オックスフォード　二〇六〇年四月

コリンはドアをためしたが、ロックされていた。どうやら門衛のミスター・パーディは、ろくに知りもしないで、ダンワージー先生は調査部《リサーチ》に行ってると答えたらしい。こんなところにいるわけがないと気づいてしかるべきだった。調査部《リサーチ》にやってくるのは、渡航の準備にかかっている航時史学生《ヒストリアン》だけ。ダンワージー先生は、調べもの《リサーチ》にいくとミスター・パーディに告げたのかもしれない。その場合、先生はボドレアン図書館にいる。

ボドレアンに行ってみたが、ダンワージー先生はいなかった。秘書に訊いてみるしかないな。そう思いながら、コリンは駆け足でベイリアルに引き返した。ダンワージー先生の秘書がフィンチのままならよかったのに。新任の秘書エドリッチは、たぶんいろいろ質問してくるだろう。フィンチならなにも訊かずに、ダンワージー先生の居場所ばかりか、どんなご機嫌なのかも教えてくれたのに。

コリンは真っ先にダンワージー先生の部屋へと走っていった。先生がもどるのをミスター・パーディが見逃したというわずかなチャンスに期待したが、やはり留守。その次はビアードに走り、階段を駆け上がってオフィスに入った。「ダンワージー先生に会う用があって」とコリンはいった。「だいじなことなんだ。先生がどこにいるか――」

エドリッチは冷たい視線をコリンに向けた。「アポイントメントはありますか、ミスター……？」

「テンプラー。いや、ぼくは――」

「ベイリアルの学部生？」

そうだと答えようかと一瞬思ったが、エドリッチはいかにも確認をとりそうなタイプに見えた。「いえ。来年入学する予定です」

「オックスフォードに入学願書を出すなら、行き先はロングウォール・ストリートの教務部だよ」

「願書を出しにきたんじゃない。ぼくはダンワージー先生の友だちで――」

「ああ、ダンワージー先生から話は聞いてる」エドリッチはむずかしい顔になり、「たしか、イートン校の学生じゃなかったかな」

「きょうは休みなんだ」とコリンはウソをついた。「ものすごくだいじな用があって。ダンワージー先生がどこにいるのか――」

「どんな用件？」

ぼくの将来に関する用件だよ。あんたの知ったことじゃないだろ。でも、そんなことを口に出してもなんにもならない。「歴史の宿題に関すること。緊急の用件なんだ。居場所さえ教えてくれたら、あとは自分で――」といいかけたが、エドリッチはすでにスケジュール帳を開いていた。

「ダンワージー先生の面会予定がとれるのは、いちばん早くて来週末の――」

それじゃあ遅すぎる。いますぐ会わなきゃ。ポリーがもどる前に。

「十九日午後一時なら予約がとれる」とエドリッチが話している。「あるいは、二十八日の午前九時半」

〝緊急〟という言葉の意味を知らないのか？「もういいよ」といい捨てて階段を降り、門のところまで行って、ミスター・パーディから新たな情報が得られないかトライしてみた。

「ダンワージー先生はほんとに行き先が調査部だっていったの？」とたずね、門衛がうなずくと、「そのあとどこに行くかいってた？」

「いや。ラボを見てきたらどうだい。この二、三日、ずいぶん長くラボに入り浸ってるみたいだから。もし先生がいなくても、チャウドゥーリーさんが居場所を知ってるかもしれない」

それに、先生がいなくても、ポリーがいつもどる予定なのかバードリに訊ける。「ラボに行ってみるよ」と答えてから、ダンワージー先生がもどったら、ぼくが捜していたと伝えてほしいと頼むかどうか逡巡した。いや、やめたほうがいい。警告は警備なり。守りをかためさせる結果になりかねない。不意をついて交渉するほうがチャンスがある。「ありがとう」といってハイ・ストリートを走り、ラボへ向かった。

ダンワージー先生はいなかった。いたのはふたりだけ。バードリと、学生にしか見えない若さの、美人のネット技術者。ふたりしてコンソールを覗き込んでいる。「一九五〇年十月四日の座標がいる」とバードリがいった。「それと――コリン、ここでなにしてる？ 学校じゃないのか？」

どうしてだれもかれも補導係みたいなことをいうんだろう。

「退学になったわけじゃないんだろ？」

「まさか」さぼっているところをつかまらないかぎりはだいじょうぶ。「学校が休みなんだ」

「十字軍に行かせろっていうんなら、答えはノーだよ」

「十字軍？」とコリン。「そんなの何年も前の――」

「ダンワージー先生はきみが来ることを知ってるのか？」

「じつは、先生を捜してるんだ。ベイリアルの門衛から、ここにいるかもしれないって聞いて」

「さっきまでいたけど」と若いネット技術者。「入れ違いだったわね」

「どこに行ったか知ってる？」

「いいえ。衣裳部に行ってみたら」

「衣裳部？」最初は調査部、今度は衣裳部か。ダンワージー先生は、きっとどこかへ行く予定なんだ。「先生はどこへ行くの？　セント・ポール大聖堂？」

「ええ」と技術者の女性。「先生がいまリサーチしてるのは——」

「リナ、座標を出してくれ」とバードリが割り込み、女性技術者をにらみつけた。リナはうなずき、ラボの奥のほうに歩いていった。

「セント・ポール大聖堂へ、宝物の回収にいくんでしょ？」コリンはバードリにたずねた。

「ダンワージー先生の居場所は秘書が知ってるはずだ」バードリはそういうと、コンソールの前にもどった。「ベイリアルに行って、訊いてみればいいじゃないか」

「訊いたよ。なんにも教えてくれないんだ」

どうやら、バードリも教える気がないらしく、「いま、うちはとても忙しいんだよ、コリン」

座標を出してもどってきたリナがうなずいた。「きょうの午後だけで、回収が三件、降下が二件あるのよ」

「いまもやってる最中？」コリンは、ネットのほうに歩み寄り、ベールのひだを眺めた。

「降下？」

バードリがただちにやってきて、前に立ちはだかった。「コリン、もしここに来た目的がネットなら——」

「ぼくがネットをどうするって？　忍び込むつもりだとでも思ってるわけ？」

「はじめてじゃないだろう」

「あのときそうしなかったら、ダンワージー先生はあっちで死んでたよ。キヴリン・エングルもいっしょに」

「かもしれない。しかし、だからといって、ネットに忍び込むのを習慣にしていいことにはならない」

「してない。ぼくの望みは、ただ――」

「ダンワージー先生がここにいるかどうかたしかめることだけ。先生はいない。そしてリナとぼくはものすごく忙しい」とバードリ。「だから、ほかに用がないなら――」

「あるよ。ポリー・チャーチルの回収予定がいつなのか知りたい」

「ポリー・チャーチル？」バードリがたちまち疑わしげな顔つきになる。「どうしてポリー・チャーチルのことを知りたがる？」

「予備調査を手伝ってたんだよ。ロンドン大空襲の。彼女がもどってきたとき、ここで待ってなきゃいけないんだ」集めた資料をわたすために、とつづけるつもりだったが、じゃあこっちで預かっておくといわれそうだと気がついて、かわりに、「調べた結果を教えるために」といった。

「まだ予定が決まってない」とバードリ。

「そうなんだ。彼女、もどってきたらまっすぐ大空襲に行く予定？」

リナが首を振り、「降下点が見つからなくて――」といいかけたが、バードリがまたじろっとにらんで黙らせた。

「瞬間往復《フラッシュタイム》じゃないよね？」

「ああ、実時間《リアルタイム》だ」とバードリ。「コリン、すごく忙しいんだよ」

「はいはい、わかりました。もう行くよ。ダンワージー先生に会ったら、ぼくが捜してたっていっといて」

「リナ、コリンを送り出したら、時空座標を頼む。一九四一年十二月六日の真珠湾《パール・ハーバー》」

リナはうなずき、戸口までコリンをエスコートした。「ごめんね。バードリはこのところすごく機嫌が悪いのよ」と耳打ちする。「ポリー・チャーチルの回収は、来週水曜の午後二時の予定」

「ありがと」コリンはにこっと笑って囁《ささや》き返し、ドアから飛び出した。水曜か。週末なら、また学校をエスケープせずに済んだのに。でも、今週の水曜じゃなくてまだよかった。過去へ行かせてくれとダンワージー先生を説得するのに、一週間以上、時間の余裕がある。もし先生が大聖堂の財宝を救い出すつもりなら、そのための現地調査をやらせてくれと説得できるかもしれない。もしダンワージー先生がまだ衣裳部にいれば。コリンはブロード・ストリートからホリウェル・ストリートに出ると、せまい道を走って衣裳部の建物に飛び込み、階段を駆け上がりながら、また入れ違いになりませんようにと祈った。

ならなかった。ダンワージー先生は、少なくとも四サイズ大きすぎるツイードのブレザーを着て鏡の前に立ち、おどおどしたようすの技術者をにらみつけていた。「でも、先生のサイズに合うツイードのジャケットは一着きりしかなくて、それはいま、ジェラルド・フィップスに貸し出されてるんです」と技術者が必死に釈明している。「ジェラルドにツイードのジャケットが必要なのは、行き先が――」

「彼の行き先は知っている」とダンワージー先生が一喝した。そのときはじめてコリンに気づき、「なにをしてる？」

「そのジャケットよりはずっと体に合うサイズの服を着てるよ」といって、コリンはにっこりした。「それがセント・ポール大聖堂から財宝を持ち出すための秘密兵器？ 上衣《うわぎ》の下に隠すの？」

ダンワージー先生は肩を揺すってジャケットを脱ぎ、「なにか、わたしのサイズのものを見つけてきたまえ」と、半分投げるようにして返した。技術者はそれを持ってそそくさとその場を離れる。

「とっておいたほうがよかったんじゃないの」とコリン。「あれなら『世の光』（ウィリアム・ホルマン・ハントの宗教画）とその下のニュートンのお墓にぴったりだったのに」

「サー・アイザック・ニュートンの墓はウェストミンスター寺院だ。セント・ポール大聖堂にあるのはネルソン卿の墓」とダンワージー先生。「そのぐらい、おまえも知っているはずだ。学校でちゃんと授業を聞いていればな。いまこの瞬間も、授業の最中だろう。どうして教室にいない？」

休みだという出まかせは通用しないだろう。「水道管が壊れて、きょうの授業は休講になったんだ。せっかくだから、ダンワージー先生がどうしてるか、ようすを見にこようと思って。ちょうどよかった。セント・ポール大聖堂に行くところなんでしょ」

「水道管か」ダンワージー先生が疑り深げにいった。

「うん。うちの寮と中庭の半分が水浸し。あやうく泳がなきゃいけないところだったよ」

「妙だな。エドリッチが寮監に電話したときは、そんな話はまったく出なかったようだが」

気にくわないやつだと思ったよ、エドリッチは。

「しかしながら、おまえの度重《たびかさ》なる欠席の話は出た。それに、前回の作文の成績が不可だった話も」

「それは、ビースンが出した感想文の課題図書が、『タイムトラベルの脅威』っていう、どうしようもないクズ本だったせいだよ。その本によると、タイムトラベル理論はたわごとで、航時史学生は歴史に影響を及ぼし、それが現在にまで伝わってくるんだけど、その影響が顕在化しないのは、時空連続体がそういう変更を打ち消しているからなんだって。でも、いつまでも永遠に打ち消しつづけることはできない。だからただちに史学生を過去へ送るのをやめて――」

「イシカワ博士の説については十二分によく承知している」

「だったらあれがデタラメなの、わかってるでしょ。作文にそう書いただけなんだ。そしたらビースンに不可をつけられた！　完璧にアンフェアだよ。つまりさ、イシカワはバカなことばっかりいってる。たとえば、ずれは、時間旅行者が歴史的事象に影響を与える時空位置に赴くのを防止するためのものなんかじゃなくて、なにかがおかしくなっていることを示す徴候だ、とか。風邪を引いた患者が熱を出すみたいなもので、病状がひどくなるにつれて、ずれの量も大きくなるけれど、ぼくらにはそれが感知できない。なぜならそれは指数関数的だかなんだかな変化であって、だからなんの証拠もないんだけど、航時史学生を送るのはやめなきゃいけない。証拠が見つかるころには手遅れで、もうタイムトラベルなんか成立しなくなっているからだ、って。ゴミの山だよ！」ダンワージー先生は顔をしかめている。「ねえ、ゴミだと思わないの？」

ダンワージーは答えなかった。

「ねえ、どうなの？」とコリンはたずねた。まだじっと動かない相手に、「まさか、あんな説を信じてたりしないよね、ダンワージー先生？」

「はあ？　いや。おまえがいったとおり、イシカワ博士は説得力のある証拠を提出しえていない。他方、精査してみる必要のある厄介な問題を提起しているのは事実だ。〝ゴミの山〟とうち捨てていいものではない。しかし、おまえがここに来た理由が、タイムトラベル理論について議論するためでないことは明白だ。それに、わたしが〝どうしてるか、ようすを見に〟きたわけでもない」ダンワージー先生は射すくめるような目でコリンを見た。「どうしてここに来た？」

ここから先がむずかしい。「いまのぼくが、数学やラテン語の勉強で時間を無駄にしてるからだよ。ぼくは歴史を勉強したいんだ。それも、味気ない本じゃなくて、本物の歴史を。現地調査に行きたい。若すぎるなんていわないで。黒死病の時代に行ったとき、ぼくは十二歳だった。それに、ジャック・カーグリーヴスは十七歳で火星に行った」

「そして、レイディ・ジェイン・グレイは十七歳で首を刎《は》ねられた。航時史学生の実習は、王位を僭称《せんしょう》する以上に危険だ。あらゆる種類の危険がともなう。だからこそ史学生は――」

「二十歳以上で、なおかつ三年生以上でないかぎり、過去に行くことはできない」とコリンは規則を暗唱した。「ぜんぶ知ってるよ。でも、ぼくはもう過去へ行ってる。危険度10の時代へ。あれ以上、危険な目に遭うことなんかありえない。それに、過去の時代にはいくらでも、ぼくの年齢の人間が――」

ダンワージー先生は聞いていなかった。その視線の先には、さっきの技術者。金属のファスナーが山ほどついた黒い革ジャンパーを携えてもどってきていた。「それはなんだね？」

「ライダース・ジャケットです。先生の体に合うサイズのものとおっしゃいましたので」と弁解するようにつけ加える。「時代は合っています」

「ミス・モス」ダンワージー先生は、相手を縮み上がらせるいつもの口調でいった。「衣裳のそもそもの目的はカモフラージュ――目立たないようにすること、その時代に溶け込むことだ。そんなものを着て」と革ジャケットに手を振り、「どうして目立たずにいることが可能だと思うね」

「でも、これに似たジャケットが写っている一九五〇年の写真がありますし――」といいかけてから、技術者は思い直したように口をつぐみ、「ほかになにがあるか見てきます」といって、衣裳室に撤退した。

「ツイードだ」とダンワージー先生がその背中に声をかけた。

「その時代に溶け込む。まさにそれが、ぼくのいいたいことだよ」とコリン。「十七歳が完璧に溶け込める歴史上の出来事は山ほどある」

「ワルシャワのゲットー?」ダンワージー先生は冷たくいった。「それとも十字軍か?」

「十字軍に加わりたいなんて思ってたのは、十二歳のときが最後。いいたいのはそれなんだよ。先生も——」名前を呑み込み、「学部のみんなも、ぼくがまだ子供だと思ってる」といい直した。「でも、違う。ぼくはもうすぐ十八歳だ。ぼくが参加できる現地調査はいくらでもある。アルカイダの二度めのニューヨーク・テロとか」

「ニュー——?」

「うん。ワールド・トレード・センターの近くにハイスクールがある。そこの生徒のふりをして、一部始終を観察できる」

「おまえをワールド・トレード・センターに送る気はない」

「ワールド・トレード・センターじゃないよ。その学校は四ブロック離れているし、生徒はだれも死んでない。怪我をした人もいない。粉塵に混じる有毒物質やアスベストを吸い込んだくらいだよ。ぼくなら——」

「どこだろうと、ワールド・トレード・センターの近くに送る気はない。危険どころの騒ぎじゃない。場合によっては命を落とすことも――」

「だったら、どこか危険じゃない場所に送ってよ。一九三九年のまやかし戦争《フォウニーウォー》とか。それとも、北イングランドで学童疎開を観察するとか」

「第二次世界大戦に送る気もない」

「先生はロンドン大空襲に行ったじゃないか。それにポリーに――」

「ポリー？　ポリー・チャーチルか？　彼女がこの件となんの関係がある？」

だいなしだ。「ぜんぜんないよ。ぼくがいたいのは、先生はあらゆる危険な場所に史学生を行かせてるし、自分でも行ってるくせに、ぼくが相手だと、イングランド北部に行くことさえ許してくれないってこと。危険でもなんでもないのに。政府は、危険を避けるために子供たちを北部に疎開させたんだよ。ぼくなら、弟や妹を連れて疎開したふりが――」

「学童疎開の観察実習には、すでにひとり、一九四〇年に送ってある」

「でも、一九四二年から一九四五年までのあいだには、だれも行ってない。調べてみたら、戦争中ずっと田舎で暮らしていた子供たちもいる。そんなに長いあいだ両親から引き離されて過ごすことでどんな影響があったか観察できる。それに、学校を休む心配もしなくていいよ。フラッシュタイムでやれば――」

「どうしてそんなに第二次大戦にこだわる？」ダンワージー先生がコリンに鋭い目を向けた。

「ポリー・チャーチルがいるからか？」

「第二次大戦にこだわってるわけじゃないよ。どこだろうと危険な場所には行かせてくれないから、引き合いに出しただけだ。危険について話をする資格はじゅうぶんだよね、先生が行くのはピンポイント爆弾テロ前夜のセント・ポール大聖堂――」

ダンワージー先生はびっくりした顔になった。「ピンポイント爆弾テロ前夜？　いったいなんの話だ？」

「宝物を救出するんでしょ」

「セント・ポール大聖堂の宝物を救出するとだれから聞いた？」

「だれからも。でも、セント・ポール大聖堂に行くんなら、目的はわかりきってる」

「わたしは――」

「ふうん、だったら、あとで運び出すときのために、なにがあるのかたしかめにいくんだね。ぼくを連れてったほうがいいと思うよ。必要になるから。一三四八年に行ったときだって、ぼくがいっしょじゃなかったら先生は死んでたじゃないか。ぼくはネルソンの墓かなんかを研究している大学生だっていうことにしてくれたら、宝物のリストをつくるの手伝うよ」

「いったいどこからそのばかげた話を思いついたのか知らないが、コリン、セント・ポール大聖堂に宝物の救出にいく人間などだれもいない」

「じゃあどうしてセント・ポール大聖堂へ行くの？」

「それはおまえの知ったことじゃない――なんだそれは？」と、もどってきた女性技術者が携えている衣服を見て、ダンワージー先生がいった。ひざ丈《たけ》の黄色いサテンの上衣で、ピンクの花が刺繍してある。

「これ？　ああ、これは先生のじゃありません。ケヴィン・ボイル用です。チャールズ二世の宮廷に行くんですよ。それと、先生に調査部からお電話です。いま手が離せないと伝えましょうか？」

「いや、出よう」ダンワージー先生は技術者のあとについて衣裳室に入った。

「パタノスター・ロウになかった？　アヴェ・マリア・レーンは？　アーメン・コーナーは？」ダンワージー先生の声が聞こえてきた。長い間があり、それから、「死傷者名簿は？　十七日の分は見つけられたか？　いや、そうじゃないかと思っていたんだ。ああ、うん。わかりしだい知らせてくれ」先生が衣裳室から出てきた。

「いまの電話が、セント・ポール大聖堂へ行く理由？」とコリンはたずねた。「なにかを探してるんだったら、ぼくが大聖堂へ行って――」

「おまえはセント・ポール大聖堂にも第二次世界大戦にもワールド・トレード・センターにも行かない。行くのは学校だ。一般試験《Aレベル》に合格して、オックスフォード大学の史学部に入学を認められたら――」

「でも、それじゃ遅すぎる」コリンはつぶやいた。

「遅すぎる？」ダンワージー先生が鋭くいった。「どういう意味だ？」

「なんでもない。ぼくはいますぐ現地調査に行く準備ができてる、それだけのこと」

「だったらどうして、『それじゃ遅すぎる』なんていう？」

「三年は長すぎるってだけの話。ぼくが現地調査に行かせてもらえるころには、めぼしい出来事はみんな他の人にとられちゃって、きっとなんにも残ってないよ。わくわくするようなやつは」

「学童疎開とか、まやかし戦争とかのことかね」とダンワージー先生。「そのために授業をさぼってはるばるここまでやってきて、いますぐ現地調査に行かせろと談判する。その理由はといえば、だれかほかの人間がまやかし戦争に――」

「これはどうです？」技術者がベルトのついたツイードの狩猟服とひざ丈のニッカーボッカーを持ってやってきた。

「いったいなんのつもりだ？」ダンワージー先生が吠える。

「ツイードのジャケットです」技術者は無邪気にいった。「先生がおっしゃったとおり――」

「いったはずだぞ、目立たないように溶け込む必要が――」

「お邪魔みたいだから、失礼します。もう学校にもどらなきゃ」といってコリンは脱出した。遅すぎるなんていうんじゃなかった。ダンワージー先生は、いったんなにかを嗅ぎつけたら、猟犬のようにしつこく追ってくる。ポリーの名前も出しちゃいけなかった。どうして現地調査に行きたいのかがバレたら、議論の余地なく却下される。そう思いながら、コリンはブロード・ストリートをめざした。

もっとも、いまだって議論の余地があるわけじゃない。説得するにはなにかべつの理由を考えないと。それがダメなら、過去へ行く他の手段を探す。ダンワージー先生がどうしてセント・ポール大聖堂へ行くのか、その理由がわかったら、ぼくを連れていく必要があると説得できるかもしれない。技術者は、あのジャケットが一九五〇年のものだとかいっていた。どうして一九五〇年のセント・ポール大聖堂へ行くんだろう。

リナなら知ってる。コリンはキャット・ストリートを折れ、ラボへと走った。

ラボのドアは施錠されていた。帰ってしまったはずはない。降下二件と回収三件があるといってたんだから。コリンはドアをノックした。

ドアを細めに開けて、リナが痛ましげな顔をのぞかせた。「ごめんなさい。入れてあげられないの」

「どうして？　なにかあったの？　ポリーの身になにか？」

「ポリー？」リナはびっくりした顔で、「いいえ、まさか」

「回収がうまくいかなかったとか？」

「いいえ……コリン、あなたとは話もしちゃいけないのよ」

「忙しいのはわかってる。ちょっと聞きたいことがあるだけなんだ。入れてくれたら――」

「だめよ」リナはさらに痛ましげな顔になり、「あなたはラボに立入禁止」

「立入禁止？　バードリが――？」

「いいえ。ダンワージー先生から電話があったの。あなたをこんりんざいネットに近づけるな、って」

「わたしは〈今年の門〉に立つ男にいいました。『知らない場所へとつつがなく歩いていけるように、光をください』すると男は、こう答えました。『闇に足を踏み入れ、あなたの手を神の手にゆだねなさい。あなたにとってそのほうが光よりもよく、知っている道よりも安全です』」

――ジョージ六世の一九三九年のクリスマス・スピーチより（ミニー・ルイーズ・ハスキンズの詩"God Knows"からの引用）

2　ウォリックシャー州バックベリー
一九三九年十二月

バックベリー駅のホームに列車は見当たらなかった。もう行ってしまったなんてことがありませんようにと祈りながら、アイリーンはホームの端から身を乗り出して線路を見渡したが、どちらの方向も、列車は影もかたちもない。

「どこなの？」とシオドアがたずねた。「帰りたい」

ええ、そうでしょうとも。アイリーンは男の子のほうを向いた。わたしが屋敷《マナー》に着いてからずっと、十五秒おきにそういってるんだから。「まだ列車が来てないのよ」

「いつ来るの？」とシオドア。

「さあねえ。駅長さんに聞いてみましょう。そしたらわかるから」アイリーンはシオドアの小さな厚紙製スーツケースとガスマスクの箱を片手に持つと、反対の手でシオドアの手を引いてホームを歩き、貨物と荷物が積んであるせまい駅長室に向かった。「トゥーリーさん!」と呼びかけ、ドアをノックする。

返事がない。もう一度ノックした。「トゥーリーさん!」

うなり声と床をこする音がして、トゥーリー氏がドアを開け、目をしばたたいた。まるで寝起きのような顔——というより、じっさい、いままで寝ていた可能性が高い。

「なんの騒ぎだ?」と老人が怒鳴る。

「おうちに帰りたい」とシオドアがいった。

「ロンドン行きの午後の列車はまだですよね」とアイリーンはたずねた。

駅長は目をすがめてこちらを見た。「あんた、お屋敷のメイドだろ」シオドアに目をやり、「奥方さまが預かってる疎開っ子か?」

「ええ。母親に呼びもどされて、きょう、ロンドン行きの列車に乗るんです。まだ来てませんよね?」

「母親に呼びもどされたって? 賭けてもいいが、だいじな息子に会えなくてさびしいとかいってきたんだろ? 息子の配給手帳がほしくなったっていうほうがもっとありそうだな。自分で息子を連れにくる手間さえかけられないと」

「飛行機工場で働いてて」とアイリーンはミセス・ウィレットにかわって釈明した。「どうしても仕事を抜けられないそうです」

「いやいや、なんとでもなるさ、その気さえあれば。水曜に、フィッチャムへ行く途中だっていう男ふたりに会った。『子供たちを迎えにいくんだよ、家族そろってクリスマスを迎えられるように』といってたが、フィッチャムのパブで酒を一杯やるのがほんとうの目的だろう。それに加えて、行きの道中でももう一杯――」

よくいうわ、自分だってそうでしょ、とアイリーンは思った。いま立っているところにまで、酒臭い息のにおいが漂ってくる。「トゥーリーさん」アイリーンは目下の問題に話をひきもどそうと、「午後のロンドン行きの列車は何時でしょう?」

「十一時十九分の一本きりだ。もう一本は、先週、運行停止になった。戦争のせいでな」

うわ、ということは、きょうの列車を逃してしまった。はるばる領主館《マナーハウス》まで、シオドアを連れて帰らなきゃいけない。

「だが、残る一本もまだ来てないし、いつ来るかわかったもんじゃない。通過するのは兵員輸送列車ばっかり。そっちがぜんぶ通るまで、旅客車は待避線に追いやられる」

「おうちに――」とシオドアが口を開いた。

「親が親なら、子も子だ。ろくでもないガキばっかり」トゥーリー氏がシオドアをにらみつけて、「行儀が悪い。こういう恩知らずのガキのために、奥方さまが身を粉《こ》にして働いているわけだ」

もっとも、粉にしてるのは自分の身じゃなくて、召使いの身だ。ロンドンから疎開してきた二十二人の子供たちとレイディ・キャロラインがちょっとでも接触した機会は、アイリーンが知るかぎり、たったの二回しかない。一回は彼らが到着したときで——ミセス・バスコームによれば、〝いい子〟だけを屋敷で預かりたいと考えた奥方さまは、みずから牧師館に出かけて、メロンを選《よ》るように自分で子供を選んだらしい——もう一回は、デイリー・ヘラルド紙の記者が〝貴族階級の戦時貢献〟に関する記事の取材にやってきたとき。その二回をべつにすると、子供たちの面倒をみることに対するレイディ・キャロラインの関与は、召使いに命令することと、やれやかましすぎる、お湯を使いすぎる、ぴかぴかの床が汚れるなどと愚痴をこぼすことだけに限られていた。

「戦時協力に対する奥方さまの貢献ぶりはじつにすばらしい」とトゥーリー氏はいった。「おなじような立場にありながら、迷い猫を受け入れようともしない人間はたくさんいる。ましてや、スラムの悪童にうちを提供するなんて、なかなかできることっちゃない」

〝うち〟なんていう言葉はうかつに口にしてほしくなかった。シオドアはただちにアイリーンのコートをひっぱりはじめた。「きょうの列車はどのぐらい遅れそうですか、トゥーリーさん？」アイリーンはたずねた。

「わかるもんか。何時間も遅れるかもしれん」

何時間も。すでに日は傾きかけている。一年のこの季節、午後三時には暗くなりはじめ、五時には真っ暗だ。それに灯火管制《ブラックアウト》が加わると——。

「何時間も待つなんてやだ」とシオドアがいった。「いますぐおうちに帰りたい」

トゥーリー氏が鼻を鳴らした。「自分がどんなに恵まれているか、まるでわかってない。

クリスマスが近づくこの季節には、みんな家に帰りたがる」それがまちがっていることを祈った。疎開児童は、まやかし戦争の数ヵ月が過ぎるにつれ、少しずつロンドンにもどりはじめている。大空襲がはじまるまでに、疎開児童の七十五パーセント以上がロンドンにもどっていたことは事実として知っていたけれど、こんな早い段階から帰宅がはじまっていたとは知らなかった。

「いまは家に帰りたがってるが、爆撃がはじまったらここにもどりたいと思うだろうよ」トゥーリー氏はシオドアに向かって指を振った。「だが、そのときはあとの祭りだ」足音も荒く駅長室にもどり、バタンとドアを叩きつけたが、シオドアにはなんの効果もなかった。

「おうちに帰りたい」と鈍感にくりかえす。

「もうすぐ列車が来るから」

「賭けてもいいけど、ぜったい来ないよ」と、男の子の声がした。「どうせ――」といいかけたところで、荒々しい「シーッ！」の声にさえぎられる。

ふりかえったが、ホームにはだれもいない。アイリーンは急ぎ足でホームの端まで行って、線路のほうを見渡した。そちらも無人。

「ビニー！　アルフ！　いますぐ出てきなさい！」アイリーンが怒鳴ると、ビニーがホームの下から這い出してきた。そのあとから弟のアルフが出てくる。「ホームに上がりなさい。線路は危険よ。いまにも列車が来るかも」

「ううん、来ないよ」レールの上でバランスをとりながら、アルフがいった。

「わからないでしょ。すぐに上がってきなさい」

ふたりの子供がホームによじのぼってきた。ふたりとも汚い。アルフはいつも垂らしている青洟《あおばな》が土埃にまみれて真っ黒だし、シャツの裾はズボンから半分はみ出している。十一歳になる姉のビニーも、おなじぐらいだらしなく見えた。靴下はずり落ちて足首のところで丸まっているし、髪のリボンはほどけて、端っこが垂れ下がっている。「洟を拭きなさい、アルフ」とアイリーンはいった。「ここでなにしてるの？　学校は？」

アルフは袖で洟を拭き、シオドアを指さした。

「それとこれとは別問題です。あなたたちはここでなにをしてるの？」

「出かけるの見たから」とビニーがいった。

アルフがうなずいた。「アイリーンが行っちゃうのかと思って」

「あたしは違うよ。あたしは、アイリーンがだれかと逢い引きするんだと思った。ユーナみたいにね」ビニーは秘密めかした笑みを浮かべた。

「行っちゃうの、違うよね？」アルフはシオドアのスーツケースを見ながらたずねた。「行かないでよ。ぼくらにやさしくしてくれるの、アイリーンだけなんだから。ミス・バスコームやユーナとはぜんぜん違う」

「ユーナはこっそり抜け出して兵隊と逢い引きしてるよ」とビニー。「森の中で」

アルフがうなずいた。「ユーナが半休とったとき、あとをつけたんだ」

ビニーはすさまじい殺気のこもった視線で弟をにらんだ。もしかして、わたしも半休の日に尾行されてたんだろうか。次のとき(ヴィカ)は、ふたりがちゃんと学校に行ってることをたしかめなきゃ。もしそれが可能なら。若き教区牧師《ヴィカー》のグッド氏は、一向に直らないふたりのずる休み癖について協議するため、すでに二回も領主館を訪ねてきていた。真面目なグッド氏いわく、「ふたりは、ここの生活にうまく適応できずにいるようです」

うまく適応しすぎてるのよ、とそのときアイリーンは思った。レイディ・キャロラインに選ばれてから(彼らに関するかぎり、奥方さまが〝いい子〟選びに失敗したことは明らかだ)ものの二日で、姉弟はりんご盗みと牛いじめと菜園荒らしをマスターし、半径十マイル以内にあるすべての門を開け放った。「疎開計画が一方通行なのは残念ね」とミセス・バスコームはいったものだ。「双方向なら、いますぐふたりの首に荷札をぶら下げて、ロンドンに疎開させるのに。ちびのチンピラたち」

「まともな娘は森の中で男と会ったりしないって、ミセス・バスコームがいってた」ビニーが高潔ぶっていった。

「ええ。それに、まともな娘は他人のことをスパイしたりもしない」とアイリーン。「学校をずる休みしたりもしません」

「先生に、きょうは帰っていいっていわれたんだよ」とビニー。「アルフが病気だから。ひたいがすっごく熱くなって」

アルフが病気の顔をしようとしながら、「行っちゃわないよね?」と訴えるようにたずねる。

「おうちに――」

「ええ」残念ながら。「シオドアは行ってしまうけど」

失敗。シオドアはたちまちかん高い声で、「帰れるわよ。列車が来たらすぐに」

「来ないよ」とアルフ。「とにかく、きょうはこなかった」

「なんで知ってるの？」と詰問したが、答えはもうわかっていた。姉弟はきのうも学校をさぼったのだ。駅長室につかつか歩いていって、ドアをどんどん叩いた。「旅客車がぜんぜん来ない日もあるって、ほんとですか？」トゥーリー氏がドアを開けるなり、アイリーンはたずねた。

「それは……おまえら、ここでなにをしてる？　今度、おまえらホドビン姉弟《きょうだい》をつかまえたら――」とこぶしを振り上げたが、そのときにはもう、ビニーとアルフは脱兎《だっと》のごとくホームを駆け出し、線路に飛び降りて姿を消していた。「あいつらが列車に石を投げるのをやめさせろ。さもないと警察に突き出すぞ」と顔を真っ赤にして叫んだ。「犯罪者め！　どうせ、最後はウォンズワース刑務所暮らしだ」

思わずうなずきそうになったが、脇道にそれている場合ではない。「きのう、列車が一本も来なかったというのはほんとうなの？」

駅長はしぶしぶうなずいた。「路線でトラブルがあってな。だが、たぶんもう直ってるはずだ」

「でも、確証はない？」

「ああ。あのふたりにいっておけ。こんど姿を見せたら、警官を呼んで逮捕させると」トゥーリー氏は足音も荒く駅長室にもどっていった。

困った。列車が来るかどうかもわからないのに、一晩中ここで待つわけにはいかない。シオドアの顔はもう寒さにこわばりはじめている。それに、灯火管制下では、駅舎の明かりもつかない。暗くなってから列車が来ても、わたしたちが待ってることに気づかずに素通りするかもしれない。シオドアを領主館に連れ帰って、あしたまた出直すしかない。でも、切符はきょうの日付だし、シオドアの母親に、きょうは行けなくなったと連絡する手段もない。葉を落とした裸の木々の向こうに機関車の煙が見えないかと、線路の先にじっと目を凝らした。

「賭けてもいいけど、運行がとまってるのは列車の脱線事故のせいだね」枕木を積み重ねた山のうしろからビニーが出てきた。

「賭けてもいいけど、ドイツの飛行機が爆弾を落として列車がまるごと吹っ飛んだんだね」とアルフ。ふたりはホームによじのぼってきた。「どっかーん！　ちぎれた手足があっちこっちに！　それに生首！」

「もうたくさん」とアイリーン。「ふたりとも、学校にもどりなさい」

「無理よ」とビニー。「いったでしょ、アルフは熱があるの。頭が――」

アイリーンはアルフのひんやりしたひたいに片手を触れた。「熱なんかない。さあ、行って」

「無理だよ」アルフがいった。「もう学校終わってるもん」

「だったら帰りなさい」

その言葉で、シオドアが唇をすぼめた。「さあ、手袋をして」アイリーンはあわててシオドアの前にしゃがみこんだ。「バックベリーまでは汽車で来たの？」気をそらそうと質問する。

「バスだよ」とビニー。「アルフが気持ち悪くなって運転手の靴に吐いちゃった」

「窓から頭を出してると首がちょん切れんだよ」とアルフ。

「来なさい、シオドア」とアイリーン。「汽車が来たら見えるように、ホームの端で待ってましょ」

「知ってる女の子の話なんだけど、ホームの端に立ってたとき、よろけて線路に落っこちたんだ」とビニー。「そこへ汽車が走ってきて、その子の体は真っ二つ」

「アルフ、ビニー、汽車の話はもうひとことも聞きたくありません」

「汽車が来たって話でも？」ビニーが線路の先を指さした。どっしりした機関車が蒸気の輪を噴き上げながら、客車をしたがえてこちらに近づいてくる。

助かった。「汽車が来たわよ、シオドア」しゃがみこんで、コートの前のボタンを留めてやった。ガスマスクの箱をシオドアの首にかけ、「名前と住所と目的地はこの紙に書いてあるから。ユーストンに着いたら、ホームで待ってて。お母さんが汽車のところまで迎えにくるはずよ」

「もし来なかったら？」とビニー。

「もし途中で死んでたら？」とアルフ。

「そうそう」とビニー。「もし爆撃で吹っ飛んでたら？」

「このふたりのいうことは聞かないで」親元に送り返す子供がどうしてホドビン姉弟じゃないんだろうと思いながら、アイリーンはいった。「からかってるだけよ。ロンドンは爆撃されてないから」いまはまだ。

「だったらどうしてぼくらはここに送られたのさ。爆撃から逃がすためじゃないの？」アルフはシオドアの顔に自分の顔をくっつけるようにして、「うちに帰ったら、爆弾が落っこってくるかもな」

「でなきゃ、マスタード・ガス」ビニーがのどをつかみ、げほげほ咳き込むふりをした。

シオドアはアイリーンを見上げた。「おうちに帰りたい」

「無理もないわね」アイリーンはシオドアのスーツケースをとり、速度を落としはじめた列車のほうへと、いっしょに歩き出した。客車は兵士で満員。コンパートメントの遮光カーテンの端から顔を覗かせ、にこにこしながら手を振ったり、客車の両端にあるぎゅうぎゅう詰めのデッキに出てきたり。中には、ステップに立って、外に身を乗り出している者もいる。

「戦争の見送りをしてくれよ、かわいこちゃん」と兵隊のひとりが声をかけてきた。「さよならのキスを」列車の速度が落ち、シューッと音を立てて、アイリーンの前で停止した。

やれやれ、兵員輸送列車じゃないといいけど。「これ、ロンドン行きの旅客車？」と期待を込めてたずねた。

「ああ。飛び乗りな、お嬢ちゃん」兵士は片手で手すりをつかんで身を乗り出すと、こちらに反対の手を伸ばした。

「ちゃんと面倒はみてやるぜ。なあ、みんな？」となりにいた赤ら顔のたくましい兵士がそういうと、歓声と口笛がそれに応えた。

「列車に乗るのはわたしじゃないの。この男の子」アイリーンは最初の兵士にいった。「車掌さんに話があるんだけど、呼んできてもらえる？」

「この大混雑の中をかい？」兵士は客車の中をふりかえっていった。「どうやったって通り抜けられっこないよ」

まいった。「この子はロンドンまで行くの。無事に着くように、面倒みてもらえるかしら。母親が駅に迎えにくることになってるから」

兵士はうなずいて、「ほんとにいっしょにこなくていいのかい、お嬢さん？」

「これがこの子の切符」とアイリーンは乗車券をさしだした。「住所を書いた紙がポケットに入ってる。名前はシオドア・ウィレット」スーツケースを手渡し、「さあ、いいわ、シオドア。乗って。この親切な兵隊さんが面倒をみてくれるから」

「やだ！」シオドアが叫び、くるっと向きを変えるとアイリーンの腕の中に飛び込んできた。「帰りたくない」

シオドアの体重でアイリーンはよろめいた。「もちろん帰りたいはずよ、シオドア。アルフとビニーの話なんか聞いちゃだめ。こわがらせたくていってるだけなんだから。さあ。いっしょにステップを上がってあげる」そういって、いちばん下の段に乗せようとしたが、アイリーンの首根っこにかじりついて離れない。

「やだ！　離れたくない！」

「わたしもよ」といいながら、つかんでいるシオドアの手をゆるめようとする。「でも、ちょっと考えてみて。ママが待ってるのよ。それに自分の素敵なベッドやおもちゃも。うちに帰るのをどんなに楽しみにしてたか、思い出してみて」

「やだ」シオドアはアイリーンの肩に顔を埋めている。

「汽車の中に放り込んだら？」アルフが助言した。

「やだ！」シオドアがすすり泣く。

「アルフ」とアイリーンはいった。「知らない人ばかりの中に放り込まれて、ひとりでがんばれっていわれたらどう思う？」

「おもしろいなって思うよ。その人たちにお菓子買ってもらう」

そうでしょうとも。でも、シオドアはあんたみたいにタフじゃないの。それに、どのみち放り込むのは不可能だ。首にまわしたシオドアの手はがっちりロックされている。その指をもぎ放そうとすると、「やだ」と金切り声をあげた。「いっしょに来て！」

「無理よ、シオドア。切符がないもの」シオドアのスーツケースを受けとった兵士は、中にしまうために客車の中に姿を消した。もうこうなっては、スーツケースと切符を返してもらうすべもない。「シオドア、やっぱりこの汽車に乗るしかないみたい」

「やだ！」とシオドアが耳もとで叫び、首にまわした手にぎゅっと力をこめたので、窒息しそうになる。

「シオドア――」

「駄々をこねてる場合じゃないぞ、シオドア」耳もとで男の声がしたかと思うと、とつぜんアイリーンの首からシオドアが離れ、男の腕に抱きとられた。教区牧師のグッド氏だった。

「もちろん行きたくないだろう、シオドア。だが、だれしも戦時には自分がしたくないことをしなければならない。きみは勇敢な兵士として――」

「ぼくは兵士なんかじゃないもん」シオドアは牧師の股間を蹴飛ばそうとしたが、グッド氏はその足をつかんで攻撃をそらした。

「いや、そうだとも。戦時には、だれもが兵士なんだよ」

「牧師さんは違うじゃんか」シオドアは不作法にいった。

「いや、兵士だよ。ぼくは国土防衛軍の大尉だ」

「じゃあ、アイリーンは？」

「もちろん兵士だとも。疎開任務担当の少将だよ」グッド氏はさっと敬礼した。

悪くない作戦だったけど、牧師さん、そんな手が通じるもんですか。アイリーンがそう思ったとき、「ぼくはどんな兵士？」とシオドアがたずねた。

「軍曹だ。任務は列車への搭乗」蒸気が噴き出すシューッという音がして列車がガタンと揺れた。「出発時刻だ、軍曹」といって、牧師はシオドアを赤ら顔の兵士の腕に預け、「この子の母親のもとにつつがなく届けてください、兵隊さん」

「引き受けたよ、牧師さん」と兵士が約束する。

「ぼくも兵隊なんだよ」とシオドアが赤ら顔の兵士にいった。「軍曹だ。だから、ぼくにも敬礼しなきゃ」

「そうなのかい？」兵士はにっこりした。

列車が動き出した。「ありがとう」アイリーンは車輪の音に負けじと声を張り上げた。

「元気でね、シオドア！」と手を振ったが、男の子は大はしゃぎで兵士に話しかけている。

アイリーンは教区牧師のほうを向いた。「奇跡の人ね、牧師さん。わたしひとりじゃ、シオドアを汽車に乗せるのは不可能だった。たまたま牧師さんが通りかかってくれてほんとによかった」

「じつをいうと、ホドビン姉弟を捜してるんだ。見かけてないよね？」

ふたりが姿を消したのはそういうことか。「今度はなにをしでかしたの？」

「学校で、先生のガスマスクに蛇を入れたんだ」教区牧師はホームの端まで歩いていくと、左右を見渡した。「もしふたりを見かけたら――」

「ちゃんと謝らせるわ」ふたりがホームの下に隠れている場合のことを考えて、アイリーンは声を張り上げた。「それに、ちゃんと罰を受けさせます」

「まあ、ぼくもあんまり厳しくするつもりはないんだけど。あの子たちにとっても楽じゃないからね、家から遠く離れた知らない場所に放り出されて暮らすなんて。それでも、早く見つけ出したほうがいい。あのふたりがバックベリーを燃やしつくさないうちに」グッド氏はもう一度ホームを見渡してから、駅を出ていった。

教区牧師の姿が見えなくなったとたん、アルフとビニーがまたあらわれることを半分予期していたが、そうはならなかった。シオドアはだいじょうぶだろうか。もし母親が迎えにこなくて、ひとりぼっちで駅に置き去りにされたら？「いっしょに行けばよかった」とつぶやく。

「そしたらだれがぼくらの面倒をみるのさ？」とアルフがどこからともなく姿をあらわした。

「牧師さんがいってたけど、先生のガスマスクに蛇を入れたんだって？」

「そんなことしてない」

「きっと、蛇が自分で這いこんだんじゃない」ビニーがぴょんと飛び出す。「毒ガスのにおいを嗅ぎつけたと思ったのかも」

「ミセス・バスコームにいいつけたりしないよね？」とアルフ。「夕食抜きでベッドにやられて、飢え死にしちゃう」

「そうね。そうなることを考えとくべきだったわね」とアイリーン。「さあ、来なさい」

ふたりとも強情にじっと突っ立っている。「さっき兵隊と話してるの聞いたけど」とアルフ。

「まともな娘は兵隊と話をしたりしないって、ミセス・バスコームがいってた」とビニー。

「でも、黙っててあげるよ。あたしたちのしたことを黙っててくれたら」

ふたりとも、とっくに大人になっているし、刑務所に送られてしかるべきね。それとも絞首台に。アイリーンは、牧師がまたあらわれて助けてくれることを半分期待しつつあたりを見まわし、それからいった。「行進。ただちに。すぐ暗くなるわ」

「もう暗いよ」とアルフ。

そのとおりだった。シオドアを列車に乗せようと奮闘し、そのあと牧師と話をしているあいだに、午後の最後の陽光がすっかり薄れていた。領主館までは徒歩で一時間近くかかるし、道のりの大半は森の中だ。

「夜道をどうやって歩くの？」とビニーがたずねた。「懐中電灯持ってない？」

「懐中電灯は禁止だよ、このあんぽんたん」とアルフ。「ドイツ人が明かりを見たら爆弾を落とすんだ。どかーん！」

「あたし、牧師がどこに懐中電灯しまってるか知ってる」とビニー。

「あんたたちの罪状リストに住居侵入を追加するつもりはありません。急いで歩けば、懐中電灯は不要」アイリーンはアルフの袖とビニーのコートをつかみ、追い立てるようにして牧師館の前を通り、村を抜けて歩いた。

「ドイツ人は、夜、森の中に隠れてるってラドマンさんがいってた」とアルフ。「牧場でパラシュートを見つけたんだって。ドイツ人は子供を殺すらしいよ」

三人は村の端までたどりついた。領主館へつづく小道が前方にのびている。もう暗い。

「どうなの？」とビニーがたずねた。「ドイツ人は子供を殺すの？」

ええ。ワルシャワやアウシュヴィッツの子供たちのことを思って、アイリーンは心の中でうなずいた。「森の中にドイツ人なんかいません」

「ううん、いるよ」とアルフ。「姿が見えないのは、隠れて侵略のチャンスを待ってるからなんだ。ヒトラーはクリスマスに本土上陸してくるって、ラドマンさんがいってた」

ビニーがうなずいた。「国王のスピーチの最中、だれも予想してないときにね。みんな、国王のどどどどもりを笑うのに忙しいから」

失礼よ、とアイリーンが注意するより早く、アルフが口を開き、「ううん、違うよ。侵略してくるのは今夜だ」と、木を指さした。「ドイツ兵は木から飛び降りてきて——」とビニーのほうに突進し、「銃剣でぼくらを突き刺す！」と実演する。ビニーが弟を蹴りつけて反撃をはじめた。

あと四カ月も、どうやったらホドビン姉弟に耐えられるんだろう。アイリーンは心の中でぼやきながらふたりのあいだに割って入った。「だれも侵略なんかしてきません」ときっぱりいう。「今夜も、あした以降も」

「どうしてわかる？」とアルフ。

「まだ起きてないことは、だれにもわからないんだよ」とビニー。

「どうして侵略してこないの？」とアルフがしつこく食い下がる。

なぜなら英軍がダンケルクで独軍の攻撃を逃れて撤退し、独軍はバトル・オブ・ブリテンに敗れ、英国を屈服させるためにロンドン爆撃を開始するからよ。でも、その試みは成功しない。英国人はドイツの攻撃に持ちこたえる。それは英国の〝もっとも輝かしい時《ファイネスト・アワー》〟となり、ドイツは戦争に敗北する。

「どうしてかっていうと、わたしが未来を信じているからよ」とアイリーンは答え、アルフとビニーの服をつかんだ指に力を込めると、闇に向かって歩き出した。

「最善をつくして練り上げた計画も……」

――ロバート・バーンズ「二十日鼠へ」より

3　オックスフォード、ベイリアル・カレッジ
二〇六〇年四月

マイクルが衣裳部から部屋にもどると、チャールズがいた。

「なんでここにいるんだ、デイヴィーズ？」チャールズがたずね、護身術らしき運動の途中で動きをとめた。体の前でぎこちなく左腕をかまえ、右腕は腹部をガードしている。「きょうの午後の出発だと思ってたけど」

「いや」マイクルはうんざりしたように答えた。白い軍服を椅子の背にかけ、「降下が金曜に延びた。どうせなら、アメリカ人アクセントの識閾下速習《インプラント》を受ける前にいってほしかったよ。そうすれば、この莫迦《ばか》みたいなしゃべりかたのまま、四日も過ごさずに済んだのに」

「どうせいつも莫迦みたいなしゃべりかたじゃないか、マイクル」チャールズはにやっと笑っていった。「それとも、早く慣れるように、時代名で呼んだほうがいいかな。なんて名前？　チャック？　ボブ？」

マイクルが自分の認識票をさしだすと、チャールズが名前を読んで、「マイク・デイヴィ

ス大尉か」

「うん。この現地調査は期間がすごく短いから、なるべく本名に近い名前にしようと思って。そっちのシンガポール用の名前は?」

「オズワルド・ベディントン - ハイス」

護身術を学ぶのも無理はないな、と思いながら、マイクルは衣裳部から支給された靴をベッドの上に置いた。「いつ行くんだい、オズワルド?」

「月曜だ。降下延期の理由は?」

「さあな。ラボの予定が押してるんだろ」

チャールズはうなずいた。「リナの話だと、とにかく泥沼らしい。一日に降下と回収が合計十件。おれにいわせりゃ、過去へ送る史学生の数が多すぎるんだよ。もうすぐ史学生同士で押し合いへし合いする羽目になる。おれの降下も延期してくれないかなあ。まだ予習することが山ほどあるんだ。狐狩りのこととか、知らないよな?」

「狐狩り?　行き先はシンガポールじゃなかったのか?」

「シンガポールだよ。しかし、向こうにいる英国将校は上流階級が多いらしくて、しじゅう狐狩りの話をしてるんだとさ」チャールズは、マイクルが椅子にかけた白い軍服を手にとった。「これ、海軍の制服だろ。バルジの戦いでアメリカ海軍がなにをやってたんだ?」

「バルジの戦いじゃないよ。真珠湾だ。そのあとワールド・トレード・センター倒壊、それからバルジの戦い」

チャールズはとまどった顔になった。「ダンケルク撤退に行くんじゃなかったのか」

「そうだよ。それはリストの四番め。そのあと、ソールズベリーとエルアラメイン」

「そういう極端に危険な場所ばっかり選んで行く理由をもう一回教えてくれ、デイヴィーズ」

「そういう場所に英雄がいるからだよ。英雄の観察が研究テーマなんだ」

「しかし、どれもこれも、危険度10じゃないか。それに、ダンケルクは分岐点だと思ったけど。いったいどうして――」

「違うって。ぼくが行くのはドーヴァー。それに、危険度10は、真珠湾のごく一部だけ――アリゾナ、ウェスト・ヴァージニア、ホイーラー飛行場、オクラホマだ。ぼくはニュー・オーリーンズに乗艦することになってる」

「しかし、ネルソン卿だかだれだかとおなじ船《ボート》にほんとに乗る必要があるのか？　安全な距離から観察できないのか？」

「違うって。第一に、ニュー・オーリーンズは艦《シップ》で、艇《ボート》じゃない。艇というのは、ダンケルクで兵士を救助したようなやつだ。第二に、安全な距離から観察するというのは、アイラ・フェルドマンがタイムトラベルを発明する以前の歴史家が強《し》いられていた行為だ。第三に、ネルソン卿がいたのはトラファルガーの戦いで、真珠湾じゃない。第四に、ぼくの研究対象は、海軍を――それに陸軍を――指揮して勝利に導いた英雄たちじゃない。英雄になるつもりなんかぜんぜんなかったのに、危機に際して並はずれた勇敢さと自己犠牲の精神を発揮したふつうの人間たちなんだ。パンデミックのさなか、自分の命を投げ出して人々にワクチンを打ちつづけたジェナ・ガイデルとか。それに、ダンケルクでイギリス軍兵士を救出した民間人——漁師やレジャーボートのオーナーやヨット乗り——とか。それにウエルズ・クラウザー。ワールド・トレード・センターに勤めていた二十四歳の株式トレーダーだよ。ビルがテロリストに攻撃されたとき、脱出することもできたのに、引き返して十人の人間を助け、命を落とした。ぼくは、六つの状況下で六人の英雄を観察して、彼らがどんな資質を共有しているかを観察するつもりなんだ」

「まちがった時刻にまちがった場所にいる適性とか？　ボートを所有しているとか？」

「環境はひとつの要素だ」マイクルは、チャールズが投げた餌には食いつかず、「それに、義務感もしくは責任感、身の安全を度外視すること、順応性——」

「順応性？」

「ああ。さっきまで日曜の朝の説教をしていたのに、次の瞬間、日本の零戦を撃ち落とすための対空砲に五インチ砲弾を送る作業に手を貸すことになる」

「だれの話？」

「ハウエル・フォージー師。重巡洋艦ニュー・オーリーンズの艦上で、日曜朝の礼拝の準備をしていたとき、日本軍が攻撃してきたんだ。ただちに対空砲火がはじまったが、発電機がやられて揚弾機が使えなくなった。そこで彼は、暗闇の中、砲員たちを指揮して、バケツリレー式に甲板まで砲弾を運び上げるチームを組織した。水兵のひとりに『さっきは説教が途中になっちゃったね、牧師さん。ここでつづきをやったらどうだい』といわれて、彼はこういった。『主を讃え、砲弾をまわせ』（この言葉は流行語となり、そのまま歌詞に使ったフランク・レッサー作曲の愛国歌「Praise the Lord and Pass the Ammunition」が戦時中に大ヒットした）」

「零戦に攻撃されるのが危険度10じゃないっていうのはたしかなのか？　そんなプロジェクトにどうしてダンワージーの承認をとりつけられたのか、まだわからないな」

「そっちだってシンガポールに行くんだろ」

「ああ。だがおれは日本軍の到着する前にもどってくる。あ、それで思い出したけど、おまえに電話があったぞ」

「だれから？」

「知らない。シャキラが受けたんだ。フォックストロットを教えにきてくれてて」

「フォックストロット？　勉強するのは狐狩《フォックスハンティング》りじゃなかったか？」

「両方だよ。フォックストロットが踊れないとクラブのダンス・パーティに行けないからな。シンガポールの英国人コミュニティは毎週ダンス・パーティを開いてる」チャールズは、マイクルが入ってきたときにやっていた護身術のポーズをとると、「左へ、二と、三と、四と――」とカウントしながら、ぎこちないステップで部屋を歩きはじめた。

「シンガポールの英国人コミュニティも、そんなことにかまける時間があったら、日本人がなにを企んでいるかにもっと気を配るべきだったな。そうしたら、あんなにぶざまに不意をつかれることもなかったかもしれない」

「真珠湾のおまえらアメリカ人みたいにか、デイヴィス少尉?」とチャールズがにんまり笑う。

「シャキラが電話を受けたっていったよな。メモは残してる?」

「ああ。電話のそばにある」

マイクルはメモ用紙をとって読もうとしたが、判読できた単語は「マイクル」と「へ」だけだった。残りは当てずっぽうで読むしかない。dob または late もしくは hots と読めそうな単語がひとつと、次の行には 501 もしくは scl。「解読不能」といって、チャールズにメモをさしだした。「どんな用件だか、なにかいってなかったか?」

「おれは留守だった。ひとっ走り衣裳部まで行って、ディナー・ジャケット用の採寸をしてたんだ。もどったら、シャキラが、おまえ宛ての電話があったから伝言をメモしておいたと」

「いま、シャキラはどこに? 部屋に帰ったかな」

「いや。小道具部へ行った。フォックストロットの練習に使う『ムーンライト・セレナーデ』の音源がないか調べに」チャールズは受けとったメモに目を走らせ、「よし、じゃあおれの番だ。うわっ、こりゃまたひどい字だな。うーん、これは sch だと思うね」と sol を指さす。「次の単語は change かもしれない。Schedule change〔予定変更〕?」

予定変更か。その場合、dob は lab《ラボ》かもしれない。「また予定が延びたんじゃなきゃいいけど」といいながら、マイクルはラボに電話した。「やあ、リナ。バードリを頼む」

「失礼ですが、どちら様でしょうか」

「マイクル・デイヴィーズだよ」とむっとして答える。

「ああ、マイクル。ごめんごめん。そのアメリカ人訛《なま》りのせいで、ぜんぜんわかんなくて。なんの用？」

「しばらく前にぼく宛てに電話があったらしくて、伝言が残ってるんだけど。きみじゃなかった？」

「ううん。でもあたし、当直でいま来たところなの。バードリかも。いま回収の最中だから、終わりしだい電話させる」

「ねえ、ぼくの降下の予定日時が変更になってないか調べてもらえないかな。金曜の午前八時の予定だったんだけど」

「見てくる。ちょっと待ってて」とリナがいい、しばし沈黙が流れた。「ううん、予定は変わってない。金曜午前八時、マイクル・デイヴィーズ」

「よかった。ありがとう、リナ」マイクルはほっとして電話を切った。「電話の主はラボの人間じゃなかった」

チャールズは伝言をなおもためつすがめつしている。「ダンワージーってことはあるかな。これ、Dかもって気がする」

ダンワージーが電話してくるとしたら、唯一の用件は、真珠湾はやはり危険すぎると判断したから航時許可を取り消すという通告だろう。その場合、ダンワージーとは話したくない。

「Dじゃないよ」とマイクルはいった。「Qだ。シャキラはいつもどるかいってた？」

チャールズは首を振った。「もうもどるころだけど」

「小道具部に行ってるっていったっけ？」

「もしくはボドレアン図書館。もし小道具部の音楽資料室で音源が見つからなかったら、図書館か調査部をためしてみるっていってたから」

ということは、どこにいてもおかしくない。捜しにいったらすれ違いになる可能性が高い。ここで待つほうが得策だ。どのみち、いくつか調べることがある。真珠湾に関する予備調査はだいたい終わっている——ニュー・オーリーンズの甲板の見取り図も、乗組員の姓名および階級も、フォージー牧師の外見も知っているし、アメリカ海軍プロトコルの規則も、あらゆる艦船の位置も、十二月七日に起きたことの詳細な時系列表も暗記した。ひとつだけ心配なのは、ニュー・オーリーンズにどうやって乗艦するかだ。予定では、十二月六日午後十時のワイキキへ抜けることになっている。ニュー・オーリーンズとの間を夜中まで行き来するリバティ・ランチ（上陸許可を得たクルーを運ぶボート）に乗るつもりだが、マイクルの調査によると、土曜の夜のワイキキは喧嘩の相手を物色している酔っ払いのGIと水兵、職務に熱心すぎる海軍憲兵であふれている。日曜の朝、日本軍が攻撃してきたとき、ニュー・オーリーンズの監禁室に閉じ込められているわけにはいかない。降下点が将校クラブからどのぐらい離れているか、それに、当夜、リバティ・ランチの便があったかどうかもたしかめておいたほうがいいかもしれない。あったはずだ。ダンス・パーティが催されてたんだから。だとしたら——。

電話が鳴った。マイクルは受話器に飛びついた。「もしもし、チャールズ？」シャキラがいった。「遅くなってごめん。グレン・ミラーが見つからなくて。かわりにベニー・グッドマンのありかが――」

「チャールズじゃない。マイクルだ。いまどこ？」

「ぜんぜんマイクルらしくないわね」

「アメリカ語のインプラントを受けたんだよ。ねえ、さっきここにいるとき、ぼく宛ての電話を――」

「ちゃんとメモしといたわよ」むっとした口調で、「電話のそばに紙があるはず」

「でも、なんて書いてあるんだ？」

「ちゃんと書いたでしょ。あなたの降下の順番が変わったの。まずダンケルクだって。時刻は予定どおり、金曜の午前八時」

「いつでも力をつくす用意をしていることで、みなさんはたいへん価値のある仕事を果たし、国家に貢献してきたのです」

――疎開に参加した国民への感謝を述べた
エリザベス王妃の言葉、一九四〇年

4 ウォリックシャー州バックベリー
一九四〇年二月

洗濯物を干そうとした矢先に雨が降り出したので、アイリーンはしかたなく舞踏室に物干し綱を張り、シーツを干す羽目になった。周囲の壁からそれを見守るのは、ひだ襟《えり》やフープスカートを身にまとう、エドワード卿とレイディ・キャロラインのご先祖様の肖像画。この調子だと、いつもの倍の時間がかかりそうだ。終わるころには、子供たちが学校から帰ってくる。その前に屋敷を出るつもりだったのに。前回の半休は、ホドビン姉弟が森の中までつけてきたので、降下点へ行くのを翌週に延ばさなければならなかった。

またしても。その前の月曜は、半休をつぶして、南京虫駆除のために子供たちの寝棚を燻蒸することになったし、さらにその前の月曜は、干し草の山に火をつけたお詫びをしにアルフとビニーを連れてラドマンさんの農場へ行かなければならなかった。ドイツ軍の上陸に備えて、狼煙《のろし》に火をつける練習をしてたんだとふたりは主張した。「みんながみずからの分をつくさないと戦争に勝てないって牧師さんがいってた」とビニー。

あんたたちの場合は教区牧師も例外を認めてくれると思うけどね、とアイリーンは心の中でいった。しかし、降下点へ行くのを妨げるのはホドビン姉弟ばかりではなかった。クリスマス以来ずっと、半休がとれるはずの日は、戦時郵便貯金切手運動のキャンペーンや、レイディ・キャロラインが〝戦争協力の一環〟として考案したその他のプロジェクト（なぜか彼女自身が直接関わることはなく、召使いたちが関与する）につぶされていた。

早くネットを抜けてオックスフォードにもどらないと、なにかあったんじゃないかと思われて、回収チームが送られてくる。せめて、どうして出頭できなかったのかを説明しなければ。それに、ネットを開く頻度を、現在の週に一回から、もっと増やしてくれるよう掛け合いたかった。「つまり、ホドビン姉弟が帰ってくる前に、この厄介なシーツを干してしまわなきゃいけないってこと」と、若かりしころのレイディ・キャロラインがスパニエルたちといっしょに描かれている肖像画に向かっていうと、腰をかがめて、洗濯籠からもう一枚シーツをひっぱりだした。

台所女中《キッチン・メイド》のユーナが戸口に立っていた。「だれと話してるの？」といって、物干し綱のあいだに視線を走らせる。

「ひとりごと」とアイリーンがいった。「頭がおかしくなる最初の徴候」

「あら」とユーナ。「ミセス・バスコームがお呼びよ」

今度はなに？　これじゃ、いつまでたっても出かけられない。「わかった。かわりにシーツの残りを干しといて」アイリーンは持っていたシーツをユーナの手に押しつけると、奥の階段を急ぎ足で降りて台所へ行った。

ミセス・バスコームはボウルの中に卵を割り入れていた。「新しいエプロンをつけて。奥さまのお呼びよ」

「でも、きょうは半休日なんです」とアイリーンは抗議した。

「ええ、そうね、そのあとだったら出かけてもかまわないわ。奥さまは客間よ」

客間？　ということは、だれかの親が子供を連れにきたんだ。クリスマスからこっち、領主館にいる疎開児童の数は着実に減りつづけている。子供たちがみんな屋敷を出てしまうようだと、観察すべき対象が残らなくなる。これもまた、きょうオックスフォードにもどるべき理由のひとつ。ダンワージー先生に直談判《じかだんぱん》して、どこかべつの場所に送ってもらえないか頼んでみたい。あるいは、今回の現地調査を早めに切り上げて、ほんとうに行きたいところ——欧州戦勝記念日《VEデイ》——に行かせてもらえないか頼んでみるか。アイリーンは洗いたてのエプロンを急いで身につけ、廊下を歩き出した。

「待って」ミセス・バスコームがいった。「奥さまに、神経のお薬を持っていってちょうだい。スチュアート医師《せんせい》がまわしてくださったのよ」

薬はアスピリンだった。レイディ・キャロラインの〝神経〟に効果があるかどうかは疑わしい。どのみち、彼女の神経の病《やまい》とは、もっぱら、疎開児童を静かにさせておくための口実みたいなものだ。アイリーンはミセス・バスコームから薬の箱を受けとり、客間へ急いだ。

来ているのはだれの親だろう。マグルーダー姉弟の親じゃないことを祈った。残っている疎開児童の中で、いい子にしているのは、バーバラ、ペギー、ユアンのマグルーダー三姉弟だけだった。ほかの子は全員、アルフとビニーにどうしようもなく感化されている。

もしかしたらホドビン姉弟の母親かも、と考えて気分が明るくなったが、そうではなかった。マグルーダー姉弟の両親でもなく、来客は教区牧師だった。本来なら、会えてうれしいと思うところだが、牧師が来ているということは、たぶんまたホドビン姉弟が罪をおかしたのだろう。

「お呼びでしょうか、奥さま」とアイリーンはいった。

「ええ、エレン」とレイディ・キャロライン。「自動車を運転したことはある？」

あのふたり、牧師の車を盗んでぶつけたのか。「運転、ですか、奥さま？」と用心深くいう。

「ええ。民間防衛の用意について、グッドさんと話し合っていたのです。とりわけ、救急車の運転手の必要性について」

牧師がうなずき、「爆撃もしくは侵略の有事に際しては——」

「訓練を受けた運転手が必要です」とレイディ・キャロラインがひきとった。「運転はできるの、エレン？」

おかかえ運転手《ショーファー》を別にすると、一九四〇年の使用人が車を運転する機会などなかったから、アイリーンの予備講習に運転は含まれていなかった。「いいえ、奥さま。あいにく、一度も運転を習ったことはありません」

「では、これから習うのです。戦争協力の一環として、わたくしのベントレーを使ってくださるよう、グッドさんに申し出ました。グッドさん、きょうの午後、エレンに第一回の運転教習をさせてよろしいですよ」

「きょうの午後？」アイリーンは落胆を隠しきれずに思わずそう口走り、唇を噛んだ。一九四〇年のメイドは、口ごたえしてはならない。

「都合が悪いんですか？」牧師がたずねた。「教習はあしたからにしても一向にかまいませんよ、レイディ・キャロライン」

「もちろんかまいますとも、グッドさん。バックベリーはいつ攻撃にさらされないともかぎりませんからね」レイディ・キャロラインはアイリーンのほうを向いた。「戦争になれば、わたくしたちはだれしも犠牲を覚悟しなければなりません。牧師さんは、ここが終わりしだい、あなたに運転のレッスンをしてくださいます。お茶を飲んでいかれますわね、牧師さん？　エレン、ミセス・バスコームに、グッドさんがお茶をごいっしょしてくださると伝えてちょうだい。それと、お茶のあとで、ミセス・バスコームとミスター・サミュエルズも教習を受けるように、と。下がってよろしい」

「はい、奥さま」アイリーンはひざをちょこんと曲げてお辞儀をすると、小走りに台所へもどった。こうなったら、どうしても降下点へ行かなければ。車の運転ができないのはいいとしても、この時代の自動車にまったくなじみがないのはまずい。事前に多少の予習が必要だ。いますぐ降下点へ行って、教習の前にもどるようにトライしてみるべきだろうか。レイディ・キャロラインのことだ、午後のお茶には、少なくとも一時間はかかる。でも、もしそうじゃなかったら……。もしかしたら、ミセス・バスコームに先に教習を受けてもらえるかもしれない。

ミセス・バスコームはケーキをオーヴンに入れているところだった。「子供たちがいまさっき学校から帰ってきたわ。子供部屋に上がって着替えてきなさいと追い出したところ。奥さまはなんの用だったの？」

「牧師さんがわたしたちみんなに車の運転を教えてくださるって。それと、牧師さんがお茶に同席することを伝えるようにって」

「運転？」とミセス・バスコーム。

「ええ。爆撃があったとき、わたしたちが救急車を運転できるように」

「それとも、ジェイムズが召集されて、奥さまが会合に出かけるときに車を運転する人間がいなくなったときのために」

それは考えなかった。おかかえ運転手の召集を心配するというのは、たしかにありそうな話だ。先月、執事《バトラー》と、ふたりいた下男《フットマン》の双方が召集されてしまい、いまは老齢の園丁《えんてい》のサミュエルズがお仕着せを着て正面玄関の脇に立っている。

「ともかく、あたしが自動車を運転することはこんりんざいないね」とミセス・バスコームがいった。「爆撃があろうがなかろうが」

　ということは、教習の順番をかわってもらうのは無理。サミュエルズに頼むしかない。

「教習の時間をどうやりくりしろっていうんだろう。いまだってやることが多すぎるのに。どこへ行くの？」

「サミュエルズさんのところ。わたしの最初の教習はきょうの午後だといわれたけど、きょうは半休の日なの。もしかしたら、サミュエルズさんとかわってもらえるかもと思って」

「いや、きょうは国土防衛軍の集まりだよ」

「でも、だいじなことなんです」とアイリーン。「なんとかそれを抜けて――」

　ミセス・バスコームは鋭い視線をこちらに向けた。「きょうにかぎって、ずいぶん半休をとるのに熱心じゃないか。兵隊と逢い引きしようというんじゃないだろうね。駅で兵隊といちゃついているところを見たとビニーがいってたけど」

　ビニー、この裏切り者め。蛇の一件をミセス・バスコームに告げ口しないという取引をこっちは守っていたのに。「いちゃついてなんかいません。シオドア・ウィレットを母親のもとに送り届けてもらうためにあれこれ指示をしてただけ」

　ミセス・バスコームは納得していない顔だった。「若い娘はいくら用心しても用心しすぎることはない。とくに、こういうご時世ではね。兵隊は娘を夢中にさせて、言葉巧みに誘って森の中で逢い引きし、結婚を約束した挙げ句――」頭上からどしんという大きな音が響き、それにつづいて、悲鳴と、犀《さい》の群れが走っていくような音がした。「あの悪童ども、今度はなにをやらかしたんだろう。見てきて。舞踏室のほうみたい」

そのとおりだった。どしんという音は、濡れたシーツを端から端まで隙間なく掛けた物干し綱が落ちた音だったらしい。部屋の隅に追いつめられた子供たちの一団に向かって、シーツをかぶった二体の幽霊が両腕を突き出し、威嚇している。

「アルフ、ビニー、すぐにそれをとりなさい」とアイリーンはいった。

「こいつらがナチだって白状したから」とジミーが弁解するようにいったが、シーツの説明にはなっていない。

「ドイツ人は子供を殺すっていって、追いかけてきたの」と五歳のバーバラ。

さいわい、被害はシーツだけにとどまったようだ。もっとも、壁に掛かったレイディ・キャロラインの肖像画が斜めに傾《かし》いでいる。「この部屋で遊んじゃいけませんっていったのよ」と八歳のペギーがいい子ぶっていう。「でも、そのふたりが聞いてくれなくて」

アルフとビニーは、体にへばりつく濡れたシーツを引きはがそうとまだもがいている。

「ドイツ人は子供を殺すの？」アイリーンのスカートにしがみついて、バーバラがたずねた。

「いいえ」

アルフの頭がシーツの下からあらわれた。「殺すよ。上陸してきたら、ドイツ人はエリザベス王女とマーガレット・ローズ王女を殺すよ。首をすっぱり切り落とすんだ」

「そうなの？」バーバラがおびえた声でいう。

「いいえ」とアイリーン。「外へ出なさい」

「でも、雨だよ」とアルフ。

「先にそのことを考えておくべきだったわね。厩《うまや》で遊んでもいいわよ」アイリーンは子供たち全員を外に連れ出してから、舞踏室にもどった。レイディ・キャロラインとスパニエルたちの肖像画をまっすぐに直し、物干し綱を張り直してから、床のシーツを拾いはじめた。ぜんぶまた洗い直さなければならない。それに、家具にかぶせてある埃よけのシーツも。

ホドビン姉弟を絞め殺したら、歴史にどんな悪影響があるだろう。理論的には、時間旅行者は、歴史上の出来事を変えるようなことはなにひとつできない。そういう事態の発生をずれが防止している。とはいえ、この場合にかぎっては、まちがいなく例外になるはずだ。ホドビン姉弟がいないほうが、歴史は明らかによりよいものになる。くしゃくしゃになったもう一枚のシーツを拾い上げようと腰をかがめたとき、

「失礼ですが、ミス」と戸口からユーナが呼びかけてきた。「奥さまが客間でお呼びよ」

アイリーンは濡れたシーツをユーナの両手に押しつけ、台所に走っていってまたエプロンドレスに着替えてから、駆け足で二階に上がり、客間に向かった。そこにはマグルーダー夫妻がいた。「おふたりは……ええっと……お子さんたちを迎えにいらしたのよ」とレイディ・キャロラインがいう。子供たちの名前をまったく覚えていないのは明らかだ。

「バーバラ、ペギー、ユアンを迎えにですか、奥さま？」とアイリーン。

「ええ」

「子供たちがいないとほんとうにさびしくて」とマグルーダー夫人がいった。「家の中がし

んと静まり返ってるんです」レイディ・キャロラインが〝しんと静まり返っている〟という言葉を聞いて、うらやましげな表情になった。さっきの子供たちの騒ぎが聞こえていたにちがいない。

「欧州が意のままになどならないと気がついてヒトラーが正気にもどりつつある以上、子供たちをうちに置いておけない理由はありませんから。奥さまがうちの子供たちをあずかって、わが子のようにいつくしんでくださったことには、もちろんたいへん感謝しておりますが」とマグルーダー氏。

「喜んでお世話させていただきました」とレイディ・キャロライン。「エレン、ペギーと……ペギーたちの持ちものを荷づくりして、客間に連れてきてちょうだい」

「はい、奥さま」アイリーンはお辞儀をすると、足早に廊下を歩き、舞踏室に向かった。もしユーナが見つかったら、マグルーダー姉弟の荷づくりを彼女に頼んで、その隙に降下点へ行ける。まだ舞踏室にいてくれますように。

ユーナは舞踏室で、まだ濡れたシーツの山を抱えていた。「ユーナ、マグルーダー姉弟の持ちものを荷づくりしてちょうだい。わたしは外へ行って子供たちを連れてくるから」といってすばやく逃げ出したが、外に出たところで、レイディ・キャロラインのベントレーの脇に立つ教区牧師と鉢合わせした。

「牧師さん、すみません。でも、いまは教習を受けられないんです」アイリーンはいった。「マグルーダーさんご夫妻がいらっしゃって、ペギーとユアンと――」

「知ってますよ」と牧師はいった。「もうミセス・バスコームと話をして、あなたの教習はあしたに変更しました」

大好き、とアイリーンは心の中でいった。

「きょうはユーナに教習を受けてもらいます」

ああ、かわいそうな牧師さん。でも、とにかくこれでわたしは自由の身。「ありがとうございます、牧師さん」と熱をこめていうと、霧雨の中、芝生を横切って厩へ向かい、それから頭を低くして温室の裏手へまわると、急いで道路に出て、ベントレーに乗ったユーナと牧師に追いつかれないうちにと小走りに道路を歩き出した。

五百メートルもいかないうちに雨が強くなってきたが、かえって好都合だった。いくら穿《せん》鑿《さく》好きのホドビン姉弟でも、この土砂降《どしゃぶ》りのなか、つけてくることはないだろう。アイリーンは道路をそれて森に入り、泥だらけの小径をトネリコの木めざして足早に歩いた。

ネットが開く時刻をタッチの差で逃したなんてことがありませんように、と心の中で祈った。降下点が開くのは一時間に一度。いまから一時間後だと、もう暗くなる。降下点は森の奥だから、道路からきらめきを見られる心配はないが、灯火管制のもとでは、どんな光も疑いの的になる。国土防衛軍は、ほかにやることもないので、ドイツの落下傘兵を捜索してときどき森の中をパトロールしている。もし彼らか、あるいはホドビン姉弟に——

視界の端でなにかが動くのが見えた。さっと振り向き、アルフの帽子かビニーのヘアリボンが見えないかと目を凝らし——

「ここでなにをしている?」と背後で男の声がして、アイリーンは飛び上がった。くるっとうしろを向くと、トネリコの木の横に、かすかなきらめきが見えた。それを通して、ネットと、コンソールの前のバードリの姿が見える。「きみの降下予定日は十日だ」とバードリが話している。「スケジュールが変更になったのを聞いてないのか？」

「だから来たんだ」もうひとりの男が怒ったようにいう。そのあいだにも、きらめきがどんどん明るくなり、「どうして延期になったのか、納得のいく理由が聞きたい。ぼくは——」

「その話はあとだ」とバードリ。「いま、回収作業の最中——」

アイリーンはきらめきを抜けてラボに入った。

「あのときは、これが決定的な戦いだとは知らなかった……敗北の瀬戸際だったことも知らなかった」

――ジェイムズ・H・〝ジンジャー〟・レイシー、
バトル・オブ・ブリテン当時の飛行中隊長

5 オックスフォード
二〇六〇年四月

「ダンケルクに送られるのか？」電話を切ったマイクルに、チャールズがたずねた。「真珠湾はどうなった？」

「ぼくも知りたいよ」マイクルはそう答えると、バードリに直談判すべく、ラボへと突進した。

リナが戸口で出迎えた。「バードリは降下の準備中なの。あたしでよければ用件を聞くけど」

「ああ。どうして降下の順番を変えたのか教えてほしいね。このアメリカ人訛りのままダンケルク撤退へ行くわけにはいかない。ロンドン・デイリー・ヘラルド紙の記者ってことになってるんだぞ。どうしても――」

「バードリと話してもらったほうがいいみたいね。ここで待ってて」といって、リナはコンソールの前のバードリにそそくさと歩み寄った。バードリはキーボードからせわしなく数字を打ち込んでは画面を見上げ、また入力している。知らない顔の若い男がそのうしろに立って、バードリの肩越しに画面を見ていた。見るからに、これから送り出される史学生だろう。着古したツイードのフランネルにワイヤフレームの眼鏡。一九三〇年代のケンブリッジ大学の学監だな、とマイクルは思った。

リナはバードリになにか耳打ちして、すぐもどってきた。「まだ三十分はかかるって。待つのがいやなら、こちらから電話して――」

「待つよ」

「すわる?」とリナ。マイクルがノーというより早く、電話が鳴った。リナが受話器をとり、

「いいえ、先生。いまは送り出しの最中です」と電話の相手に向かって話すのが聞こえた。

「いいえ、まだ。目的地はオックスフォードです」

まあ、当たらずといえども遠からずか。それにしても、一九三〇年代のオックスフォードでなにを研究するんだろう。インクリングス(トールキンやC・S・ルイスらの文芸討論グループ)? 女性の大学入学許可?

「いいえ、先生。予備調査《リコン》と準備作業《プレップ》用の降下です」とリナ。「フィップスが実際に現地調査に出発するのは来週末になります」

リコンにプレップ? とくに複雑な現地調査の場合にしか実施されない手続きだ。マイク

ルは興味を引かれてフィップスに目を向けた。いまはネットのそばに移動している。一九三〇年代のオックスフォードで観察できる、とくに複雑なものって、いったいなんだろう。危険な対象ではありえない——フィップスはいかにも華奢《きゃしゃ》でひよわそうに見える。

「いいえ、先生。彼の目的時はひとつだけです」とリナが電話に向かっていう。しばし口をつぐんでコンソールに目をやり、「いいえ。それ以外の現地調査は、一六六六年だけです」

「中央に立って」とバードリに指示されて、フィップスは天井から下がるカーテンの下に足を踏み入れ、マークの上に立ち、眼鏡を鼻の上に押し上げた。

「今週と来週、現地調査に行っている史学生と、出発する予定がある史学生全員のリストですね?」リナが電話の相手に確認している。「空間位置もですか、それとも時間位置だけ?」間。「史学生、現地調査先、日付ですね」と書き留める。シャキラが書いたメモより読みやすい字ならいいんだけど、とマイクルは思った。「はい、先生。ただちに調べてきます。このままお待ちになりますか?」返事はイエスだったらしく、リナは受話器を机に置いたまま、バードリのところに走っていった。バードリはまだフィップスに立ち位置を指示している。それから、補助ターミナルのほうを向いた。

「準備はいいか?」とバードリがフィップスにたずねた。

フィップスはツイードのジャケットの中に手を入れ、内ポケットに入っているなにかをたしかめてからうなずいた。「送られる先は土曜日じゃないよね?」とたずね、「もしずれがあったら、日曜に到着することになる。そうしたら——」

「いや、水曜だ」とバードリ。「七月二日」

「七月二日？」とフィップスが訊き返す。

「そうよ。一五三六年」とリナが答えた。マイクルはわけがわからなくなり、リナのほうに目をやった。だが、リナはもう電話の前にもどり、プリントアウトを読み上げている。「ロンドン、アン・ブーリンの裁判――」

「ああ、一九四〇年七月二日だ」とバードリがフィップスに答える。「降下点は三十分おきに開く。ちょっと右に寄って」と片手で合図した。「もうすこし」フィップスはいわれたとおり、よたよたと右に動いた。「ちょっとだけ左。よし。もう動かないで」バードリはコンソールにもどり、いくつかキーを叩く。フィップスのまわりに、ネットのカーテンがしずしずと降りてくる。「降下点の時間的ずれの量を記録してもらう必要がある」

リナが電話に向かってしゃべっている。

「どうして？」とフィップス。「今回の降下に、いつも以上のずれを予想してるわけじゃないでしょう？」

「動かないで」とバードリ。

「ずれは生じないはずじゃないか。ぼくが行く場所はぜんぜん――」

「エジプト、カイロ」とリナが受話器に向かっていい、バードリは「準備はいいか？」とフィップスにたずねた。

「いや、だからどうして――」と口を開いた次の瞬間、フィップスは光のきらめきの中に姿を消した。

バードリがマイクルのところにやってきた。「伝言は受けとったようだな」

「ああ」とマイクル。「いったいぜんたいどういうことなんだ?」

「怒鳴る必要はない」とバードリがおだやかにいう。

「それはあんたの意見だろ。こんなにギリギリになっていきなりスケジュールを変更する権利はない! ぼくはもう真珠湾の予備調査を済ませたんだ。衣裳も書類も金も用意して、アメリカ人の訛りでしゃべれるようにインプラントも受けた」

「ほかにどうしようもないんだよ。これがきみの降下の新しい順序だ」とプリントアウトをさしだす。

マイクルはリストに目を走らせた。ダンケルク撤退、真珠湾、エルアラメイン、バルジの戦い、ワールド・トレード・センター倒壊、ソールズベリーにおけるパンデミックのはじまり——

「ぜんぶ変えたのか?」マイクルは叫んだ。「こんなふうにただ順番をいじくりまわして、それで済むと思ってるのか? ぼくが決めた順序にはちゃんと理由があるんだぞ。ほら」とバードリの鼻先にリストをつきつけて、「真珠湾とワールド・トレード・センターとバルジの戦いはぜんぶアメリカ人だ。だから、順番をまとめて、一回のインプラントで済むようにしたんだよ。しかも、その米語インプラントはもう受けてる! こんなアクセントの人間が、ロンドン・デイリー・ヘラルド戦争特派員としてダンケルク撤退を取材するなんて大笑いだ！」

「それについては申し訳ない」とバードリ。「インプラントの前に連絡しようとしたんだがね。こうなっては、消去してもらうしかなさそうだ」

「消去？　じゃあ、真珠湾はどうしろっていうんだ？　アメリカ海軍の大尉になる予定なんだぞ。このスケジュールだと、ジグザグになってるじゃないか——英国人、米国人、英国人！　かんべんしてよ！　現地に一年滞在するような通常の調査じゃない。それぞれの場所に滞在するのはほんの二、三日だ。ものの呼びかたやアクセントに悩んでいる余裕はないんだよ」

「気持ちはわかる」とバードリがなだめるようにいった。「しかし——」

ドアが開き、たくましい青年が突進してきた。「話がある」というなり、バードリをラボの奥の隅へとひっぱっていった。「降下スケジュールを変えるなんてどういうつもりだ？」と詰問する声が聞こえてくる。ということは、予定をめちゃくちゃにされたのはぼくひとりじゃないらしい。

マイクルはリナに目をやった。まだ電話中。「——一九四二年二月六日まで」とプリントアウトを読み上げている。

「いったいどうやって月曜の朝までに準備しろっていうんだ？」とたくましい男が部屋の隅で怒鳴る。

「怒鳴る必要はないよ」とバードリがいった。

「デニス・アサートン」とリナがつづけた。「一九四四年三月一日から――」

「いらだつ気持ちはわかる」とバードリ。

「いらだつだと？」若者が爆発した。

もっといってやれ、とマイクルは思った。ぶん殴れ。ぼくの分も頼む。だが、青年は殴るかわり、足音も荒く部屋を出ていった。叩きつけられたドアがものすごい音をたて、リナがびくっと飛び上がった。「――一九四四年六月五日までです」と受話器に向かっていう。

やれやれ、いま現在、何人の史学生を第二次大戦に行かせてるんだろう。チャールズのいうとおりだ。史学生同士が現地でぶつかりはじめる。もしかして、降下の順序が変更になったのもそのせいだろうか。しかし、もしそうだとしたら、ソールズベリーかワールド・トレード・センターに送られたはずだ。

バードリがマイクルのところにもどってきた。「アメリカ人記者を装うことはできないかな」

「アクセントだけの問題じゃない。準備作業全体の問題なんだ。三日じゃ、とても準備ができない。服も書類もないし、全般的な下調べをやっただけで――」

「追加の準備作業のために時間が必要だということはこちらでも理解している」バードリはなだめるようにいった。「だから、降下の実施を土曜日に延ばして――」

「一日余裕をくれるって？　すくなくとも二週間は必要だ。それも無理だといわれるんだろうけど」

「いやいや、もちろんスケジュールは変更できるよ」といって、バードリはコンソールのほうを向いた。「ただし、ラボのほうの予定がおそろしく立て込んでいてね、それに合わせてもらう必要がある。ちょっと待って」と、画面に目を向けて、「十四日ならだいじょうぶかも……いや……すくなくとも三週間後になるな。インプラントを使って準備期間を短縮したほうがよさそうだね。ラボのほうで手配して――」

「ぼくはもう、リミットいっぱいまで速習を受けてる。三コースが上限で、言語学習は二コース分にカウントされる。それと、〈歴史的事件〉が一コース――それも、一九四一年のね。ダンケルクではさぞやその知識が役立つだろうな」

「そんな嫌味をいう必要はないよ」とバードリ。「ラボのほうで特別許可を手配して、きみが追加のインプラントを――」

「特別許可なんていらない。順番をもとにもどしてもらうだけでいい」

「あいにく、それは不可能だ。ええっと、次にラボが空いているのは五月二十三日。そうすると、他の降下もうしろへずれることになる。キャンセルが出ればもっと早く送り出せるかもしれないが、現状では――」スクリーンが点滅しはじめた。「すまない。その件はあとまわしだ」

「もう時間が――」

「リナ」バードリはマイクルを無視して、「回収だ」

ビープ音の間隔が短くなり、かすかなゆらめきがネットのカーテンの内側にあらわれた。

輝きが明るさを増しながら広がり、ジェラルド・フィップスが薄いカーテンの向こうにあらわれた。眼鏡を鼻の上に押し上げている。「ずれは生じないといったでしょう」

「まったくのゼロ?」とバードリ。

「ほとんどゼロ。たった二十二分でしたよ。ぜんぶ手配するのに二時間しかかかりませんでした。手紙を投函し、長距離電話をかけ――」

「帰還時はどうだった?」とバードリ。「降下点は予定時刻に開いたか?」

「最初は開きませんでしたが、川に何艘かボートが出てたんで、たぶんそのせいでしょう」フィップスはコンソールのほうへ歩いていった。「ぼくの現地調査先へはいつ送ってもらえるんです?」

「金曜の十時半だ」とバードリ。

フィップスの降下に関してはスケジュールの変更がなかったらしく、彼は、「わかりました」とうなずいて、戸口に歩き出した。

「ぼくの降下先をどうして真珠湾にもどせないのか、その理由をまだ説明してもらってないんだけど」マイクルはバードリがコンソールに向き直る前にいった。

「ラボとしては、許可された順序にしたがって送り出すしか――」

「失礼、バードリ」と、まだ受話器を持ったままのリナが口をはさんだ。「フィップスの降下のずれは?」

「二十二分」とバードリ。

「二十二分です」とリナが受話器に向かっていう。

「わかった。じゃあこうしよう」とマイクル。「ぼくはダンケルクに行く。そのかわり、そのあとは、真珠湾とか、アメリカ人アクセントが必要になる現地調査をまとめて済ませて、それからソールズベリーと北アフリカ。いいよね？」

バードリは首を振った。「許可された順序で史学生を送ることしかできないんだ」

「許可って、だれの？」

「バードリ」とリナがまた呼びかける。「フィップスの回収時、降下点は予定どおり開いた？」

「すぐそっちへ行くよ、リナ」とバードリはいったが、またビープ音が鳴りはじめた。「もうひとり、史学生がもどってくる。デイヴィーズくん、もし土曜日に行くのが無理なら、降下を五月二十三日に延ばすことはできる。その場合、真珠湾への降下は――」画面に目をやり、「八月二日。エルアラメイン降下は十一月十二日になる」

その調子だと、プロジェクトが完了するのは二年後だ。「いや」とマイクルはいった。「土曜日までに準備を済ませるよ」なんとかして。

マイクルは小道具部へ直行して、プレス証とパスポート、その他一九四〇年にアメリカ人がイギリスに滞在するために必要とされる書類一式がほしい、木曜までに用意してくれと訴え、無理だといわれると、だったらダンワージーと直接話をしてくれと言い捨てて、衣裳部へ向かったが、白の軍服を返却しないかぎり記者の衣裳用の採寸はできないといわれたので、部屋にもどり、現地調査に必要な知識すべてを頭に叩き込むという不可能事にとりかかった。どこから手をつけていいのかもわからない。ダンケルク撤退における民間人の英雄を見つけ出す必要がある。ボートの船名、ドーヴァーに帰りついた時刻、桟橋の場所とそこへのアクセス、ドーヴァー到着後どこへ行ったか、駅の場所——それに、英雄が負傷していた場合に備えて、病院の場所も……。リストはどんどん長くなる。しかもこれは、取材に行くためだけに必要な情報だ。ほかにも、撤退と戦争全般について、膨大な量の背景情報が必要になる。それに、土地の習慣についても。

アメリカ人記者の振りをしなければならないことには、利点もあった。ものを知らないことの言い訳になる。それでも、ダンケルク撤退に先立つ数カ月間になにが起きたのかは知っておく必要があるだろう。新聞記者としてはとくに。

とにかく、だいじなことから先にかたづけよう。マイクルは〝ダンケルクの英雄たち〟を呼び出すと、チャールズとシャキラがとつぜんあらわれてフォックストロットの練習をはじめないことを祈りつつ、作業を開始した。

ふたりはあらわれなかったが、リナが電話してきた。「頼むから、また順番を変えたとかいわないでくれよ」

「いいえ。いまもまだダンケルク撤退の予定。でも、降下点がなかなか見つからないの。これまでに試した地点はどこもかしこも、五日から十二日のずれが予想される。それでバードリは、もしかして——」

「いや、一部でも見逃すわけにはいかない。ダンケルク撤退は、最初から最後まで入れても、たったの九日間だ。五月二十六日には現地にいる必要がある」

「ええ、それはわかってるの。聞きたいのは、候補地にどこか心当たりはないかっていうこと。ドーヴァーの出来事にはわたしたちよりくわしいでしょ。あなたなら、降下点に使えるかもしれない場所をどこか教えてくれるかもしれないって、バードリが」

埠頭近辺はすべてだめ。それに、街の中心もだめだ。海軍本部の将校たちや小型船舶団《プール》の連中でごった返しているだろう。「海岸は試した？」とたずねた。

「ええ。だめだった」

「じゃあ、ドーヴァーの北と南の海岸を試してみて」と提案したものの、あれだけたくさんの船舶がまわりに集まっていたのでは、やっぱりだめかもしれない。それに、英国はドイツ軍の上陸を予期していた。海岸線の防備をかためていた可能性が高い。あるいは、地雷を敷設するか。「それとも、ドーヴァー郊外のどこかでもいいよ。ヒッチハイクで埠頭まで行くから。ドーヴァーに向かう車はたくさんあるはずだ」もし乗せてくれたのが軍用車両なら、どうやって埠頭まで行くかという問題も解決するかもしれない。

しかし、二時間後、バードリが電話してきて、どれもだめだったといった。「もっと遠く離れるしかなさそうだ。近隣の村とか、可能性のある場所のリストをつくってほしい」

というわけで、マイクルは自分の準備をそっちのけにして、ボドレアン図書館にこもり、一九四〇年のイングランドの地図と首っ引きで、ドーヴァーから歩ける範囲内にある人目につかない場所を探すことになった。午後六時、リストをラボへ持参してバードリに手渡し（バードリは、スケジュールを変更されたことに憤る、ダブレットにタイツ姿の男に怒鳴られているところだった）、ボドレアンにもどって、ダンケルク撤退で観察する英雄を選ぶための下調べを再開した。

候補の数が多すぎる。じっさい、撤退作戦に加わったひとりひとりがみんな英雄だった。地元の弁護士や銀行員をはじめ、週末にセーリングを楽しむ人々が、敵の砲火のなか、非武装のヨットやレジャーボートやモーターボートで海峡に乗り出した。一度ならず往復した人もおおぜいいる。

そのうちの何人かは、とてつもなく勇敢な偉業をなしとげている――重傷を負いながら、機関銃一挺でメッサーシュミット六機に立ち向かい、兵士たちが船に乗る時間を稼いだ兵曹。激しい攻撃をものともせず、何度も何度も往復して多数の兵士をドーヴァーまで運んだ会計士。ジョージ・クラウザーは、自分が救出されるチャンスを投げ捨て、スループ艦バイドフォードの軍医に手を貸した。引退して陸に上がっていたチャールズ・ライトラーは、タイタニック沈没事件ですでに一度ヒーローの役割を果たしていたのに、それではまだ足りないとばかりに、レジャー用の自家用クルーザーでダンケルクに赴き、百三十人の兵士を運んだ。

しかし、全員がドーヴァーにもどったわけではない。ラムズゲートに行った者もいれば、行きの船とは違う船でもどった者もいる――チョッコ海軍中尉はリトル・アンに乗って出発し、ヨークシャー・ラスで帰還した。ある漁船の船長は砲撃で三隻を沈められた。ついにもどらなかった者もいる。そして、ドーヴァーにもどってきた船についても、どの桟橋にいつ帰還したのか、くわしい記録はほとんどまったく残っていない。ということは、取材したいと思っている相手に巡り会えなかった場合に備えて、かわりの候補を何人もリストアップしておいたほうがいい。

その作業に一晩中かかった。朝になって、衣裳部が開くなり、マイクルは白の軍服を返却し、どんなものだか知らないがとにかく第二次大戦中にアメリカ人記者が着ていた服のための採寸をしてもらい、それからドーヴァーの下調べのためベイリアルにもどった。ちょうど、白のテニスウェアに身をかためたチャールズがドアから出てくるところだった。「ラボから電話があったよ。電話がほしいって」

「降下点が見つかったって？」

「いや。おれはシンガポールの準備に出かけるよ。植民地の住人は一日中テニスをやってたんだ」チャールズはこちらに向かってラケットを振り、歩いていった。

マイクルはラボに電話した。

「半径五マイル圏内をあたってみたが、六月六日以前に開く降下点がどこにも見つからない」とバードリがいった。「ロンドンを試してみるよ。鉄道でドーヴァーまで行ける」

で、もしロンドンでも降下点が見つからなかったら？　だとしたら、ネットを抜ける瞬間をだれにも目撃されない場所を見つければいいというだけの問題じゃない――ダンケルク撤退そのものが問題だということになる。歴史には、フェルディナンド大公の暗殺からトラファルガーの戦いまでその前後を含め、時間旅行者がだれも赴くことのできない分岐点がたくさんある。決定的に重要で、ちょっとしたことですぐ変動してしまうため、ただひとつの変数――たとえば航時史学生――が加わるだけで結果ががらっと変わってしまうような、歴史的な出来事。それが変わることによって、歴史の流れそのものが変わってしまうような、重要なポイント。

ダンケルクがそのひとつであることは知っていた。オックスフォードは、何年も前から史学生を送ろうとトライしつづけているが、いまだに成功していない。しかし、ドーヴァーもそのひとつだとは思っていなかった。もしそうだとしたら、マイクルの現地調査プロジェクトの重要な一画がまるごとおしゃかになる。その一方、準備を済ませている真珠湾へ行けることになるかもしれない。そして、もしドーヴァーが分岐点でなかった場合、この遅れによって準備作業の時間ができる。調べておくべきことはまだまだたくさんある。たとえば、ドーヴァー行きの列車がロンドンのどの駅からいつ出ているか。それに、ダンケルク撤退のあらましもまだ把握しきれていない。それに、戦争のあらましも。それ以外のすべても。そのための時間は三日間。不眠不休で。

インプラントの回数に制限がなければいいのに。あと六回分は受けたい。マイクルは、一九四〇年の出来事、ダンケルクの出来事、撤退に加わった小型船舶のリストに焦点を絞り、あとはその場で選ぶことにして、調査部へ赴いた。

女性技術者が首を振った。「記者として行くんなら、一九四〇年代の電話の使いかたを知っておく必要があるわ。記事を送るためにね。それとタイプライターも」

マイクルには記事を送るつもりなど毛頭なかった。記者としてやるつもりでいるのは、いろんな人間に取材することだけ。しかし、もし万一、なにかをタイプしなければならない状況に陥ったら、その種の無知は偽装をだいなしにすることにもなりかねない。一九四〇年の英国にはナチのスパイが暗躍していた。ダンケルク撤退を獄中で過ごすのはまっぴらだ。

小道具部にいってタイプライターを借り、打てるふりができるかどうか試してみたが、そもそもどうやって紙をはさむのかさえわからない。調査部にもどって、技術者に、タイプライター技術の簡約版《アブリッジ》とダンケルクの出来事を同じサブリミナルに入れてもらって、ラボが手配してくれた追加インプラントを受け、仮眠をとってからその他すべてを暗記すべく、足をひきずりながら部屋にもどった。

ディナー・ジャケット姿のチャールズがカーペットの上でパッティングの練習をしていた。

「植民地の人間は四六時中ゴルフをしていたとかいわないでくれよ」

「そうなんだよ」とパットのラインを読みながら、「つまり、ルームメイト宛ての電話の内容をメモしてないときには、ってことだけどな」

「ラボからか？」

「いや、小道具部。書類が用意できるのは早くて火曜だってさ」

「火曜？」マイクルはうなり声をあげた。すぐさま電話をかけ、どんなに遅くとも金曜までにはぜったいに必要なのだとこれ以上ないほど明確に言い渡し、受話器を叩きつけた。すぐまた電話が鳴り出した。

リナだった。「いいニュースよ。降下点が見つかったわ」

ということは、けっきょく、ドーヴァーは分岐点ではなかったわけだ。ありがたい。「場所はどこ？　ロンドン？」

「いいえ。ドーヴァーのすぐ北。埠頭から十キロ。でも、ひとつ問題があるの。ダンワージー先生が予定をくりあげて実施したい回収が一件あるというから、土曜のあなたの予約をそっちにまわしちゃったのよ」

ますます好都合だ。これで何日か余裕ができる。小型船舶のリストも暗記できるだろう。それに、少しは睡眠もとれる。「で、どこまで延ばしたんだい？」

「延ばしたんじゃないの」とリナはいった。「早めたの。木曜の午後、あしたの三時半に出発」

防空壕↓

——一九四〇年のロンドンの看板

6 オックスフォード 二〇六〇年四月

「二日後?」リナの肩越しにラボのスクリーンを見ながら、アイリーンはいった。バックベリーからもどるなりダンワージー先生に会いにいき、それからラボにもどって、帰還の予定を調整しているところだった。「でも、運転を覚えなきゃいけないのよ。来週は? 来週、ネットの予定に空きがある日はないの?」

リナはべつの予定表を呼び出した。「いいえ。あいにく来週も空いてないわ」

「でも、二日で運転を覚えるのはたぶん無理。再来週《さらいしゅう》は?」

リナは首を振った。「もっと詰まってる。にっちもさっちもいかない状態。ダンワージー先生の命令で大々的に予定を組み換えることになって——」

「予定変更って、史学生の要望?」とアイリーンはたずねた。もしかしたらダンワージー先生に頼み込んで——

「いいえ」とリナ。「史学生はみんな、かんかんになってる。それもまた、このラボが対処しなきゃいけない問題のひとつ。あたしがしたことといえば――」電話が鳴った。「失礼」リナはラボを横切って、コンソールの脇の電話をとった。「もしもし？　ええ。派遣先が恐怖政治時代の予定だったのはわかってますが――」

ラボのドアが開き、ジェラルド・フィップスがはいってきた。うわ、勘弁して、とアイリーンは思った。フィップスは、知り合いの中でいちばんめんどくさい相手だ。「バードリはどこ？」とフィップスがたずねた。

「留守よ」とアイリーン。「リナは電話中」

「きみの出発日時も変更になったんだろ」といいながら、フィップスはアイリーンに向かってプリントアウトを振って見せた。「前からご執心だったあのくだらない欧州戦勝記念日《VEデイ》の件かい？」

いいえ、VEデイには行かない。ダンワージー先生を説得して考えを変えさせることに成功しないかぎり。そんなことはまず無理そうだ。報告にいったときは、疎開児童がいなくなるんじゃないかという心配にも耳を貸してもらえなかった。

「いいえ」とぶっきらぼうに答える。「第二次大戦の学童疎開を観察してるの」

フィップスは笑った。「きみが思いつくいちばんエキサイティングな現地調査が学童疎開とVEデイってわけか」アルフとビニーがここにいて、フィップスに火をつけてくれたらいいのにという思いが一瞬、頭をよぎった。

「ラボに出発日時を変更されたの？」アイリーンは話題を変えようとしてたずねた。

「ああ」フィップスは、まだ電話しているリナをじれったげに見やった。

「いえ、バスティーユ襲撃の現地調査を最初に済ませる予定だったのはわかってますが――」とリナ。

「しかし、いまさら予定を変更するなんて不可能だよ。すでにあらゆる手配を済ませてるんだから。衣裳部から服も届いている。もし八月じゃなくなったら、衣類をそっくりぜんぶ新しくしなきゃいけない。事情をちゃんと説明すれば、きっともとにもどしてくれるはずだ。いつでもちゃちゃっと行ける、あたりまえの現地調査じゃないんだからな。そもそも、派遣先に設定するだけでものすごくたいへんだった」フィップスは、自分が向かう場所とそのためにしてきた準備について長々と説明をはじめた。

アイリーンは半分うわの空だった。リナが受話器を置いたとたん、フィップスが彼女に食ってかかるのは明白だ。そして、フィップスの演説が終わってアイリーンの順番が来る頃には、リナはもう一件、出発日時を動かそうなどという気分ではなくなっているだろう。そのあいだにも、貴重な二日間が刻一刻と減っていく。まだオーリエル・カレッジの車両部に行って自動車教習を予約することもしていないのに。「やっぱり、またあとで出直すわ」まだしゃべりつづけているフィップスにそういって、アイリーンは戸口に歩き出した。

「おやおや。あとで話ができるかと思ってたのに。そしたら――」

もっとくわしく現地調査の話を聞かせてくれるって？　まっぴらごめん。「あいにくだけど。すぐ向こうにもどらなきゃいけなくて、ほとんど時間がないの」

「そりゃ残念だな。ええと、八月はまだ向こうにいる？　なんならぼくのほうから、列車に乗って――ええと、きみがいるのってどこだっけ？」

「ウォリックシャー」

「ウォリックシャーまで行って、ぼくの武勇伝を聞かせて、晴れやかな気分にしてあげるよ」

そうでしょうとも。「ううん、あいにくだけど、向こうにいるのは五月初めまでよ」ありがたいことにね。アイリーンはリナに手を振って、フィップスがこれ以上なにか提案してくる前に、そそくさとラボを出た。最初はホドビン姉弟、今度はフィップスか。そう思いながら、ドアの外に佇《たたず》み、コートと手袋を身につけた。

でも、いまは二月じゃなくて四月、それも上天気だ。午後の遅い時間から雨になるという予報だったとリナがいっていたけれど、いまのところはぽかぽかしている。アイリーンは歩きながらコートを脱いだ。タイムトラベルでいちばんやっかいなのがこれ、自分がいつどこにいるかをちゃんと覚えておくこと。自分が使用人じゃないことを忘れてリナに二度も「奥さま」と呼びかけてしまったし、しじゅううしろをふりかえって、アルフとビニーがこっそりつけてきていないか確認するくせが抜けない。ハイ・ストリートに出て、通りに足を踏み出したところで、わきをかすめる自転車にあやうくぶつかりそうになった。

ここはバックベリーじゃなくてオックスフォードなのよ、と自分にいい聞かせ、あわてて歩道にもどる。今度は左右をよくたしかめてから通りを横断し、陽の当たるハイ・ストリートを歩きながら、とつぜん晴れやかな気分になった。ここはオックスフォード。灯火管制も、配給制度もなく、レイディ・キャロラインもいない。それにホドビン姉弟も――

「メロピー！」だれかの叫び声を聞いて、アイリーンはうしろをふりかえった。ポリー・チャーチルだった。「さっきからずっと呼んでたのに」ポリーは息を切らせて追いついてきた。「聞こえなかった？」

「いいえ……じゃなくて、うん……つまりその、名前を呼ばれてるってことにしばらく気がつかなかったの。この何カ月か、わたしはアイリーン・オライリーだって一生懸命思い込もうとしていたもんだから、自分の名前もわからなくなってて。しかも、アイルランド系の名前にしなくちゃならなくて、なにしろメイドの変装だし――」

「それに赤毛だし」とポリー。

「そうなの。みんなから何カ月もアイリーンと呼ばれていたもんだから、メロピーって呼ばれても自分の名前だとわからなくて。まあ、時代名を忘れるよりはそのほうがましだと思うけど。バックベリーに着いた最初の週は、しょっちゅう忘れてた。これが記念すべき最初の現地調査なのに。どうしたら自分の時代名を忘れずにいられるの？」

「あたしの場合は運がいいのよ。あんたのファーストネームと違って、ポリーっていうのはたいていの時代で通用する名前だし、そうじゃなくても、たくさんある愛称のどれかが使えるの。ラストネームまでそのまま使えることもあるくらい。それが無理なときは――ほら、第二次大戦当時だと、チャーチルって名字は現実的にちょっと使いにくいじゃない？――シエイクスピアを使うの」

「ポリー・シェイクスピア？」

「まさか」ポリーは笑って、「シェイクスピアに出てくる名前。十六世紀の現地調査のとき、シェイクスピア劇をインプラントしたんだけど、名前が山ほど出てくるのよ。とくに史劇にはね。もっとも、ロンドン大空襲で使うのは『十二夜』の名前にする予定。ポリー・セバスチャン」

「もう行ったのかと思ってた」

「いいえ、まだ。ダンワージー先生の要求する条件すべてを満たす降下点を見つけるのにラボが苦労してて。ほんとに注文がうるさいのよ。それで、どうせ多時代プロジェクトなんだから、ほかの時代を先に済ませることにしたわけ。きのう帰ってきたばっかり」

アイリーンはうなずいた。第一次世界大戦中のツェッペリン飛行船によるロンドン空襲を観察するとか、前にポリーが話していたのをなんとなく覚えている。

「あたしはダンワージー先生に報告に、ベイリアルへ行く途中」とポリー。「そっちも？」

「いいえ。わたしはオーリエル」

「よかった、だったらおんなじ方角だ」ポリーはアイリーンの腕をとった。「途中までいっしょに行こうよ。最近どうしてるか、歩きながら話して。じゃあ、あんたはバックベリーで疎開児童の観察を――」

「ええ。それで、ひとつ教えてほしいことがあるんだけど」と、アイリーンはすがるようにたずねた。「いろんなことがごっちゃになるのをどうやって防いでるの？　名前だけじゃないのよ。自分がいつの時代のどこにいるのか、わたしはもう頭が混乱しかけてるのに」

「これまでの自分がどこのだれだったかを頭の中から追い出して、いま、ここの自分だけに集中するのよ。役者の演技みたいなもんね。それともスパイか。ほかのすべてをシャットアウトして、アイリーン・オライリーになる。他の現地調査のことを考えるのは、いま現在の任務に対する集中を損なうだけよ」

「多時代調査の最中でも？」

「多時代調査の最中はとくにそう。そのときどきの時代や任務に専念する。終わったら、それを頭から追い出して、次の任務に集中する。オーリエルへはなんの用？」

「自動車の運転教習」

「運転教習？　VEデイで車を運転する気じゃないでしょ？　とても無理よ。群衆が――」

「VEデイ用じゃないの。そうならよかったんだけど。VEデイはダンワージー先生が許してくれなくて」

「でも――」といいかけて、ポリーは困った顔で口をつぐんだ。

「どうしても行く決心じゃなかったのかって？　そうだけど、ダンワージー先生はそんなこと気にもかけない。けさ会ったときは、VEデイはすでにべつの現地調査の一部になってて、ふたりの史学生を同一の時空位置に派遣するのは危険すぎるといわれた。不合理よ。鉢合わせするってわけじゃないんだから――VEデイのトラファルガー広場には何万人も集まってたのよ。それに、もし鉢合わせしたとして、それがなんだっていうの？『うわっ、驚いた、タイムトラベラー仲間じゃないか！』とか叫ぶとでも？　先生がいってたのがだれの現地調査のことか、知ってたりしない、ポリー？　まだ行ってないなら、その人たちを説得して、かわってもらえるかもしれないと思って。ほかにだれが第二次大戦へ行くの？」

「なに？」ポリーがぽかんとして訊き返した。見るからに、アイリーンの話を聞いていなかったらしい。

「ほかにだれが第二次大戦に行く予定になってるかって訊いたの」

「ああ」とポリー。「ロブ・コットン。それにたしか、マイクル・デイヴィーズも」

「彼がなにを調べるのか知ってる？」

「ううん。どうして？」

「VEデイに行くのがだれなのか知りたいのよ」

「ああ。彼、真珠湾がどうとかいってたと思った」

「それ、いつ？」

「一九四一年十二月七日。VEデイじゃないんなら、どこへ行くの？　車の運転を習う必要があるなんて」

「ウォリックシャーと領主館《マナーハウス》にもどるのよ。現地調査期間が終わるまで、まだ何カ月もあるもの」

「何カ月もあるなんてうらやましい。ダンワージー先生、あたしのロンドン大空襲行きは五、六週間しか認めてくれないの。でもさ、あんたはメイドだったんじゃないの？　当時のメイドは車の運転なんかしなかったでしょ」

「ええ。でも、レイディ・キャロラインが使用人全員に運転を覚えろと命令したの。事象《インシデント》が起きたときに救急車の運転ができるように」

「でも、バックベリーは爆撃されてないでしょ？」

「ええ。でも、レイディ・キャロラインは、国民としての義務をみずから果たそう──というより、自分にかわって使用人にそれを果たさせよう──っていう決意なの。ほかにも、応急手当てのやりかたと焼夷弾の消火方法を覚えろって。来週はきっと、使用人全員に高射砲の撃ちかたを習わせるわね」

「あんたのほうがよっぽど、ロンドン大空襲の準備ができてるみたい。あたしもバックベリーで予備調査をすればよかった」

「とんでもない。後悔するわよ。なにしろ恐怖の姉弟《ホリブル・ホドビンズ》の相手をしなきゃいけないんだから」

「ホリブル・ホドビンズって？　兵器の名前？」

「まさにそう。恐るべき秘密兵器。人類史上最悪の子供たちよ」アイリーンは、干し草の山に火をつけた一件と、シオドアを列車に乗せるまでの苦労話と、〝灯火管制中でもちゃんと見えるように〟と、ラドマンさんが飼っているアンガス種の黒い雌牛にペンキで白い縦縞を描いた件を話して聞かせた。

「バックベリーじゃなくてベルリンに疎開させればよかったのよ。アルフとビニーの相手をするとなったら、ヒトラーも二週間で白旗を掲げたでしょうに」ふたりはキング・エドワード・ストリートまでやってきた。「もっとおしゃべりしたいのは山々だけど、車両部へ行かないと。いつ閉まるか知らないわよね、ポリー」

「知らない。どんな自動車の運転を習うの？　ダイムラー？」

「ううん、ベントレー。レイディ・キャロラインが――というか、彼女の運転手が――乗ってるのはベントレーだから。どうして？」

「なんでもない。ダイムラーのギアボックスのことで注意しとこうと思ったんだけど――バックにいれるとき、シフトレバーをものすごく強く引かなきゃいけないのよ――でも、本物の救急車を運転するんじゃないなら、心配ないわね。車両部には同時代のベントレーがあるの？」

「どうかしら。まだ行ってないから。けさもどってきたばかりなの」

「運転許可申込書は持ってる？」アイリーンはぽかんとしてたずねた。

「ええ。オーリエルへ行く前に、小道具部でもらってこないと」

「つまり、はるばるクイーンズまで引き返せと――」

「ううん。まずベイリアルに行ってダンワージー先生の許可をもらって、そのあと小道具部」

「でも、そんなことしてたら午後いっぱいかかっちゃう」とアイリーンは抗議した。「二日しかないのよ。たった一日じゃ運転を覚えられない」

「よくわかんないんだけど。教区牧師が運転を教えてくれるんじゃなかったの？」

「ええ。でも、わたし、一九四〇年代の自動車に一度も乗ったことがないの。せめて、ドアの開けかたとか、エンジンのかけかたとか——」

「なんだ。そんなことだったら、一時間か二時間あればあたしが教えてあげる。いっしょにベイリアルに来て。先生の許可をもらったら、車両部までつきあって、コツを伝授するから。それに、あんたをVEデイに行かせるように、あたしからもダンワージー先生に話してみる」

「無駄よ」アイリーンはむっつりいった。「かけあってみたけど、こうと決めたら梃子《てこ》でも動かないのは知ってるでしょ」

「たしかにね」ポリーはほとんどひとりごとのようにいった。「でも、先生だって、ときには決心を翻《ひるがえ》すことがあるはず……」

「ポリー！」ふたりは同時にうしろをふりかえった。赤みがかったブロンドをした十七歳のコリン・テンプラーがプリントアウトの束を抱えてこちらに走ってくると、「ほうぼう捜しまわったんだよ、ポリー」と、息を切らせていった。「やあ、メロピー」とアイリーンに挨拶してからポリーに向き直り、「爆撃された地下鉄駅のリストを仕上げたんだ」

「ロンドン大空襲の予備調査を手伝ってくれてるの」とポリーが説明する。

コリンがうなずいた。「ほら」とプリントアウトを何枚かポリーに手渡す。「これは駅ごとのリスト。でも、二回以上爆撃されている駅もいくつかある」

ポリーがうなずき、ページに目を走らせた。「ウォータールー……」と口の中でいう。

「……セント・ポール……マーブル・アーチ……」

コリンはまたうなずいた。「そこは九月十七日に爆撃されたんだ。犠牲者は四十人以上」

ここに立ったままリストをぜんぶチェックする気じゃないといいけど。そう思いながら、アイリーンは腕時計に目をやった。もう三時半。いますぐダンワージー先生に会いにいったとしても、ベイリアルですくなくとも一時間はとられる。もし車両部が五時に閉まるとしたら――

「……リヴァプール・ストリート……キャノン・ストリート……ブラックフライアーズ」とポリー。「やれやれ。ロンドンじゅうの地下鉄駅ぜんぶじゃない！」

「ううん、半分だけだよ。それに、ほとんどは軽微な損傷だけ」コリンは、またべつのプリントアウトの束をポリーに手渡した。「日付別のリストもつくったよ。地下鉄に乗らないほうがいい日がすぐわかるように。ダンワージー先生のことだから、一回でも爆撃された駅には行くなっていいそうだけど、危険なのは空襲のある日だけだし、ヴィクトリア駅やバンク駅を使っちゃいけないとなったらどこへも行けないからね」

「なんでもお見通しね」といってポリーはコリンに笑みを向けた。「ダンワージー先生にはないしょよ」

コリンはぞっとした顔で、「いうわけないだろ、ポリー」

ふうん、なるほどね、とアイリーンは思った。

「空襲警報と警報解除のサイレンの回数リストも入っている？」とプリントアウトをぱらぱらめくりながらポリーがたずねた。

「そっちはまだ終わってないんだ。でも、被害を受けたロンドン名所のリストはここにある」コリンは残りの紙を手渡した。「マダム・タッソーの蠟人形館が爆撃されてたって知ってた？　そのせいで、チャーチル人形は転倒したし、ウェリントン公の耳はかたっぽとれちゃったんだけど、ヒトラーもムッソリーニもかすり傷ひとつつかなかった。不公平だよね」

「ま、あとで順番が回ってきたじゃないの」ポリーがリストを見ながらいう。「ありがとう、コリン。ほんと、すっごく助かる」

コリンの顔が真っ赤になった。「あと一時間か二時間で、サイレンの回数リストを仕上げて届けるよ。どこにいる？」

「ベイリアル」ポリーは、駆け出したコリンの背中に向かって、「ほんとにありがとう、コリン！　最高！」と声をかけてから、アイリーンといっしょにまた歩き出した。「ごめんね。でもあの子、アシスタントとしてはすごく優秀なの。あたしひとりだったら、これだけ調べるのに何週間もかかったわね」

「ええ。ほんと、恋の力ってすごいと思う」

「恋の……？」ポリーは首を振った。「彼が恋してる相手はあたしじゃない、タイムトラベルよ。コリンはしじゅうダンワージー先生を追いまわし、年齢制限を撤廃していますぐ自分を過去へ行かせてくれって掛け合ってるもの」

「で、ダンワージー先生はなんて？」

「わかるでしょ」

「タイムトラベルとの恋は、彼があなたの予備調査を手伝う理由になるかもしれないけど、あなたと目が合うたびに顔を真っ赤にする理由にはならない。それに、あなたの名前を呼ぶときのあの態度とかね。ほらほら、ごまかさないで。コリンはあなたに首ったけよ」

「でも、まだ子供じゃない！」

「一九四〇年にはそうじゃない。一九四〇年には、十七歳の少年たちは年齢を偽って入隊し、ドイツ軍に殺されてる。だいたい歳なんか関係ないでしょ。最初に行ったとき、屋敷にいた疎開児童のひとりから求婚されたけど、その子、たった三歳だったわ」

「ちょ、ちょっと待って。本気でそう思う？」ポリーは通りのほうをふりかえった。「もうこれ以上、調査の手伝いは頼まないほうがいいかな」

「いいえ、それは残酷。コリンはあなたの喜ぶ顔が見たいのよ。誉めてほしがってる。手伝わせてやったほうがいいわ。どうせ、もうすぐ出発でしょ――いつだっけ？」

「二週間後。ラボが降下点を見つけてくれたらね。もどってくるまでにはもう見つかってるだろうと思ってたのに、まだなんだ」

「でも、いつかは見つかるし、そうしたらあなたは大空襲《ブリッツ》へ行く――リアルタイム？　それともフラッシュタイム？」

「リアルタイム」

「滞在期間は？」

「六週間」

「十七歳にとっては永遠みたいなものよ。もどるころには、同年配の女の子に恋をして、あなたのことなんか忘れてるわ」

「どうかなあ。前回も、おなじくらい長く留守にしてたんだけど……」ポリーは考え込むようにいった。「それに、年が若いからといって、恋愛感情が真剣じゃないってことにはならない。前回の現地調査では——」ポリーはいいかけた言葉を呑み込み、明るい口調でいった。

「ううん、やっぱり、優秀な調査能力をアピールしたいだけなんだと思う。ダンワージー先生を説得するのに、あたしの力を借りたいのよ。十字軍に行けるように」

「十字軍？　それって、ロンドン大空襲よりさらに危険なんじゃないの？」

「はるかに危険。十字軍にくらべたら、大空襲なんか安全そのもの。とくに、すべての爆弾がいつどこに投下されるかわかってる場合はね。で、あたしはちゃんとわかってる。大空襲の危険性なんか、それこそ——ごめん、自分ばっかりしゃべっちゃって。あんたの現地調査の話を聞かせて」

「たいして話すこともないのよ。ほとんどは洗濯。それに、子供と不機嫌な農夫の相手をすること。もしかしたら俳優のマイケル・ケインに会えるかもしれないって期待してたんだけど——彼、六歳で疎開してるの——まだ会ってない。それに——あ、いま思いついたんだけど、ポリー、あなた、アガサ・クリスティーに会えるかも。大空襲のとき、ロンドンにいたのよ」

「アガサ・クリスティー？」

「二〇世紀のミステリ作家。オールド・ミスや牧師や退役軍人が殺人事件に関わるすばらしい本をたくさん書いた人。予備調査で読んだのよ。領主館や召使いのことがくわしく書いてあるから。戦争中、クリスティーは病院に勤めてたの。で、あなたは救急車の運転手になるわけだから、もしかしたら――」

「救急車の運転なんかしないって。いったいどこからそんな話が出てきたの？ あたしがやるのは、それよりずっと危険な仕事――オックスフォード・ストリートの百貨店の売り子よ」

「救急車の運転手より危険なの？」

「まちがいなく。オックスフォード・ストリートは五回も爆撃されているし、デパートの半数以上が、少なくとも部分的に被害に遭ってる」

「爆撃されたデパートで働くわけじゃないんでしょ」

「もちろん。ダンワージー先生は、ピーター・ロビンソンで働くことだって許してくれない。あそこが爆撃されたのは大空襲のいちばん最後なのに。まるっきり理解できない。先生はどうして――」

アイリーンはうわの空《そら》でうなずきながら、時刻を告げるクライスト・チャーチの鐘の音を聴いていた。四時。コリンと立ち話しているあいだに、思ったより時間が経ってしまった。ポリーといっしょに行くより、オーリエルへ行って車両部が何時までやっているのか確認するほうがいいかもしれない。

「……ジョン・ルイス百貨店とか……」とポリーが話している。

それともポリーに伝言を頼んで、ダンワージー先生から小道具部に電話を入れて、電話での教習を認めてもらうか。

「……パジェットとか、セルフリッジとか……」

自分で小道具部へ行って申請書をもらってきてから、オーリエルにまわり、そこでポリーと落ち合うこともできる。

「でも、あんまりゴリ押ししたくない」とポリー。「まかりまちがうと、ぜんぶ取り消しにされかねないから。先生はそもそもの最初から、この現地調査が危険すぎると思ってる。これでもし先生に――」といいかけて口をつぐみ、渋い顔になる。

「先生になに？」とアイリーン。

ポリーはしばし間を置いてから、ようやく、「爆撃された地下鉄駅がいくつあるのかを知られたらたいへん」といったが、最初にいいかけたのはべつのことだったような気がした。

「地下鉄の駅に何日も泊まる予定だから」

「地下鉄の駅？」

「うん。大空襲がはじまったころは防空壕の数が足りなかったし、とくに安全というわけでもなかった。だからみんな、地下鉄駅に寝泊まりするようになったわけ。あたしも夜は駅で寝るつもり。避難している人たちを観察できるように」アイリーンの心配な気持ちが顔に出ていたらしく、ポリーは、「百パーセント安全よ」とつけ加えた。

「爆撃された駅のどれかに泊まるんじゃないとしたらね」とアイリーンは皮肉っぽくいった。

ふたりはベイリアルの門の前までやってきた。「ポリー、わたし、中には入らないことにする」といってから、プランを説明し、門衛詰所に歩み寄った。「パーディさん、車両部が何時まで開いてるかわかります？」

「どこかこのへんに書いてあったな」門衛は書類の束をめくり、「六時だ」

よかった、だったら時間はある。「ダンワージー先生は部屋にいます？」

「いると思うよ」とミスター・パーディ。「わたしはいましがた勤務についたばかりだが、マカフィーさんの話だとミスター・デイヴィーズが一時間前に先生をさがしにきたそうだ。まだ出てこないから、たぶん、会えたんじゃないかな」

「マイクル・デイヴィーズ？」

ミスター・パーディはうなずいた。「ミス・チャーチル、コリン・テンプラーから伝言を預かってる。捜していたと伝えてくれって。それから――」

「コリンには会いました、パーディさん」とポリーがいった。「でも、ありがとうございました。アイリーン、ダンワージー先生には、あたしから、小道具部に電話するように――」

アイリーンは首を振った。「いっしょに行くわ」

「でも、小道具部に行くんじゃなかったの？」

「そのつもりだったけど、まずマイクルに会って、VEデイに行くのか確かめたいの。もしそうだったら、わたしと現地調査をとりかえてもらえないか頼んでみるつもり。もしVEデイに行くのが彼じゃないとしても、だれなのか知ってるかもしれないし」アイリーンは中庭を歩き出した。ポリーがそのあとを追う。

マイクルはビアードの玄関ステップに腰かけて、いらいらと足を踏み鳴らしていた。

「ダンワージー先生の面会待ち？」とポリーがたずねた。

「ああ」マイクルがじれったげに答えた。「もう一時間四十五分も待たされてる。信じられないよ。ぼくの現地調査をだいなしにしてくれたうえに、今度は――」

「現地調査ってどこ？」とアイリーン。

「真珠湾の予定だった。だからこんなバカなアメリカ人アクセントを――」

「妙なしゃべりかただと思った」とアイリーン。

「ああ。ドーヴァーじゃ、きっとものすごく妙に聞こえるだろうね。ダンケルク撤退《エヴァキュエーション》をやることになったんだ。準備期間は三日もない。だからここに来たんだよ――なんとか予定をもとに――」

「待って、ダンケルクでも学童を疎開《エヴァキュエート》させたの？」

「いや。兵士だよ。じつのところ、英国海外派遣軍《BEF》まるごとぜんぶだけどね。わずか九日間で三十万人。一年のとき、歴史の授業をとらなかったのかい？」

「とったけど」と弁解がましくいう。「去年までは、第二次大戦をやるつもりはなかったのよ」アイリーンはちょっと口ごもり、「ダンケルク撤退って、第二次大戦よね？」

マイクルは笑った。「うん。一九四〇年五月二十六日から六月四日まで」

「ああ、だから知らなかったんだ。わたしの——」

「でも、ダンケルクって、戦争の重大なターニングポイントよね」とポリーが口を挟んだ。

「分岐点じゃないの？」

「ああ、分岐点だよ」

「だったらどうしてあんたが——」

「違うよ。ぼくが観察するのは、ドーヴァー側のほう。救出部隊の組織と、兵士を乗せてもどってくる船団だ」

「真珠湾へ行くはずだったという話だけど」ポリーが鋭い口調でたずねた。「ダンワージー先生はなんでキャンセルしたの？」

「してないよ」とマイクル。「順番を入れ替えただけ。ぼくが現地調査に行く予定の歴史上の出来事は何個かあるから」

「そのうちのひとつがVEデイ？」とアイリーン。

「ううん。ぼくの観察対象は英雄なんだ。だから、危機的な局面ばっかりだよ——真珠湾、ワールド・トレード・センター——」

「VEデイに近いのはない？」とアイリーン。「つまり、時間的に」

「いや。いちばん近くてバルジの戦いだな。一九四四年十二月」

「向こうでどのぐらい過ごす予定？」

「二週間」

だったらマイクルじゃない。「一九四五年の現地調査をやる予定の史学生をだれか知らない？」

「一九四五年ねえ……」マイクルは思案顔になった。「だれかがV1とV2ロケットの攻撃を観察に行くって話を噂に聞いたけど、たしかそれは一九四四年だし――」

「ダンワージー先生の秘書は、いつごろ面会できるっていってた？」とポリーが口をはさんだ。「メロピーの――つまりアイリーンの――運転教習を先生に承認してもらわなきゃいけないのよ――小道具部は五時までしか開いてないし」

「いや」とマイクル。「ダンワージー先生の新しい秘書は、待っていただくことになりますとしかいわなかった。五、六分のことだと思ったんだよ。まさか午後じゅう待たされるとはね。でも、もういいかげんに面会できるはずだ。たとえ先生がだれか史学生の油をしぼってるにしても」

「先にオーリエルへ行って、ベントレーを予約してきたら、メロピー――じゃなくてアイリーン？」とポリー。「ダンワージー先生には、小道具に電話を入れて教習を承認するようにいっておくから。そしたら向こうが車両部に連絡できる。時間の節約になるよ」

「そうする」とアイリーン。マイクルのほうを向いて、「一九四五年を観察する予定の人はだれも知らないのね？」

「ああ。テッド・フィクリーは、パットンのドイツ侵攻をやる予定だったけど、ダンワージー先生がキャンセルしちゃったし」

「どうして？」ポリーがさっきとおなじ鋭い口調でたずねた。

「さあね」とマイクル。「テッドの話だと、ラボからはなんの説明もなかったって。ぼくが知ってるのは、この二週間でダンワージーがスケジュールを動かした降下が四件、キャンセルした降下が二件ということだけ」

アイリーンはうなずいた。「さっきラボに行ったら、大量に予定を変更したとリナがいってた。ジェラルドもいたんだけど、ダンワージー先生は彼の降下を延期したところだった」

「ジェラルドはどこへ行くはずだったって？」とポリー。

「忘れた。やっぱり第二次大戦関連だったけど、VEデイじゃなかった」

「先生が変更してる降下は、ぜんぶ第二次大戦？」ポリーが不安そうにたずねた。

「いや。ジャマル・ダンヴァーズはトロイに行く予定だった。それに、ぼくのルームメイトのチャールズは、シンガポール攻略の前段階に行く予定だけど、そっちは変更を求められてない」

「それにわたしたちのも変更されてないじゃないの、ポリー」アイリーンはそういってから、マイクルに向かって、「ポリーはロンドン大空襲をやる予定なの」と説明した。「大きな百貨店の店員になるの――場所はどこだっていったっけ？」

「オックスフォード・ストリート」とポリー。

「ロンドン大空襲か」マイクルは感心したような口ぶりで、「それ、分岐点じゃない？」

「一部だけね」とポリー。

「でも、まちがいなく危険度10だ。どうやってダンワージー先生を説き伏せたんだい？　真珠湾をやる許可をとるのに、めちゃくちゃ苦労したんだよ。とくに、ポール・キルダウの一件のあとは」

「ポール・キルダウの一件って？」ポリーが鋭く訊き返した。

「アンティータム運河で、砲弾の破片に当たったんだ」とマイクル。「どうってことない、ほんのかすり傷だったんだけど、ダンワージー先生はあのとおり過保護だから。ほかの現地調査をぜんぶ禁止した」

「もしかしたら、それで降下をキャンセルしてるのかも」とアイリーン。「危険すぎると判断したのよ。これまでにキャンセルされたのはみんな戦闘がらみじゃない？」

「行かなきゃ」ポリーが唐突にいった。「いま思い出したけど、きょう、寸法合わせの約束なんだ。衣裳部に行かないと」

「でも、さっきはベントレーのドアの開けかたを教えてくれるって――」

「ごめん、無理。たぶんあしたなら」

「でも、ダンワージー先生に報告しなきゃいけないことがあるんじゃなかった？」とアイリーン。「なんならわたしが伝言を――」

「いいえ。いいの。寸法合わせが済んだらもどってくる。ほんとに行かなきゃ。マイクル、ダンケルク——じゃなくてドーヴァーがんばってね」といって、急ぎ足に去っていった。

「いったいどうなってるんだ?」マイクルは茫然とポリーの背中を見送った。

「さっぱり。昼からずっとうわの空《そら》っぽかったけど」

「彼女、ロンドン大空襲に行くんだよ」

「わかってる。でも、危険な現地調査ならいままでに山ほど経験してるのよ。ダンワージー先生が降下をキャンセルすることを心配してる可能性のほうがずっと高いと思う。すくなくともわたしの場合は、危険だからとキャンセルされるのを心配する必要はないわね。アルフとビニーが屋敷に放火するとかしたらべつだけど」

「アルフとビニー?」

「疎開児童。ロンドンから疎開する子供たちを観察してるの」

「それ、いつ?」

「一九三九年九月から終戦まで。一年の歴史の授業、ぜんぜん出てなかったの?」

マイクルは笑った。「じゃなくて、きみはいつまで向こうに?」

「五月二日まで。だからダンケルクのことを知らなかったのよ」

「疎開が終戦までつづいたんなら、ダンワージーに掛け合って、VEデイまでいさせてもらえばいいじゃないか。でなきゃ、もどるのを拒否するとか」

アイリーンは首を振った。「回収チームが追いかけてくるわ。それに、うまくかわせたとしても、向こうにとどまれば、アルフとビニーに耐えてあと四ヵ月半も——」

「メロピー！」だれかが呼んだ。

マイクルがふりかえって、広場の向こうを見やった。「だれかがきみを捜してるみたいだよ」

コリン・テンプラーだった。こちらに向かって突進してくる。「ポリーがどこだか知らない？」

「衣裳部よ」

「ここに来るっていってたのに」

「ええ。来たわよ。ダンワージー先生に会うつもりだったけど、先生はだれかと面会中で、ポリーは待ってる時間がなかったみたい」

「どういう意味、だれかと面会中って？」とコリン。「ダンワージー先生は留守だよ。ロンドンにいる。夜までもどらない」

アイリーンはマイクルのほうを向いた。「でも、マイクル——」

「あのクソバカ秘書め！」マイクルが爆発した。「ダンワージーが留守だなんて一言もいわなかった。待ってもらうことになるけどそれでもいいかってたずねただけで。だからてっきり——」

「最悪！」とアイリーン。「じゃあ、わたしの運転教習はどうなるの？」

「もどりは夜の何時ごろ？」とマイクルがコリンにたずねた。

「知らない」とコリンが答えたときには、マイクルはもうダンワージー先生のオフィスに向かって階段を昇りはじめていた。「ポリーは衣裳部だって？」とコリンがアイリーンにたずねた。

アイリーンがうなずくと、コリンはすぐさま駆け出した。マイクルが首を振りながらもどってきた。「早くても、帰りは真夜中になるって。イシカワっていう時間理論学者に会いにいってるそうだ。で、ぼくはここでまるまる半日無駄にしたってわけだ。ああくそっ――ごめん」といって、「ただでさえ今度の降下の準備をする時間が足りないっていうのに、これじゃ――」

「わかる。わたしも二日しかないのに、これで、あしたまで待たないと運転教習の承認が――」

「いや、その必要はないよ」とマイクルがポケットに手を突っ込み、「真珠湾に行く予定だったとき、小型船舶等の操縦教習の許可証を先生に書いてもらったんだ。もし細目を書き込んでなければ――」マイクルは折り畳んだ書類をとりだして開いた。「よかった、書いてない。サインだけだ。ほら」

「でも、なくてだいじょうぶなの？」

「ドーヴァーからもどるまではね。そのときは、書類をなくしたからもう一枚サインしてくれっていうよ」とマイクルは書類をアイリーンに手渡した。

「ありがとう」アイリーンは心をこめていった。「一生、恩に着るわ」腕時計に目をやった。

急げば、小道具部が閉まる前に運転許可証をとってこられる。「行かなきゃ」

「ぼくもだ」マイクルはアイリーンといっしょに門のほうへ歩き出した。「ドーヴァーの地図と、撤退に協力した船の名前を頭に叩き込まないと」

門をくぐろうとしたところで、ふたりはあやうくコリンと衝突しそうになった。「ポリーを捜しにいったんじゃなかったの？」

「そうだよ」コリンは息を弾ませて、「でも、衣裳部に行ったら、マイクル・デイヴィーズの居場所を知らないかって訊かれて。知ってると答えたら、話があるからいますぐ来てほしいと伝えてくれって。あなたのジャケットをジェラルド・フィップスにまわしたから、新しいジャケットを合わせるのに、衣裳部に来てもらう必要があるって」

「灯火管制中は用心を！」

――政府ポスター、一九三九年

7　オックスフォード
二〇六〇年四月

バードリは、マイクのまわりを囲むネットのひだを整えた。「五月二十四日の午前五時に送るから」

よかった、とマイクは思った。ダンケルク撤退がはじまるのは二十六日の日曜日。民間の船が兵士を運びはじめるのは翌日からなので、ドーヴァーまで移動して、埠頭へ行く方法を調べる時間はじゅうぶんある。

「きらめきを目撃するかもしれない人間が周辺にいた場合、一時間か二時間のずれが生じるかもしれない」とバードリはいったが、そのすぐあと、マイクがネットを抜けてみると、あたりは夜明けの一、二時間前とは思えないほどの暗さだった。周囲を毛布のようにすっぽり包み込む、漆黒《しっこく》の闇。目が慣れるのを待ったが、慣らそうにも光がまったくない。

星も明かりもぜんぜん見えない。もっとも、後者は灯火管制のせいかもしれない。一九四〇年五月には、屋外の照明はすべて禁止されていた。ヘッドライトにはカバーをつけ、窓は遮光カーテンで覆うことが義務づけられている。時代人は、灯火管制中に出歩くのがいかに危険かについて文句をいっていたが、その理由がこれで実感できた。本能的に、両手を前に突き出して、手探りしながら前に進みたくなったが、ここはイングランドの南東海岸だ。いま立っている場所が白亜の断崖の崖っぷちだとしたら、一歩進んだとたん、真っ逆さまに転落死するかもしれない。

マイクはじっと立ったまま、耳をそばだてた。右手のほうから岸辺を洗うかすかな波の音が聞こえる。二十三日以降なら、炎上するダンケルク市街の火の手が海岸線の一部から見えたはずだが、いま、水平線に赤い光は見えない。それどころか、水平線も見えない。ということは、ここがその一部に該当しない場所なのか、それともいまが二十三日より前なのか。もっとも、この降下点を選んだ最大の理由は、時間的ずれがないことだったのだが。

日時をたしかめるのはあとでいい。いまはとにかく、ここがどこなのかをつきとめないと。波音は、下のほうからではなく、真横から聞こえてくる。よし。マイクは片足をちょっとだけ前に滑らせてみた。砂利だ。砂利浜。それとも、砂利敷きの道路。ヘッドライトに覆いをかぶせ、ほんの一メートル先までしか照らさない車が走ってくるかもしれない。その場合は、いますぐ道路を離れる必要がある。しかし、エンジン音はまったく聞こえないし、ドーヴァーの北の道路は、海岸沿いではなく、断崖の上をうねうねと走っている。

かがみこんで、砂利を撫でてみた。湿っている。てのひらを半円形に動かし、濡れた砂に触れると、貝殻のような手ざわりのものがあった。まちがいない、道路じゃなくて浜辺だ――

――もっとも、一九四〇年の英国の浜辺は、たぶん、道路以上に危険な場所だ。地雷が埋設されていたり、有刺鉄線が張られていたり――もしくはその両方――の可能性が高いし、この闇の中では、対戦車障害物《タンク・トラップ》にひっかかって串刺しになることもありうる。

小道具部から、ブックマッチを一個わたされている。火をつけて、居場所をたしかめようかと考えた。きっとだいじょうぶだろう。海岸は無人のはずだ。もしだれか、きらめきを目撃しそうな人間がいた場合、ネットは開かないのだから。とはいえ、ネットを通過してからもう数分が経過している。だれかが沿岸をパトロールしているかもしれないし、海峡を船が航行しているかもしれない。なにも見えないが、ドイツ軍に見つからないよう、航行灯をつけずに行き来する船もあった。マッチ一本のちっぽけな炎でも、数マイル先から視認できる。第二次大戦中、不注意な水兵が煙草に火をつけたせいで潜水艦に沈められた船団はひとつではきかない。

では、明かりなし。それに、地雷に吹っ飛ばされたいのでないかぎり、闇の中をうろうろ歩きまわるという選択肢もない。ということは、この場所にとどまり、夜明けがそう遠くないことを祈るのが唯一の道だ。マイクは砂の上に用心深く腰を下ろし、夜明けを待った。

闇の中にじっとすわってるんじゃなくて、この時間をオックスフォードで準備に使うこともできたのに。撤退に加わった海軍の船名リストを暗記するとか、帰還した部隊が具体的にどこの埠頭に着いたか、あるいは、記者の取材が許可されていないとき、どうやって埠頭に近づくかを調べるとか。

いまいましいダンワージーと予定変更のおかげでこのざまだ。濡れた砂の水分がズボンに浸みてくる。マイクは立ち上がり、ジャケットを脱いで折り畳むと、また腰を下ろし、また闇を見つめはじめた。そして、震えはじめた。

着実に気温が下がっている。五月二十四日にしては寒すぎるんじゃないか。そう思うのと同時に、いままでに聞いたことのあるいろんな怖い話をいっぺんに思い出した。中世専攻の史学生がまちがって別の時代に送られてしまい、黒死病のただなかに放り込まれることになった話とか。ネット草創期、タイムトラベラーが過去の出来事に影響を与えられると考えられていた時代、ヒトラー暗殺任務を帯びて一九三五年に赴いた人間が、一九七〇年の東ベルリンに着いたとか。それに、ワーテルロー――ダンケルクと同じく、分岐点になる――へ行こうとした史学生がアメリカ西部のスー族居留地の荒野に出たとか。

そもそもここが一九四〇年じゃないとしたら？　それとも、英国の海岸じゃなく南太平洋の沿岸で、日本軍の侵攻が間近に迫っているとしたら？　真夜中に着いた理由はそれで説明がつく――日本軍はいつも夜明けに攻撃してきたのでは？

莫迦《ばか》なことを考えるな。マイクは自分を叱りつけた。南太平洋だったらこんなに寒いわけがない。寒すぎて、脚がこむらがえりを起こしそうだ。ふくらはぎをごしごしこすり、まっすぐ脚をのばした。足の先がなにか硬いものにぶつかった。瞬間的に脚をひっこめた。対戦車障害物の金属柱？　中には、てっぺんに地雷を仕掛けて、ちょっとでも動くと倒れて爆発する仕組みになっているものもある。

地面にひざをついて前に身を乗り出し、用心深く砂の上を手探りして、硬いものの下の部分に触れた。岩だ。ほっとした。砂から岩がまっすぐにそそり立っている。崖？　いや、立ち上がって、岩の側面に触れてみると、てっぺんはマイクの頭よりちょっと高いぐらいで、幅は一メートル少々しかない。ビーチにときどき鎮座していて、海水浴客がよじのぼったりするような岩だろう。ぐるっと回りこみ、岩に背中を預けて腰を下ろすと、今度は慎重に脚を伸ばした。

賢明だった。というのも、足の先がまたべつの岩にぶつかったからだ。さっきの岩とは斜めに接していて、こちらのほうが幅も奥行きもずっと大きい。高さをたしかめようと手探りでよじのぼってみると、急に波の音が大きくなった。ここが降下点になったのはそのせいだろう。ふたつの岩が海岸から彼の姿を――それに、ネットが開くときのきらめきを――隠してくれる。

でも、だとしたら、ずれはなかったはずだ。降下点は、海上または岸辺から――もしくはどこか上のほうから――少なくとも部分的には見える位置だったんだろう。東海岸は、民間の沿岸監視員が全域にわたって配置されていた。そのうちのだれかがいまも双眼鏡をこの浜に向けているのかもしれない。あるいは、午前五時に双眼鏡を向けるとか。だとしたら、夜明けよりずっと早い時刻に着いたのはそのせいだ。

ということは、明るくなりはじめたら、用心したほうがいいわけだ。それまでに低体温症で死ななければ。ああくそ、寒くて死にそうだ。ジャケットをまた着込まなきゃ。衣裳部がフィップスにまわしたあのジャケットがあればよかったのに。あれのほうがこっちよりずっとあたたかい。マイクは脚の痛みをこらえて立ち上がり、ジャケットを着て、また腰を下ろした。頼むよ。早く日が昇ってくれ。

数世紀がのろのろと過ぎた。マイクはジャケットを脱ぎ、毛布のようにかぶった。岩の中に潜り込んで、なんとか少しでもあたたまろう、目を覚ましていようとした。凍える寒さにもかかわらず、目を開けていられないくらい眠い。眠けは低体温症の最初の徴候じゃなかったっけ？ 半分まどろみながらそんなことを思った。

低体温症じゃない。時代差ぼけ《タイムラグ》の症状だ。それに、このいまいましい現地調査の準備をするために二日連続で徹夜した当然の結果。その挙げ句、こうして闇の中にすわりこんで、いまにも凍死しようとしている。これだけの時間があれば、艦船の名前を暗記できたばかりか、ダンケルク撤退に加わった小型船舶すべて、全七百隻の名前も覚えられたのに。それに、救出された三十万人の兵士全員の名前も。

地質時代にして数紀分が経過したのち、ようやく空が白みはじめた。最初は暗闇を長く見つめすぎたせいで幻を見ているのかと思った。だが、それはたしかに、向かい側にある岩の輪郭が、ベルベットブラックの空を背景に、漆黒に見えているのだった。慎重に立ち上がり、反対側の岩の向こう、波音がするほうを覗いてみると、闇は濃淡のあるグレイに変わっていた。数分後には、波頭の白い線が見分けられるようになった。背後には、闇の中、不気味に白くそびえる崖。白亜の断崖。ということは、場所はまちがっていない。

ただし、いまいる場所は、ふたつの岩のあいだではなかった。一個の岩の真ん中が潮に浸食され、そのくぼみに砂が溜まっているのだった。もっとも、海岸から彼の姿を——ネットのきらめきを——隠してくれていることに変わりはない。マイクは手首に巻いたブローヴァに目をやった。十一時二十分。ネットを抜けるとき、腕時計を五時に合わせた。つまり、六時間以上もここで夜明けを待っていたことになる。この浜辺で何十億年も過ごしたような気がしたのも無理はない。事実そのとおりだったのだ。

しかも、とくに理由があったとは思えない。当初は、午前五時前後にだれかが近くにいたんだろうと思っていたけれど、沖の船影も、砂浜の足跡も見当たらない。ビーチには堡塁ひとつなかった。上陸用舟艇を防ぐために波打ちぎわに埋める杭も、有刺鉄線もない。

まさか、ずれのせいで一月に着いたんじゃなきゃいいけど。それとも一九三八年とか。

それをたしかめる唯一の方法は、浜辺を離れることだ。どのみち、そうする必要がある。もしいま、本来いるべきはずの場所と時間にいるのだとしたら、地元の人間に見つかると、Uボートで上陸したばかりのドイツ軍スパイだと思われて逮捕されてしまう。もしくは銃で撃たれる。夜が明けきらないうちにここを離れなければ。マイクはジャケットを着込み、ズボンの砂をはたくと、岩の向こうに首をのばして左右をたしかめてから、岩の上によじのぼった。ふりかえって、頭上の崖を見上げる。崖の上に人影はなく——すくなくとも、見える場所については無人だった——浜辺につづく道もない。ドーヴァーがどっちの方角なのかは知る由《よし》もなかった。頭の中でコインを投げ、北端のほうに向かって歩き出した。頭上から見えないように、崖のすぐそばを歩きながら、道を探した。

隠れていた岩から数百メートル進んだところで、道が見つかった。白亜の崖に刻まれた細いジグザグの道。マイクはそれを駆け上がり、てっぺんにたどりつくちょっと手前で立ち止まって偵察したが、草に覆われた崖の上にはだれもいなかった。ふりかえって、ドーヴァー海峡に目を向けた。この高さからでも、船は一隻も見えない。水平線に目を凝らしても、煙ひとすじ見えない。

農家一軒、家畜一頭見当たらず、柵さえなかった。目につくのは、白い砂利道だけ。ゆうべネットを抜けたとき、もしかしたら自分がその上に立っているんじゃないかと思った道だ。人里離れた僻地《へきち》に来てしまったのか。

だが、そんなことはありえない。英国の南東海岸は全域にわたって漁村が点在している。この近くにもそういう村があるはずだ。そう思って、反対側の岬の向こうになにがあるのかたしかめようと、南に歩き出した。かならずしも村があるとはかぎらない。ゆうべもけさも、教会の鐘の音は一度も聞いていない。とにかく、歩いていける距離にあることを祈ろう。

あった。岬のすぐ向こうに、小さな漁村が見えた。石造りの建物が何軒か、寄り集まって建っている。その向こうの桟橋には、数隻の帆柱つきボートが係留してある。教会もあった。鐘楼つき。崖にさえぎられて、鐘の音が聞こえなかったんだろう。マイクは村をめざして道路の端を歩きながら、乗せてくれる車か、運がよければドーヴァー行きのバスが通らないかと目を光らせていたが、見渡すかぎりどんな車も走っていない。

きっと時刻が早すぎるせいだろう。村のようすを見ても、おなじことがいえる。一軒きりの商店も、パブ——王冠と錨亭——も閉まっているし、通りにはだれもいない。漁師ならもう仕事をしているだろうと桟橋まで歩いてみたが、やはり無人だった。

そして、最後の家の先まで行ってみたが、鉄道の駅はなかった。バス停の標識も。店まで引き返し、ウィンドウの中を覗き込み、バスの時刻表か、この村の名前が書いてあるようなものがないか探してみた。もしここがドーヴァーの十キロ北なら、バスを待つより、徒歩で行くほうが早いかもしれない。しかし、発見できた告知は、エンプレス・シネマの上映予定表だけだった。五月十五日から三十一日までは「艦隊を追って」。五月は正しいが、「艦隊を追って」の公開は一九三七年だ。

マイクは王冠と錨亭に行って、ドアをためしてみた。ドアは施錠されてなかった。開けると、暗いホールだった。「すみません。開いてますか？」と呼びかけ、中に足を踏み入れた。廊下の突き当たりに、階段とドアがひとつ。ドアの向こうは、パブのホールらしい。薄闇の中、木製のベンチとカウンターがかろうじて見分けられる。受話器がコードで本体とつながっている古風な電話が、階段の反対側の壁にかけてある。そのとなりにはグランドファーザー時計。マイクは文字盤にじっと目を凝らした。八時五分前。他人の目がないことに感謝しながら、不器用な手つきでブローヴァの時刻を合わせ、それからバスの時刻表を探した。時計の横の小さなテーブルに、何通か手紙が置いてあった。マイクはかがみこみ、目を凝らして、いちばん上の封筒の住所を読んだ。

「ケント州ソルトラム・オン・シー」

これが正しいはずはない。ソルトラム・オン・シーはドーヴァーから北に十キロではなく、南に五十キロ離れている。手紙は、これからソルトラム・オン・シーに宛てて投函されるものにちがいない。だが、封筒の隅に貼ってある二ペンス切手には消印が捺《お》されていた。差出人の住所はビギン・ヒル空軍基地で、明らかにここではない。マイクは幅のせまい木の階段に用心深く目を走らせてから、手紙の束を手にとって調べてみた。どれも宛先はソルトラム・オン・シー。しかも、中の一通は、王冠と錨亭宛てだった。まちがいない。

やれやれ。ということは空間的なずれが生じたことになる。それに、ドーヴァーへはバスで行くしかない。ということは、バスの出発時刻と停留所の場所をいますぐつきとめる必要がある。「すみません！」階段の上のほうと、パブのホールに向かって大声で呼びかけた。

「だれかいませんか？」

返事がない。二階からはなんの物音もしない。もうしばらくじっと耳をすましてから、パブの薄暗いホールに入り、バスの時刻表を探した。もしくはローカル紙。カウンターに新聞はなく、うしろの壁に貼ってあったのはまたべつの映画の上映予定表。こちらは「失はれた地平線」で、公開は一九三六年。予定表によると、六月十五日から三十日までの上映だ。くそ、時間的ずれもあったのか？　心の中でぼやきながら、新聞を探してカウンターの向こう側にまわった。日付をたしかめないと。

ごみ箱の中に新聞が——というか、その一部があった。一枚の半分——案の定、紙名と日付が書かれているほうの半分——がちぎりとられ、残った半分もなにか液体を拭きとるのに使われた形跡がある。濡れた紙が破れないようにカウンターの上で慎重に広げたが、まわりが暗すぎて、水分を吸ってグレイになったページの文字が読みとれない。

新聞紙のへりをつまんで、廊下へ持っていった。見出しには〈独軍電撃戦の圧倒的破壊力〉とある。よかった、すくなくとも、いまは一九三六年じゃない。見出しにつづく記事本文はちぎれているが、ドイツ軍の侵攻を示す矢印が描かれたフランスの地図が掲載されている。ということは、六月末でもない。六月末時点では、戦闘終了から三週間が経過し、パリは占領されていた。

〈独軍、ムーズ川を渡る〉これは五月十七日の出来事だ。〈非常時戦争権限法成立〉こちらは二十二日。これはきっときのうの新聞だろうから、きょうは二十三日ということになる。

それなら、ずれによって一日早く着いたことになるが、もっけのさいわいだ。ドーヴァーまで行くのに、まる一日の余裕ができた。それだけの時間的猶予が必要になるかもしれない。

マイクは記事のつづきを読んだ。〈ウェストミンスター寺院で全国合同礼拝式典〉

まさか。この礼拝式が開催されたのは五月二十六日の日曜日だ。もしこれがきのうの新聞だとしたら、きょうは二十七日の月曜日だ。「ああくそ。撤退の初日を見逃したわけか！」

「パブの開店は十二時ですよ」上のほうから女性の声がした。

さっとふりかえった拍子に、濡れた新聞が半分にちぎれた。髪をポンパドールにして、真っ赤な口紅をつけたうら若き美女が階段の中ほどに立ち、興味津々の顔でマイクの手の中の破れた新聞を見ている。なにをしていたのか、どう説明しよう？　いま口にした撤退のことは？　どこまで聞かれたんだろう。

「部屋を探してるの？」と女性は階段を降りてきてたずねた。

「いや、バスの時刻表を探してただけで」とマイク。「ドーヴァー行きのバスはいつ出発かわかる？」

「米兵《ヤンク》ね」と女性はうれしそうにいった。「飛行機乗り？」通りの真ん中に飛行機がとまっていないかたしかめるように、マイクの肩越しにドアの向こうを見やった。「落下傘で脱出したの？」

「いや。記者なんだ」

「記者？」やはり熱のこもった口調。最初に思ったよりずっと若い。せいぜい十七、八歳だろう。ポンパドールと口紅のせいで、もっと年上に見えたのだ。

「ああ。オマハ・オブザーバー紙の」とマイク。「戦争特派員なんだよ。ドーヴァーに行かなきゃいけない。バスがいつ来るか知ってる？」娘が口ごもるのを見て、「ここからドーヴァー行きのバスって出てるよね？」

「ええ。でも、タッチの差で乗り遅れたみたい。バスはきのう来たから、次は金曜まで来ないわ」

「バスは日曜と金曜だけ？」

「いいえ。いったでしょ、きのう来たって。火曜よ」

「もしおれの下僕に会ったら、急いで来いと伝えてくれ」
——ウィリアム・シェイクスピア
『ヴェローナの二紳士』三幕一場より

8 オックスフォード 二〇六〇年四月

ポリーはベイリアルの正門に向かって、ブロード・ストリートからキャット・ストリートを急ぎながら、ダンワージー先生が窓の外に目を向けていなかったことを祈った。中庭でマイクルとメロピーといっしょにいるところを目撃されていませんように。あたしがもどっていることは内緒だと口止めしておくんだった。そのためには理由を説明しなければならないし、先生がいつ研究室から出てくるかと気が気ではなかった。

うかつに出頭しなくて正解だった。そうでなくても、先生はあたしのプロジェクトが危険すぎると考えている。一年生のときから過保護だったけれど、このプロジェクトに関してはヒステリックもいいところだ。ロンドン大空襲調査のための降下点をオックスフォード・ストリートから歩ける範囲内にしろと言い張った。ワームウッド・スクラブズかハムステッド・ヒースに降下点を見つけて、そこから地下鉄で現地入りするほうがずっと簡単なのに。それに降下点は、地下鉄の駅および下宿先から半マイル以内でなければならない。「怪我をした場合、すぐさま降下点に行けるようにしておきたまえ」と先生はいった。「それに、

「一九四〇年代にも病院はあるんですよ、もちろん」とそのときポリーはいった。もし怪我をしたら、その半マイルをどうやって歩くんです？」

「笑いごとじゃない」と先生は切り口上でいった。「現地調査中に命を落とすことはありうるし、ロンドン大空襲はきわめて危険な派遣先だ」それから二十分にわたって、高性能爆弾の爆風や焼夷弾の火の粉や砲弾の危険性に関するレクチャーがつづいた。「カニング・タウンのある女性は、防空気球の綱が足にからまり、そのまま引きずられてテムズ川に転落した」

「あたしは防空気球にテムズ川まで引きずられたりしません」

「灯火管制中の闇の中でバスに轢《ひ》かれたり、強盗に殺されたりする可能性もある」

「そんなことをいいだしたら――」

「大空襲のあいだは、犯罪者が跳梁跋扈《ちょうりょうばっこ》していた。灯火管制は彼らに闇の庇護を与えたし、警察は瓦礫から遺体を掘り出して身元を確認する作業に追われていた。そのへんの横丁で犯罪被害者の死体が見つかっても、あっさり爆風の死者にカウントされた。タイムズの死亡広告欄できみの名前を見るのは願い下げだ。半径半マイル以内。以上だ」

しかも、制限はそれだけじゃなかった。向こうに滞在するのは十月下旬までだというのに、年内に爆撃を受けた建物の部屋を借りることは禁止されたし、降下点は大空襲の全期間中、

一度も爆撃されたことがない場所にするよう強制された。そのため、都合のいい降下点候補三ヵ所を、一九四一年五月の最後の大空襲で被害に遭っているという理由で除外せざるをえなかった。

ラボがまだ降下点を見つけられずにいるのも無理はない。早く見つけてくれるといいんだけれど。あたしがもどっていることをダンワージー先生がつきとめないうちに。あるいは、だれかに聞かされないうちに。ミスター・パーディから聞く可能性は低そうだ――この二週間、あたしが留守だったことを知らないふうだった。うまく運べば、マイクル・デイヴィーズは日程の変更を掛け合うのに忙しく、メロピーは運転許可証をとりにいくのに大あわてで、あたしと会ったことをだれにもいわずにいてくれるかもしれない。

メロピーがVEデイに行く件でダンワージー先生に口添えするという約束を守れないのは申し訳ないけれど、しかたがない。それに、一刻一秒を争うという感じでもなかった。疎開児童の現地調査はまだ数ヵ月残っているという話だ。でも、あたしのほうは六週間しかない。無事にもどりしだい、先生に会いにいって、メロピーの件を掛け合ってみよう。

まだその必要があればの話だけれど。もしかしたら、そのときにはもう、ダンワージー先生も考えを変えているかもしれない。

それまでのあいだ、先生の目につかないようにして、ラボが降下点を早く割り出してくれることを祈りつつ、いつでも行けるよう準備しておく必要がある。そのために、ポリーは小道具部へ行って腕時計（今度のは針と文字盤に夜光塗料《ラジウム》が使ってあるタイプ。前に持っていったのは夜光時計ではなかったので、ほとんど役に立たなかった）と、ポリー・セバスチャンの名前入りの配給手帳と身分証明書、それにデパートの売り子として働くための推薦状を調達した。

「離職届は？」と技術者がたずねた。「なにか特別なものが必要？」

「いいえ。前回のがそのまま使えるから――ノーサンバーランドのやつ。名義をポリー・セバスチャンにして、一九四〇年八月の消印で」

技術者はそれを書き留め、三十ポンドを手渡した。

「わっ、これじゃ多すぎ。最初の一週間が過ぎたら、あとは給料がもらえるし、賄いつき貸間《ルーム・アンド・ボード》も相場はせいぜい週に十シリング六ペンス。十ポンドでじゅうぶん」

けれど、技術者は首を振って、「不測の事態に備えて緊急用の二十ポンドを携行させるようにとここに書いてあるから」

ダンワージー先生の差し金だ、まちがいなく。こんな大金――一九四〇年の女子店員にとってはひと財産だ――を持ち歩くいわれがあろうとなかろうとおかまいなし。でも、このお金を突き返したら、ダンワージー先生に報告が行くかもしれない。ポリーは現金と腕時計の受けとりにサインして、書類はあしたの朝とりにくるといって小道具部を出ると、モードリンへ向かい、二、三日泊めてもらえないかとラーク・チュウに頼み込んで、ＯＫをもらったあと、彼女にベイリアルにある着替えと資料をとってきてもらい、コリンが調べてくれた地下鉄駅シェルターのリストをじっくり検討しはじめた。

コリン。ダンワージー先生にはないしょだと釘を刺しておかなければ。もしまだこっちにいるなら。たぶん、もう学校にもどっているだろう。メロピーがいったことから考えると、そのほうがいい。

ポリーは地下鉄駅シェルターの場所と、爆撃された日付および回数を頭に叩き込み、それからダンワージー先生の手になる立入禁止場所一覧に着手したが、ぜんぶ覚えるには夜じゅうかかった。一九四〇年に爆撃された建物しかリストに入っていないので、これでも大空襲全体の前半だけなのだが。ロンドンのあらゆる建物が爆撃されてるわけ？

翌朝、衣裳部へ行って衣裳を注文した。「黒のスカート、白のブラウス、それに薄手のコート、できればこっちも色は黒で」と注文すると、技術者はただちにネイビー・ブルーのスカートをとりだした。

「いえ、それじゃだめなんです。デパートの売り子に扮装する予定だから。一九四〇年の百貨店は、黒のスカートと白の長袖ブラウスが必須」

「黒っぽいスカートならなんでもだいじょうぶよ。これ、すごく濃い紺色だから。よっぽど明るいところじゃないかぎり、違いなんかわからない」

「いいえ。黒じゃなきゃだめ。このスカートを黒でつくるのに、時間はどのくらいかかる？」

「あらまあ。見当もつかないわね。予定より何週間も遅れてるのよ。ダンワージー先生が全員のスケジュールをかたっぱしから変更しはじめて、おかげでこっちは衣裳の割り当てをやり直したり、ぶっつけで新しいのをつくったりでてんてこ舞い。あなたの降下はいつ？」

「あさってです」とポリーはうそをついた。

「あらまあ。ちょっと待って、なにかほかに使えるのがないか調べてみる」彼女は衣裳室に入り、しばらくして、二着のスカートを持って出てきた。一着は一九六〇年代のミニ、もう一着はi-comのカーゴ・キルト。「黒のスカートで見つかったのはこれだけ」

「だめ」とポリー。

「キルトの携帯はただのレプリカ。危険はないわ」

それでも、携帯電話が発明されたのは一九八〇年代だし、カーゴ・キルトの登場は二〇一四年。ポリーは、ネイビー・ブルーのと同じデザインの黒いスカートを大至急で発注してから、どこに泊まるかを伝えるついでに、奇跡が起きて降下点が見つかっていないかたしかめるべく、ラボへ足を向けた。

ラボのドアは施錠されていた。降下のキャンセルに怒り狂った史学生を閉め出すため？ノックしてみると、長い間があって、疲れはてた顔のリナがドアを開けてくれた。「電話中なの」といって、急ぎ足でデスクにもどり、「いいえ、最初にソンムの戦いに行く予定だったのはわかってます」

ポリーはコンソールの前のバードリに歩み寄った。「邪魔して悪いけど、あたしの降下点、もう見つかった？」

「いや」バードリはぐったりした顔でひたいをこすりながら、「問題は灯火管制だ」

ポリーはうなずいた。目撃する可能性のある時代人が近くにいると、降下点は開かない。ふつう、降下点が開くときのかすかなきらめきはそれほど目立たないが、灯火管制下のロンドンでは、懐中電灯の光でも、居間のカーテンを一センチ開けるだけでも、たちまち気づかれてしまう。それに、防空監視員が津々浦々をパトロールして、鵜の目鷹の目で灯火管制違反を探している。

「グリーン・パークかケンジントン・ガーデンは？」

「だめだ。どっちも対空中隊がいるし、リージェント・パークには防空気球の本部がある」

荒々しいノックの音がして、リナがドアを開けると、ふさ飾りのついたスエードのジャケットにカウボーイ・ハットの男がプリントアウトを振りかざして飛び込んできた。「いったいぜんたいだれがぼくの予定を変えたんだ？」とバードリに向かって怒鳴る。

「見つかりしだい知らせる」とバードリがポリーに向かっていった。急いでほしいと頼める状況ではないらしい。

「またあとで来る」とポリー。

「キャンセルなんてありえない！」カウボーイ・ハットの男が叫んだ。「六カ月も前から、プラム・クリークの戦いの準備をしてきたのに！」

ポリーは頭を低くして男の前を通過し、まだ電話しているリナに手を振ってから、戸口に向かった。「いいえ、もうインプラントを済ませているのもわかってますし――」とリナは電話に向かって話している。ポリーはドアを開けて外に出た。

そして、あやうくコリンの上に倒れ込みそうになった。コリンはラボの壁に背中を預け、歩道にすわりこんでいた。「ごめん」といって、コリンは急いで立ち上がった。「いままでどこにいたの？　オックスフォードじゅう捜しまわったんだよ」

「ここでなにしてるの？」とポリー。「どうして中に入らなかったの？」

コリンはおどおどした顔で、「入れないんだ。出入り禁止だから。ダンワージー先生はまるっきり話が通じない。現地調査にいかせてって頼んだら、ラボに電話して、ぼくを入れるなっていったんだよ」

「だれかが降下してる最中、こっそりネットに忍び込もうとかしたんじゃないの」

「まさか。提案しただけだよ。ある特定の現地調査では、ぼくぐらいの年齢のほうが、年長の史学生とは違った視点を提供できるって——」

「どんな現地調査？　十字軍？」

「どうしてだれもかれも十字軍を持ち出すんだろう。十字軍に参加したいと思ったのは子供のときの話で、いまはべつに——」

「ダンワージー先生はあなたを守ろうとしてるだけよ。十字軍は危険な時代だから」

「さすが、危険な時代については専門家だね」とコリン。「それにダンワージー先生は、あらゆる場所が危険だと考えてる。そんなの不合理だよ。先生だって若いころはロンドン大空襲に行ったくせに。ありとあらゆる危険な時代に行ってる。しかもその当時は、自分がどの時代に行くのかもわかってなかったんだよ。それに、ぼくが行きたいっていった場所はおよそ危険なんかじゃなかった。ロンドンからの学童疎開だよ。第二次大戦中の」

偶然にも、ポリーの行き先とおなじ。メロピーのいうとおりかもしれない。

「危険といえば、これが全空襲のリスト」とコリン。「いつもどるのか知らなかったから、九月七日から十二月三十一日までをリストアップしたけど、めちゃくちゃ長いから、録音もしといた。サブリミナルで暗記したいと思ったとき用に」コリンがメモリタブをさしだした。

「時刻は空襲警報のサイレンが鳴ったときじゃなくて、じっさいに爆撃がはじまった時間。まだ調べてる最中だけど、すぐ出発することになった場合に備えて、空襲の時間だけでも先に渡しておこうと思って。基本的には、サイレンが鳴るのは空襲の二十分前。ああ、ところで、もしバスに乗るなら、サイレンが聞こえないかもしれないよ。エンジン音がうるさすぎて」

「ありがとう、コリン」ポリーはプリントアウトを見ながらいった。「これだけ調べるの、きっと何時間も何時間もかかったでしょ」

「まあね」コリンは自慢げにいった。「爆撃された場所を見つけるのは楽じゃないんだ。新聞は、爆撃された特定の建物については日付や住所の報道を差し止められたから」

ポリーはリストに目を落としたままうなずいた。「敵の利益になるかもしれないことはいっさい紙面に出せなかったのよ」

「それと、政府の記録についても、戦中の爆撃や、戦後のピンポイント爆弾とパンデミックのせいで失われたものが大量にある。それに、誤爆もたくさん。正確な着弾時刻と場所が記録されているV1やV2とはわけがちがう。主な標的と、爆撃が集中したエリアはここに書いておいたけど」とポリーにリストを見せ、「ほかにも爆撃された場所は山ほどあるんだ。研究によると、破壊された建物は百万戸以上だって。このリストに載ってるのはそのうちのほんのひと握りだよ。だから、リストにブルームズベリと書いてあるからといって、ロンドンのべつの場所をぶらぶらしても安全だってことにはならない。とくにイースト・エンドはね――ステップニーやホワイトチャペルは、いちばん被害が大きかった地域だから。それと、リストにある建物は、全壊したものだけで、部分的に損傷したり窓ガラスが吹き飛ばされたりしただけの建物は入ってない。飛び散ったガラスや対空砲弾の破片の犠牲になって死んだ人は何百人もいる。外出中に空襲に遭ったら、できるだけ建物のそばにいたほうがいいよ。爆弾の破片で――」

「死ぬこともあるから。わかってる。ダンワージー先生の影響を受けすぎなんじゃない？　先生そっくりの口調になってる」

「違うよ。ポリーの身になにか起きてほしくないだけなんだ。それに、危険だっていうのはダンワージー先生のいうとおりだよ。ロンドン大空襲では三万人の民間人が死んだんだから」

「知ってる。気をつけるから。約束する」

「それに、もし破片かなにかがぶつかっても、心配しないで。万一のときはぼくが助けにいくから。約束する」

ありゃりゃ。メロピーのいうとおりだ。「建物のそばにいるって約束する」わざと軽く答えた。「ダンワージー先生といえば、あたしがもどってること、話してないよね」

「もちろん。ぼくが来てることさえ話してないよ。先生は、ぼくが学校にいると思ってる」

よかった。だったら、先生に現地調査をキャンセルされる心配をしなくて済む。「リスト、ありがとう。すっごく助かった」コリンににっこり笑いかけてから、この状況下ではそれが好ましくないことを思い出した。「さあ、とっとと準備作業を進めなきゃ」といって、道路を横断しはじめた。

「待って」コリンが追いかけてきた。「ほかになにかやってほしい調査はある？　つまり、空襲警報の時刻リスト以外に。地下鉄駅にたどりつけないときのために、ほかの防空壕のリストもつくろうか？」と熱心にたずねる。「それとも、爆弾の種別リストとか」

「ううん。これだけでもずいぶんたくさん時間を使わせてるから。あなたには学校もあるんだし——」

「今週いっぱいは休みだよ。それにそっちはどうでもいいんだ。ほんとの話。史学生になったときのためのいい訓練になるし。いまからすぐにやるよ」といって、コリンは通りを駆け出した。

ポリーは調査部へ行って、コリンの空襲リストを暗記する手間をかけずに済むよう、データをインプラントしてもらい、小道具部に寄って書類を受けとり、それからボドレアン図書館へ勉強しにいった。最初にロンドン大空襲へ行くつもりでいたとき、関係資料すべては一度暗記していたが、ほとんど忘れてしまった。配給や灯火管制についてをおさらいし、一九四〇年秋の時代人なら当然知っているはずの出来事――バトル・オブ・ブリテン、アシカ作戦、北大西洋の戦い――と、オックスフォード・ストリート界隈《かいわい》の地図を頭に叩き込んだ。地下鉄路線図も暗記しようかと考えたが、どうせどの駅の壁にも路線図が貼ってある。かわりにバスの番号と――

「ほうぼう捜しまわったんだよ」といって、コリンがテーブルの向かい側の椅子にどしんと腰を下ろした。「聞くのを忘れてたけど、向こうに行ったら、どこに住む予定？　ロンドンには防空壕が何千もあるから」

「メリルボンかケンジントンかノッティング・ヒルのどこか。借りられる部屋がどこで見つかるかしだい」ダンワージー先生が課した、オックスフォード・ストリートの徒歩圏内という制限について説明した。

「じゃあ、その圏内にある防空壕からとりかかるよ」とコリン。「時間があったら、ウェスト・エンドの残りの防空壕のマップもつくる。ああ、それと、いつもどってくるの？　それがわかれば、近づかないほうがいい防空壕をマークしとく」

「十月二十二日」

「六週間か」コリンは考え込むようにいった。「で、その次の行き先はツェッペリン爆撃だよね。一九一五年にはどのぐらいいる予定？」

「さあ。まだスケジュールが組まれてないの。いまはそっちを考えている余裕もないし。今回の現地調査をやりとげることに集中しなきゃいけないの。ねえ、コリン、勉強しないといけないことが山ほどあるの。知りたかったのはさっきの日付だけ？」

「うん。いや、ひとつ頼みがあるんだ」

「コリン、あなたのことはダンワージー先生に喜んで口添えするつもりだけど、耳を貸してくれるとは思えない。二十歳未満の人間を過去に送るのは断固として認めない主義だから。あなたが前に一度、過去へ、それもいちばん危険な時代のひとつに行ったことがあるのは知ってるけど、でも——」

「ううん、頼みたいのはぜんぜんそういうことじゃないんだ」

「違うの？」

「違うってば。大空襲に行くとき、瞬間往復《フラッシュタイム》じゃなくて実時間《リアルタイム》にしてほしいんだ」

「その予定だけど」ポリーは驚いた。コリンがまさかそんなことをいいだすとは思いもしなかった。「ダンワージー先生は、あたしが怪我をしたときのために半時間の間欠ネットにこだわったの。だから、リアルタイムでやるしかないわけ」

「そうか、よかった」

コリンはなにを企んでるんだろう。「なんでこの調査をリアルタイムでやらせたいの？」

「今回だけじゃないよ。きみの現地調査ぜんぶ」

「あたしの現地調査ぜんぶ？」

「うん。ぼくが追いつけるように。年齢で。つまり……」口ごもり、ごくりと唾を呑んだ。

「つまり、きみはほんとに最高の女性だと思ってて——」

うわ、とうとう来たか。「コリン、だってあなたはまだ——」子供じゃないの、といいそうになって、ぎりぎりのところで言い直した。「——十七歳じゃないの。あたしは二十五歳で——」

「わかってる。でも、ぼくらはふつうの人間とは違うんだよ。ふつうだったら、たしかに良識に反しているかもしれないし——」

「それに違法よ」

「それに違法かもしれない」とコリンは認めた。「でも、ぼくらは航時史学生なんだ。というか、少なくともきみは航時史学生だし、ぼくもそうなる。ぼくらにはタイムトラベルがある。だから、ぼくがいつまでもきみより年下だとはかぎらないんだよ。それに、違法だとしてもかぎらない」コリンはにっこりした。「ねえ、もしぼくが二年間の現地調査を四回、それとも十八カ月の現地調査を六回、すべてフラッシュタイムでやれば、きみがロンドン大空襲からもどるときには二十五歳になってる」

「そんなこと、ぜったい——」

「わかってる。ダンワージー先生が問題だ。でも、なんとか説得する方法を考えてみるよ。もし万一、三年生になるまで過去へ行くのを禁止されるとしても、それでもまだなんとかなる。きみがもうこれ以上、フラッシュタイムの現地調査をやらずにいてくれたら」

「コリン——」

「何年も待ってくれっていってるわけじゃないんだ。まあ、たしかに何年もかかるけど、それはぼくの時間で、きみの時間じゃないし、ぼくはそんなの気にしない。それに、もしぼくを大空襲に連れていってくれたら、そんな年数も必要ない」

「ぜったい無理」

「大空襲を自分で調査しようってつもりはないよ。死んだら、永遠にきみに追いつけないからね。疎開先の北部へ行くつもりだ」

「だめ」とポリー。「それに、あたしの年齢に追いつきたいんでしょ。もしいっしょに来たら、相対的な年齢差は変わらないじゃない」

「それはいっしょにもどった場合。戦争が終わるまで——あと五年長く——向こうにいて、それからフラッシュタイムでもどることもできる。そうすればぼくは二十二歳だから、あと二、三回、フラッシュタイムで現地調査をこなすだけでいい。そしたらきみはぜんぜん待つ必要はないんだよ」

なんとかやめさせなきゃ。「コリン、あなたは十七歳よ。自分とおなじ年ごろの相手を見つけないと」

「そのとおり。きみだって、すぐにぼくとおなじ年ごろの相手になるよ。もしぼくが——」

「ばかばかしい。だれが好きかなんて考えは、二十五歳になるまでのあいだに千回も変わるわよ。十字軍に行きたいっていう考えだって変わったし——」

「いや、変わってない」

「でも、さっきは――」

「行きたいっていうと、みんなにやめろっていわれるから、表向きはもうやめたっていってるだけだ。十字軍とワールド・トレード・センターには本気で行くつもりだし、この件についても考えを変える気はないよ。きみが航時史学生になりたいと思ったのは何歳のときだった？」

「十四歳。でも――」

「で、いまでもなりたいんでしょ」

「コリン、それは別問題だってば」

「どう違うの？　十四歳のきみは自分の望みがわかっていたし、十七歳のぼくはいま、自分の望みがわかっている。きみの場合より、三歳も年上だ。ぼくのことをただの子供だと思ってるのはわかってるよ。ぼくのこの気持ちも子供じみた淡い初恋で、十七歳は本気で恋愛するには若すぎると――」

いいえ、そうじゃないのはわかってる。ポリーは心の中でそうつぶやき、急にコリンのことがかわいそうになった。

まちがいだった。コリンは彼女の沈黙を励ましと受けとったようだ。

「協力してほしいといってるわけじゃないんだ。追いつくチャンスを与えてほしいといってるだけ。そのあと、ぼくらがおなじ年齢になったら――いや、待って、もしかして年上が好み？　何歳でも、希望に合わせるよ。いやまあ、一生待ちつづけたくはないから、七十歳とかいわれても困るけど、でも、年上が好きなら、喜んで三十歳になるよ」

「コリン！」思わず吹き出した。「あなたにそんな口をきかれる筋合いはないの。あなたは十七歳で――」

「いや、いいかい、何歳でもいいけど、とにかくぼくがきみにふさわしい年齢になって、もしそのとき、きみがぼくを好きじゃなかったり、それまでのあいだにだれかべつの人に恋をしたりしたら――いまはまだしてないよね？　だれかに恋してる？」

「コリン――」

「してるんだ。やっぱり。だれ？　あのアメリカ人野郎？」

「アメリカ人野郎ってだれのこと？」

「ベイリアルの。背が高くてハンサムな。マイクなんとか」

「マイクル・デイヴィーズ。彼、アメリカ人じゃないわよ。アメリカ語のインプラントをしてるだけ。ただの友だち」

「じゃあ、どの史学生？　まさか、ジェラルド・フィップスじゃないよね。あんな、どうしようもなくうんざりな――」

「ジェラルド・フィップスとも、ほかの史学生のだれとも恋してない」

「よかった。だって、ぼくらは完璧に運命の二人なんだから。つまりさ、時代人じゃうまくいかないでしょ。きみが生まれるより前に死んじゃってるか、年寄りになってる。それに、この時代の人間と恋をしても無駄。最初はおない年だったとしても、二、三回、フラッシュタイムで現地調査をこなしたら、きみのほうがずっと年上になっちゃう。それに、万一なにかあったときも、きみを助けにいくことができない。残る選択肢は、航時史学生のだれかで、たまたま、このぼくも航時史学生になるってわけ」

「コリン、あなたは十七歳で――」

「でも、すぐにそうじゃなくなる。きみだって、きっと感じかたが変わるよ、僕が二十五――」

「いまのあなたは十七歳。あたしにはやるべき仕事がある。話はこれで終了。さあ、もう帰って」

「せめて、ツェッペリン現地調査をリアルタイムでやると約束してくれるまでは帰らない」

「なんにも約束しない」

「じゃあ、せめて、考えるって約束してよ。二十五歳のぼくは、ものすごくハンサムで魅力的な男になる予定なんだ」コリンは独特の左右非対称の笑みをポリーに向けた。「あるいは、三十歳のぼくも。今度、空襲警報のリストを持ってきたとき、どっちが好きか教えてね」そういってコリンは走り去り、あとには笑みを浮かべて首を振るポリーが残された。

コリンの言葉は意外と当たってるんじゃないかという気がする――あと二、三年もすれば、赤みがかったブロンドの髪とあらがいがたい微笑を持つコリンは、ずいぶん魅力的な男になりそうだ。それともうひとつ、ここでぼやぼやしていたら、いまから十分後にまたコリンが新しい質問を持ってあらわれて、ふたりがいかに運命的なカップルであるかについて演説しはじめることになりそうだ。そこでポリーは地図をラークの部屋に持ち帰って覚えることにして、その途中、衣裳部に立ち寄り、黒のスカートが用意できているかどうかたずねた。

「三週間」と技術者がいった。

「三週間？　急ぎの注文を出してっていったはずだけど」

「急ぎの注文よ」

ということは、ネイビー・ブルーで妥協するほうがましだ。スカートがないせいで出発できないなんてことにはなりたくない。釘が足りずに蹄鉄打てず……。ダンワージー先生の好きなマザー・グースの一節が頭の中で再生される。

やっぱりネイビー・ブルーでだいじょうぶだと考え直したと告げた。

「それはよかった」技術者はほっとしたようにいった。「靴も必要？」

「いいえ。いま持ってるのでだいじょうぶ。でも、ストッキングを一足」

技術者がストッキングを見つけてくれて、ポリーはスカートとストッキングを持ってモードリンに行き、地図を暗記し、百貨店に関する自分のメモを読み直しはじめた。作業がまだ半分というところで電話が鳴った。

コリンだ。そんな時間はないのに。そう思ったが、電話の相手はリナだった。「信じられないかもしれないけど、降下点が見つかったわよ。問題は、こっちのスケジュールにぜんぜん空きがなくて、降下の実施が二週間後になってしまうこと。でも、いまから三十分以内に来られるなら、すぐに実施できるんだけど。急な話だから、もし準備がまだなら——」

「準備できてる。すぐ行く」ポリーは電話を切るなり大あわてで衣裳に着替え、あやうくストッキングを伝線させるところだった。配給手帳、身分証明書、離職届、推薦状をハンドバッグに突っ込んだ。ああ、それに現金。プラス、ダンワージー先生の予備の二十ポンド。それと腕時計。

あと必要なのはダンワージー先生にばったり出くわすことだけね。腕時計をはめながらモードリンをダッシュで飛び出し、ハイ・ストリートを急いだが、ポリーの運はなんとか持ちこたえたらしく、五分の余裕をもってラボに到着した。

「よかった！」とリナがいった。「二週間後に空きがあるっていうのは計算まちがいだったの。次のチャンスは六月六日」

「Dデイ」

「ああ。でも、きみのDデイはいまからきっかり五分後だ」とこちらにやってきたバードリがいった。ネットの中の所定の位置にポリーを立たせ、サイズを測ってから、ハンドバッグの位置がもっと内側になるように調整した。「到着時は九月十日の午前六時」

よかった。それなら、まる一日余裕があるから、住む部屋を見つけてから、求職の面接に行ける。

バードリがネットのひだを直した。「向こうに抜けたらただちに時空位置をたしかめて、ずれがあれば記録すること」バードリはコンソールにもどり、キーボードを叩きはじめた。

「それと、降下点の位置を確定するさいには、通り一本とか建物ひとつとかじゃなくて、複数のランドマークに照らしてたしかめること。爆撃で風景が変わっている場合もあるし、焼け野原で距離や方角を判定するのはむずかしいからね」

「ええ」とポリー。「ずれを記録する必要があるのはどうして？　予測では、いつもよりずれが大きくなりそう？」

「いや。予測されるずれは、一時間から二時間だ。リナ、ダンワージー先生に電話して。降下点が見つかったら知らせるようにといってたから」

だめ。ここまで来てそんな……。

「先生はロンドンよ」とリナがいった。「またイシカワ博士に会いにいってる。ずれのデータの件で秘書に電話したら、先生は夜までもどらないって」

ああ、助かった。

「わかった、じゃあいいよ。ポリー、住む場所を見つけて、職に就いたら、すぐに報告にもどってくれ」ポリーの周囲にカーテンが降りてくる。「それと、抜けたときの正確なずれを記録すること。準備いいか？」

「ええ。いいえ、待って。忘れてた。コリンがあたしのために下調べをしてくれてるの」

「現地調査に必要なこと？」とバードリ。「延期するか？」

「いいえ」ダンワージー先生に降下を取り消される危険はおかせない。それに、空襲時刻のリストは頭に入っている。コリンの話では、空襲警報のサイレンが鳴るのは、おおむね空襲時刻の二十分前ということだった。サイレンのリストは、住所の報告にもどったときに受けとればいい。「準備はできてる」

ただちにネットがきらめきはじめた。「コリンに伝えて――」といいかけたが、遅かった。

ネットはもう開いていた。

「自動車の所有者は全員、侵略の有事に際し、四輪車、二輪車、貨物自動車の別を問わず、政府の命令があれば、ただちにそれを動けなくするように準備しておいてください」

——一九四〇年の運輸省ポスターより

9　ウォリックシャー州バックベリー

一九四〇年春

アイリーンがオックスフォードからもどった翌日、教区牧師のグッド氏がやってきて、彼女をはじめとする屋敷の使用人に最初の運転教習を施すことになった。

「こわくない？」とユーナがアイリーンにたずねた。

「いいえ」アイリーンはエプロンをはずし、「牧師さんはきっといい先生だと思うわ」

それに、オックスフォードで練習したおかげで、きっとわたしもいい生徒になれる。時間はたった二日だったし、ポリーの助けもなかったけれど、ベントレーにどうやって乗るかを習ったばかりか、エンジンのかけかた、ギア・スティックやハンドブレーキの操作方法まで教えてもらった。こっちにもどる直前には、ベントレーを運転してヘディントン・ヒルまでハイ・ストリートを走り、無事に帰ってくることができた。

「それどころか、きっと楽しいと思うわ」とユーナにいってから、車のところに歩いていった。だが、車はベントレーではなく、教区牧師のおんぼろオースティンだった。

「奥さまは、ダヴェントリーで婦人義勇隊《WVS》の会合がおありだそうで」と牧師は説明した。

それに、愛車に傷がつくのが心配だったのね。

「しかし、運転を覚えるのは、どの車でもたいしてかわりません」と牧師はいった。

嘘八百。オースティンのクラッチは、まったく別の原理で動いているみたいだった。アイリーンがどんなにゆっくりクラッチ・ペダルをもどしても、かならずエンストする。それも、首尾よくエンジンをかけられたらの話――たいていの場合は、イグニションがまわらないか、オーバーフローするかだった。ようやくエンジンを始動させ、なんとかギアを入れることに成功したときは、十メートルも行かないうちにエンジンが止まってしまった。

「あいにく、この老嬢はどうも気まぐれなんですよ」とグッド氏は眼鏡ごしに笑みを浮かべていった。「運転はとてもお上手です」

「聖職者はウソをついちゃいけないんだとばかり思ってました」アイリーンはむっつりそう答えたが、さらに三回トライしたあと、どうにかオースティンを私道の端まで走らせることに成功した。それでも、ユーナにくらべればはるかに優秀な生徒だった。ユーナは、どっちの足をどっちのペダルに載せるのか一向に覚えられず、牧師が教えようとするたび、わっと泣き出すのだった。

サミュエルズはさらにひどくて、〝あのくそ自動車め〟を筋肉と悪態の力で征服できるとかたく信じているようだった。レイディ・キャロラインの命令だろうがなんだろうが、グッド氏がこのプロジェクトをそっくり投げ出してしまわないことに、アイリーンは驚嘆した。不出来な生徒にも、ホドビン姉弟の存在にもめげず、教区牧師はいかめしく教習をつづけた。運転教習が世界一笑える見世物だと考えた姉弟は、レッスンのある日は学校から走って帰ってきて、玄関ステップに腰を下ろして野次り倒した。

「なにやってるつもりなんだと思う？」アルフがビニーに大声でたずねる。

「運転の勉強じゃないの。ドイツ軍が侵略してきたときのために」

アルフはしばらく教習を見物してから、無邪気そうな口調で、「で、どっちの味方なの？」とたずね、ふたりそろって大笑いする。

次の半日休みはオックスフォードへもどって、オースティンの運転を練習しなきゃ。アイリーンはそう思ったが、それは実現しなかった。月曜の朝、新たに四人の疎開児童が到着したため、降下点に行くチャンスはなかったし、一週間後には、前にあずかっていた疎開児童がもどってきはじめ——ジル・ポッターとラルフとトニー・ガビンズ——その全員が玄関ステップのホドビン姉弟といっしょになって、運転の練習を見物し、野次を飛ばした。

「馬を連れてこい！」ユーナのとくに悲惨なレッスンの最中、アルフがそう叫んだ。「馬に運転を教えるほうがまだ見込みがあるよ、牧師さん！」

「あたしに運転を教えるべきよ」とビニー。「ユーナよりあたしのほうがずっとましだもん」

そうでしょうとも、とアイリーンは思った。とはいえ、ビニーが逃走車を運転するホドビン姉弟版「俺たちに明日はない」は、教区牧師がもっとも見たくないものだろう。「本気で戦争に勝つ手助けがしたいんなら、廃品回収運動のために紙を集めるとか、そういうことでもしたら?」と助言したところ、翌日、ホドビン姉弟はレイディ・キャロラインのスケジュール帳およびシェイクスピアのファースト・フォリオ一冊と、ミセス・バスコームの料理レシピすべてを勝手に回収した。

「あのふたりはどうしようもないわ」アイリーンは、次の運転教習にやってきた教区牧師にいった。

「信仰の教えるところによれば、救われる望みのない人間はひとりもいません」教区牧師は最高の説教をするときの口調でいった。「ただし、ホドビン姉弟がその信念の限界を試す存在であることは認めざるをえないね」

それから、牧師はアイリーンに車をバックさせる方法を教えはじめた。アイリーンはうしろめたい思いだった。牧師はこんなに時間を割《さ》いて、自分に運転を教えてくれている。わたしに残された時間は、あとほんの二、三週間。本来なら、戦争が本格的にはじまったときここにいる人間を相手に教習するべきなのに。もっとも、バックベリーが救急車の運転手を必要とすることなどほとんどないのだと考えて、ポリーは自分を慰めた。バックベリーは爆撃を受けなかったし、墜落した飛行機も一機——一九四二年にドイツのメッサーシュミットが村の西に落ちただけ。パイロットは墜落の衝撃で即死し、救急車の必要はなかった。それにどのみち、数カ月後にはガソリンの配給が止まって、だれも運転なんかできなくなる。

それに、追加教習をしたところで、ユーナやサミュエルズがものになるとは思えないし、ミセス・バスコームはかたくなに教習を拒んでいる。「戦争に勝つための協力は惜しまないつもりですけどね」と、なんとか説得しようとする教区牧師に向かって、ミセス・バスコームはいった。「でも、自動車は例外。奥さまがなんといおうが、かまうもんですか」「あたしは自動車なんかへっちゃら」とビニー。「かわりに教えてくれていいよ、牧師さん」

「どう思う?」後刻、牧師はアイリーンにたずねた。「あの子、たしかに覚えは速い」

控え目にいってもそのとおりだ。「あの子は、徒歩でもじゅうぶん危険だと思う」とそのときは答えたが、それからの一週間、ビニーはあちこちの家のゲートから看板を盗んでまわり——ミス・フラーの〈ヒヤシンス・コテージ〉の看板を運んでいる現場を見つかったビニーは、「こうしなきゃいけないのよ」といって、国防省が一年前に発令した、「すべての道標を撤去すべし」という命令書をさしだした——アイリーンは、運転教習を受けさせるほうがまだましなんじゃないかという結論に達した。

「でも、牧師さんのいうとおりにするのよ」ときびしく言い渡した。「それと、教習中以外は、ぜったいオースティンに乗らないこと」

ビニーはうなずいた。「アルフも教習受けていい?」

「だめ。あなたといっしょに車に乗るのも禁止。わかった?」

ビニーはうなずいた。しかし、私道の端までおそるおそる運転して帰ってくるビニーの第一回の教習が終わり、オースティンを屋敷の前に停めたとき、後部座席にはアルフがすわっていた。

「私道の端にいたんだよ」と教区牧師が説明した。「足首をひねったんだって」

「ぜんぜん歩けないんだ」とビニー。

「ありそうな話ね」アイリーンは後部座席のドアを開けて、「足首を挫《くじ》いたりしてないでしょ、アルフ。降りなさい。いますぐ」

アルフは顔を歪めて車を降りた。「痛っ！　ああ、痛い！」ビニーの肩を借りて、アルフはおおげさに足をひきずりながら、勝手口のほうに歩いていった。

「名演技だな」ふたりのうしろ姿を見送りながら、教区牧師がいった。「役者の道に進むことを考えたほうがいい」にやっと笑って、「とくに、足を挫いた話が土壇場《どたんば》の即興だったことを考えるとね。ぼくらの車はカーブをかなり急に曲がったんだ。そしたらアルフが私道に画鋲《がびょう》を撒く準備をしてるところだった」

「きっと、ドイツ軍が上陸してきたとき、敵車両をパンクさせるためでしょうね」

「きっとね」教区牧師は、アルフを半分抱えるようにして屋敷の中へ連れていくビニーのほうを見やった。「でも、ぼくの車のタイヤに対するこれ以上の危険を排除するためにも、今後の教習中にはアルフをぼくの目の届く場所に置いておくほうがいいんじゃないかと思う。心配ないよ、運転席にすわらせるつもりはないから。それに、アルフは身長が低すぎてペダルに足が届かない」笑みを浮かべて、「じつのところ、ビニーはずいぶん優秀だ。あの子に教えることを提案してくれてありがとう」

ええ、そうね、牧師さん。まだなんともいえないけど……。しかし、ビニーがスピードを出し過ぎる──「救急車は飛ばさなきゃいけないんだよ、患者が死ぬ前に病院に運ばなきゃいけないんだから」──という問題をべつにすれば、運転教習はつつがなく進み、ホドビン姉弟がなにをしでかすかの心配抜きに過ごせる時間がいくらかできたことに、アイリーンは心から感謝した。というのも、さらに四人の疎開児童がやってきて、そのうちひとりは寝小便垂れ、服は四人ともぼろぼろで、アイリーンは暇さえあれば服の接《つ》ぎ当てとボタンつけに追われることになったからだ。

もっとも、暇はたいしてなかった。レイディ・キャロラインは屋敷の全員が消火用手押しポンプの使いかたを学ぶべきだと決断し、さらには、ディストリビューターのキャップとプラグコードをはずして自動車を走れなくするやりかたを教区牧師が教えると発表した。その合間に、アイリーンは、アルフとビニーに目を光らせた。姉弟はユーナの運転教習を野次るのをやめて、もっと野心的なプロジェクトに手を染めた。たとえば、品評会で賞をとったレイディ・キャロラインの薔薇を掘り出して家庭菜園《ヴィクトリー・ガーデン》に植えるとか。アイリーンは、解放されるまであと何日か、指折り数えはじめた。

もっとも、指を折る時間さえなくなってきた。レイディ・キャロラインの息子のアランが休暇でケンブリッジ大学から友だちふたりを連れて帰省し、洗濯物とベッドメイクの必要な寝台がさらに増え、戦況を伝えるニュースが悪化するにつれ、疎開児童の数も増えた。三月末には、数が多くなりすぎて屋敷の収容能力を超えたため、周辺の村々や、近隣のコテージや農場に彼らの泊まる場所を割り当てざるをえなかった。

アイリーンと教区牧師は、運転教習がてら、薄汚れた服装の子供たちを駅まで迎えにいった。子供たちはめそめそ泣いているか、列車酔いしているか、あるいはその両方である場合が多く、教区牧師のオースティンの中で嘔吐した子もひとりふたりではなかった。それぞれに割り当てられた宿泊先まで送り届けたが、子供を預かる農家の中には、おそろしく古めかしい場所もあった。トイレは屋外便所で、五歳の子供のしつけは叩くのがいちばんだと信じている厳格な里親が待っている。その気になれば、疎開児童の〝さまざまな状況〟をいやというほど観察できたはずだが、アイリーンはアイリーンで、自分が面倒をみなければならない疎開児童で手いっぱいだった。

屋敷にひきとられた子供たちの数は二十五人で、その半数以上は出戻り組だった。四月半ばには、シオドアをのぞく全員が屋敷にもどってきた。たぶん、シオドアの母親は、息子を列車に乗せることができなかったんだろう。うんざりした気分で新しい寝床を用意しながらアイリーンは思った。疎開児童の数が少ないとぼやいていた自分が信じられない。

二月から一度もオックスフォードにもどっていないというのに、あんまり忙しすぎて、降下点に行ってみようとすることさえなかった。たとえ時間があったとしても、ホドビン姉弟に尾行されて、森の中で若い男と密会する危険性についてミセス・バスコームに説教されるのがオチだ。それにどのみち、現地調査の期間はあと一週間しか残っていない。

もちろん、あと数日ぐらい持ちこたえられる。アイリーンはそう思ったが、頭じらみだらけの疎開児童たちがさらに二グループ到着し、彼らの頭をパラフィン溶剤で洗うことになるまる一週間を費やす羽目になると、その自信もぐらついてきた。

日曜の真夜中を過ぎて、ようやく自分の部屋に鍵をかけて閉じこもり、コートのへりの一画に縫いつけてある糸を切って、小道具係がいっしょによこした手紙をとりだした。たぶん、いままで放っておいて、むしろ正解だったんだろう。どんな隠し場所もホドビン姉弟の前では安全じゃない。

手紙の宛名はアイリーンで、差出人の住所は遠くノーサンバーランド州の存在しない村。その部分と消印ははっきり読めないようにちょっとだけ汚してある。アイリーンは封筒を破った。

〈親愛なるアイリーン。すぐに帰ってきて。ママの具合がとても悪いの。間に合うといいんだけど。キャスリーン〉

この手紙は、アイリーンがいなくなったあと、ベッドの上に置いたままになっているところをミセス・バスコームもしくはユーナが発見するという段どりだった。あしたの午後までマットレスの下に隠しておこうかと考えたが、ホドビン姉弟のことを思い出し、コートの裏地の中に手紙をもどして、もとどおりへりを縫いつけた。

月曜は朝五時に起床すると、午前中いっぱい狂ったように働いて、午後一時からの半日休みまでにすべての仕事をかたづけた。だれか、わたしの後任になる人が見つかるといいんだけど。アイリーンがいなくなれば、レイディ・キャロラインはあっさり新しいメイドを雇うだろう。でも、きのうミセス・バスコームから聞いた話では、ミセス・マニングが三週間も前から募集広告を出しているのに、応募は一件もないという。「戦争のせいよ。奉公している年齢の娘は、みんな海軍婦人部隊か婦人国防軍《ATS》に入ってる。最近の娘はみんな、兵隊の尻を追いかけることしか考えてないのよ」

みんなっていうわけじゃない。アイリーンはそう思いながらお仕着せを脱ぎ、到着したときに着ていたブラウスとスカートに着替えた。コートの裏地から封筒をひっぱりだし、中の手紙を、あわてて放り出したような感じでベッドの上に配置し、コートを着た。

そのとき、ドアにノックの音がした。

「アイリーン？」とユーナの声。

うわ、こんどはなに？ アイリーンはドアを細めに開けた。「どうしたの、ユーナ？」

「奥さまが客間でお呼びよ」

いまから出発するところだとユーナに告げるわけにはいかない。アイリーンは、妹の手紙を読んで取り乱し、だれにもなにもいわずに荷づくりして飛び出していったはずなのだから。レイディ・キャロラインの用を聞いてくるしかない。たぶん、しらみだらけの寝小便垂れの一団がまたやってくるという話だろう。そう思いながら、またお仕着せに着替えて、客間に向かって廊下を急いだ。それとも、使用人が高射砲の操作方法を学ぶ必要があると決断したか。まあとにかく、なんの用だとしても、きょう以降は関係ない。両手を組み、慎ましく目を伏せてレイディ・キャロラインの前に立ち、「お呼びですか、奥さま？」とご用をうかがうのもこれが最後だ。

「お呼びですか、奥さま？」とアイリーンはいった。

「ええ」レイディ・キャロラインはむっつりといった。「ミス・フラーがいましがたお見えになりました。きのうの婦人会の会合のさい、ダイムラーのボンネット飾りとドアハンドルが何者かに盗まれたそうです」

「犯人はわかってるんでしょうか」とアイリーンはたずねたが、答えはもうわかっていた。

「ええ。盗品を持って走り去る犯罪者のひとりを目撃したそうです。アルフ・ホドビンでした。このような恥ずべき行為を二度と許してはなりません。神に誓って、わたくしは奉仕を惜しみませんが、この屋敷に犯罪者を置いておくことはできません」

「アルフに盗んだものを返させます」とアイリーンは嘘をついた。「それだけでしょうか、奥さま？」

「いいえ。きょうの午後、疎開児童受け入れ担当のミセス・チェンバーズが、新たに三人の子供を連れて、屋敷にいらっしゃいます。そのうちふたりは、もともとカナダに疎開する予定でしたが、船で送り出すには北大西洋の状況が危険すぎると、ご両親が判断したそうです」

たしかにそのとおりだ、とアイリーンは思った。九月には、疎開児童を満載したシティ・オブ・ベナレス号が魚雷攻撃を受け、百人以上の児童もろとも沈没した。

「ミセス・チェンバーズのお話では、三人とも、とてもしつけのいい子供たちだそうよ」とレイディ・キャロラインがいった。あやしいものだ。もしその話がほんとうだとしても、ホドビン姉弟といっしょに三日過ごせば、天使も不良に変身して、学校をサボり、石ころを投げ、ディストリビューターを盗んでまわるようになる。

「新しい子供たちの寝台を用意してちょうだい」とレイディ・キャロライン。「きょうの午後は留守にします。ミセス・フィッツヒュー＝スマイスといっしょに、ナニートンで開かれる本土防衛隊の会合に行きますから。ミセス・チェンバーズがいらしたら、書類にはあなたが記入しておいてちょうだい。三時にお見えです」

半日休みのあいだに用事をいいつけられるのもこれが最後ね、とアイリーンは思った。

「はい、奥さま。ほかになにかございますか？」

「ミセス・チェンバーズに、お目にかかれなくて申し訳ないとお伝えして」レイディ・キャロラインは手袋をはめた。「ああ、それと、子供たちがおちついたら、このメリヤス布を細く引き裂いて、包帯に使えるように巻いておいてちょうだい。あしたのセント・ジョン救急隊（病院や家庭で応急処置や看護奉仕を行う民間奉仕団体）の会合までに準備しておくと約束しましたからね。それと、サミュエルズに、車をまわすように伝えて」バッグをとり、「行ってよろしい」

そうするつもりだったのよ、と思いながら階段を駆け下りてサミュエルズに指示を伝え、それから自室にとってかえした。しかし、お仕着せのボタンをはずす間もなく、ユーナがまたやってきて、ミセス・チェンバーズが三人の子供といっしょに階下に来ていると告げた。

「きっとなにかのまちがいだわ」ユーナはいまにも泣き出しそうだった。「ここで預かるなんてありえない。でしょ？」

「あいにく、それがありうるのよ。奥さまはもう出かけた？」

ユーナはうなずいた。「子供たちがもっと増えるなんて、どうすればいいの？」とすすり泣く。「いまだって多すぎるのに！　無理よ！」

それに、疎開児童受け入れ書類に記入するのも、ユーナには無理だ。アイリーンは腕時計に目をやった。午後二時半。子供たちが学校から帰ってくるのは一時間後。ただでさえ、この悲惨な状況下にユーナとミセス・バスコームを見捨てていくのだから、せめて出発前に、新しい疎開児童の受け入れ作業ぐらいは済ませておこう。

「子供部屋に新しい寝台を三つ用意して」とアイリーンはいった。「ミセス・チェンバーズとはわたしが話をするから。どこにいるの？」

「居間に。子供たち三十二人の世話なんて、いったいどうすればいいの？　あたしたち三人しかいないのに」

あなたたち二人しかいないのよ、とアイリーンは心の中で訂正し、急ぎ足に階段を降りて居間へいった。レイディ・キャロラインはどうにかして新しいメイドを調達するしかないだろう。それとも、みずからひたいに汗して、いつも口にしている戦争協力を実践するか。アイリーンは居間の扉を開けた。「ミセス・チェンバーズ、奥さまからのいいつけで、わたしが――」

目の前にスーツケースを持って立っているのはシオドア・ウィレットだった。「おうちに帰りたい」とシオドアはいった。

「ヒトラーはバスに乗り遅れた」
——ネヴィル・チェンバレン、
一九四〇年四月五日

10 ソルトラム・オン・シー 一九四〇年五月二十九日

マイクはまじまじと娘を見つめた。「なんだって？」きっと聞き違いだろう。

「バスはきのう来たっていったのよ。バスが来るのは火曜と金曜だから」

ということは、きょうは二十九日の水曜日で、すでにダンケルク撤退の最初の三日間を見逃したことになる。

「前は毎日だったんだけど、戦争がはじまってから——」

「でも、金曜っていったら三十一日じゃないか」マイクは爆発した。「それより前にバスの便があるはずだ」三十一日には、英国軍全軍が撤退を完了している。すべてを見逃すことになる。「ラムズゲートは？ラムズゲート行きの次のバスは？」

「あいにく、そっちも金曜日なの」と娘はおどおどした口調で答えた。「ほら、おんなじバスなのよ」おびえたように縮こまり、階段を一段上がる。それを見て、マイクは自分が大声を出していたことに気がついた。

「ごめん。つい気が動転して。記事を書くには、きょうの午後のうちにドーヴァーまで行かなきゃいけないのに、どうすればいいのかわからないもんだから。列車《トレイン》の——つまり鉄道《レイルウェイ》の駅まではどのくらい？」となり村に駅があるなら、歩いていけるかもしれない。

「八マイル」と娘。「でも、戦争がはじまって以来、旅客列車は走ってないわ」

もちろん。「車は？　この村に借りられる《レント》——つまり、賃借り《ハイアー》できる車はない？　それとも、ドーヴァーまで乗せていってくれる人は？　お金は払うよ——」ああくそ、一九四〇年に車を借りる相場はどのぐらいだろう？　「三ポンド」

「三ポンド？」娘の目がまんまるになった。「アメリカ人《ヤンク》は金持ちだって聞いてたけど……」

金額が大きすぎたらしい。「ぼくは金持ちじゃないよ。ただ、どうしても今日中にドーヴァーに行きたいんだ」

「まあ。ミスター・パウニーだったら、貨物自動車《ローリー》を貸してくれるかも。でも、いつもどるか知らないの」

「もどるって？」

「きのう、ホークハーストまで牛を買いにいったのよ。もしかしたら向こうに泊まったかもしれない。灯火管制中に運転するのはいやだっていってたから。父さんに聞いてみる。ちょっと待っててね」階段を駆け上がる途中、肩越しにちらっとふりかえって、媚《こ》びるような視線をこちらに向けた。

「パパ?」という声が聞こえた。「パウニーさんは、ホークハーストからもどってきた?」

「いや。だれと話をしてるんだ、ダフニ?」

「アメリカ人の記者の人」

そこから先のやりとりは聞こえなかった。しばらくして、ダフニが階段を駆け下りてくると、「まだもどってきてないけど、きょうの午前中には帰りつくはずだって」

「で、ほかにはだれもトラックを——つまりローリーを持ってないんだね? 乗用車でもいいんだけど」

「ドクター・グレインジャーが持ってるけど、やっぱり留守なの。ノリッジの妹さんのところへ行ってて。それに、教区牧師の車はタイヤをゴムの回収運動に出しちゃったし」ダフニは眉根にしわを寄せて、「だってほら、最近はガソリンの配給が——あ、ミス・フィントワースだ」だらしない髪をした痩せた女性が入ってきた。「村の郵便局長。彼女なら、パウニーさんがいつもどるか知ってるかも」

ミス・フィントワースは知らなかった。「パウニーさんがもどったら、これを渡してくれる?」とダフニに手紙を一通さしだした。ダフニは、カウンターのうしろの棚に、他の何通かといっしょに突っ込んだ。ミス・フィントワースが店を出るのと入れ違いに、歯の抜けた老人が入ってきた。

「トンプキンズさんならきっと知ってるわ」とダフニ。「ねえ、トンプキンズさん」と老人に呼びかけた。「パウニーさんの車がいつもどるか知ってる？」

トンプキンズ氏が口の中でもごもごとなにかつぶやいた。マイクにはまったく聞きとれなかったが、ダフニはちゃんと理解したらしく、「明るくなりしだい向こうを発《た》つつもりだといってたそうよ。ということは、九時か九時半には帰りつくはずね」

九時三十分。それから、ドーヴァーまでのドライブにすくなくとも二時間。ということは、正午までに着ける。もし、くだんのパウニー氏が新しい牛を牛舎に入れるとか、雌牛の乳搾りをするとか、鶏に餌をやるとか、そういう仕事をしなくてもいいとして。

「さあ、待ってるあいだにおいしい紅茶を淹《い》れてあげるから」とダフニ。「かわりにアメリカのことをたっぷり聞かせてちょうだい。オマハの出身だっていったっけ。それってオハイオ州よね？」

「ネブラスカ州だよ」とマイクはうわの空で答えた。村の北へ歩いてヒッチハイクを試みるべきか、それともここで待つべきか、どっちが得策だろう。

「大西部《ワイルド・ウエスト》よね」とダフニ。「インディアンはいる？」

インディアン？　「もういないよ。このへんの村は――」

「だれかギャングの知り合いはいる？」

彼女は明らかに史学生じゃないらしい。「いいや、あいにくだけど。このへんの村は、一日に何台くらい車が通るのかな」

「一日に？」

「いいんだ」とマイク。「紅茶をいただくよ」

「よかった。なにもかも話してね――どこの出身だっていったっけ？　ネブラスカ州？」

そのとおり。ただし、ダンワージーにスケジュールを変更されたおかげで、リサーチする時間がぜんぜんなかったから、ネブラスカ州のことはなにも知らない。ダフニもなにも知らないのは明らかだが、それでもこの話題は避けたほうが無難だろう。「それより、この村のことを話してくれないか」

「あいにく、話すようなことはなんにもないの。世界のこの一画では、ほとんどなにも起きないのよ」

ここから五十マイルも離れていない場所で、英国軍とフランス軍がドイツ軍によって全滅寸前の窮地に追いやられ、彼らを救うために間に合わせの艦隊が組織されて、その救出作戦が成功するかどうかがこの大戦全体の帰趨《きすう》を左右するというのに、ダフニはそれについてなにも知らない。まあしかし、驚くには当たらない。ダンケルク撤退のニュースは、作戦がほぼ完了するころまで、新聞では伏せられていた。それについて知っていた時代人は、水平線にダンケルクの煙を見た者か、負傷し疲労困憊《こんぱい》した兵士たちが列車にすし詰めになって故郷に帰りつくところを目撃した者だけだった。

それに、ソルトラム・オン・シーには鉄道駅がない。しかし、船はある。マイクはここに小型船舶団《プール》がないことに驚いた。プールの係官は海峡沿岸をまわって釣り船やヨットやモーターボートを徴発し、ドーヴァーに集めて船団をつくり、窮地にある兵士たちを救出に行くよう命令した。

「わくわくするような場所にあちこち行ったんでしょ」ダフニが紅茶のカップをマイクの前に置いた。「それに戦争もたくさん見てきたのよね。だからドーヴァーに行かなきゃいけないの？　戦争のため？」

「うん。沿岸部の侵攻防備について、うちの新聞に記事を書くんだ。ソルトラム・オン・シーの防備はどんな状況？」

「防備？　さあ……国土防衛軍はいるけど……」

「どういう活動をしてる？　夜の浜辺をパトロールするとか？」

「ううん。たいていは訓練」声をひそめ、「それと、ここにすわって、前の戦争のときの自慢」

ということは、昨夜、降下点が開かなかった原因は、国土防衛軍じゃなかったわけだ。

「沿岸監視員はいる？」

「ドクター・グレインジャーだけ」

ノリッジの妹を訪ねているという医師だ。

テーブル席のミスター・トンプキンズが聞き取り不可能な数音節を発した。「なんていったの？」とマイクはダフニにたずねた。

「わが軍は決してヒトラーをフランスまで行かせはしないって」

ところがどっこい、いまこの瞬間も、ヒトラーはフランスにいる。ブーローニュとカレーを落とし、パリを占領しようとしている。

「わが軍に追われてヒトラーはベルリンまで尻尾を巻いて退散するんだって、お父さんがいってた」とダフニ。「二週間後には戦争に勝ってるって」

災厄が迫っていることにだれも気づいていないのか？　真珠湾とおんなじだ。数十の手がかりや予兆があったのに、時代人は完全に不意を衝かれた。時代人は、ワールド・トレード・センターも、エルサレムも、パンデミックも予見できなかった。それにセント・ポール大聖堂も。テロリストがピンポイント爆弾を小脇に抱えて入っていって大聖堂を吹き飛ばし、ロンドンの半分を瓦礫の山に変えた前日、火急の問題は、『世の光』Ｔシャツをギフトショップで売っていいかどうかだった。

すくなくとも、ここの時代人には、フランスからのニュースがきびしく検閲されていたという事情がある。その一方、戦争がはじまってからすでに八カ月が経過し、その間、ヒトラーはナイフでバターを切るように、ヨーロッパの半分をやすやすと切りとってきた。しかも、ダンケルクは海峡のすぐ向こうにある。

なにかが起きると考えてもいいはずだ。

だが、どうやらそうじゃないらしい。つづく一時間にやってきた農夫や漁師は天気の話しかしなかったし、ダフニが話したがるのはハリウッドの映画スターのことだけ。「記者なんだったら、スターにも何人も会ってるでしょ。クラーク・ゲーブルに会ったことある？」

「いいや」

「あら」ダフニは、インディアンがいないと聞いたとき以上にがっかりした顔になった。「あたしのいちばん好きなスターなの」といって、ダフニは先週見たばかりの映画のストーリーを最初から最後まで語ってきかせた。スパイ、記憶喪失、失われた恋人の叙事詩的な探索。「何年も何年も、恋人を捜しつづけるの。とってもロマンチックだったわ」

そのあいだにも、ドーヴァーでは、英国海軍が民間の小型船舶を集めて船団に仕立て、退役した海兵や外輪船の船長や漁師がその操縦に志願している。そしてそのすべてをぼくは見逃しているわけだ、とマイクは思った。しかも、オックスフォードにもどってもう一回やり直すというわけにはいかない。一度ある時代へと時間を遡行したら、おなじ時点には二度と行けない。これは、ダンワージー先生お得意の過保護な予防措置ではなく、初期の時間旅行者ふたりがきわめて苛酷な経験の末に発見した、タイムトラベルの基本法則だ。二十八日の夜と、きょう二十九日の午前中は、マイクにとって、永遠に立入禁止エリアとなる。二十八日の間にもう一度トライすることはできる。でも、ダンワージーがけっして許さないだろう。もしなにか手違いがあって、二十八日のデッドラインが来たときもマイクがまだここにいたら――この場合のデッドラインはまさしく死線だ――マイクは命を落とすことになる。それに、二度めのトライでは、ずれがさらに大きくなるかもしれない。

九時、九時半、十時になっても、ミスター・パウニーは一向にあらわれない。日がな一日ここにすわっている余裕はない。マイクは心を決めて、村をひとまわりしてみるとダフニにいった。

「あら、でもパウニーさんはいまにもあらわれるはずよ」とダフニ。「きっと、出発が遅れたのよ」

ぼくもそうだよ、とマイクは思った。地元の何人かに沿岸防衛について取材する必要があるんだと説明し、もしパウニー氏が帰ってきたら知らせにきてくれと頼んで、パブをあとにした。この村にだって、だれか車を持っている人間がいるはずだ。なんといっても、いまは一七四〇年じゃなくて一九四〇年なんだから。だれか車を持っているはず。もしくは船。もっとも、船で海峡を渡るのはあまりありがたくない。機雷とUボートがうようよしている。ダンケルク撤退に参加した七百隻の小型船舶のうち、六十隻以上が沈んだ。船を使うのは最後の手段にしよう。

しかし、あらゆる路地や裏庭を覗いてみても、自動車は見当たらない。自転車さえなかった。もっとも、ドーヴァーは自転車で行くには遠すぎる。マイクは波止場まで歩いていった。歯なしのトンプキンズ氏を含む三人の漁師がのんびりすわりこんでおしゃべりしていた。話題は——もちろん——天気だった。

「悪くなりそうだ」とひとりが口からパイプを離さずにいった。

トンプキンズ氏はなにか聞きとれない言葉をもぐもぐと発し、残るひとり、ものすごく魚臭い男がその発言にうなずいた。

「ドーヴァーまで行かなきゃいけないんだけど」とマイクはいった。「船で運んでくれる人がだれかいませんかね」

「これんじゃ、だでもみるかだんドーナッ」とトンプキンズ氏がいった。

しゃべりながら首を振ったので、マイクはそれがノーの意味だと解釈した。「みなさんの中にはいませんか？　お金なら――」といって口ごもる。三ポンドは明らかに多すぎる。

「十シリング払います」

明らかに少なすぎたようだ。トンプキンズと魚臭い男はそくざに首を振った。「風の具合じゃ、嵐になりそうだし」とパイプ男。

海峡は、ダンケルク撤退の九日間、ずっと〝貯水池のように静か〟だったが、それを口にするわけにもいかない。「一ポンド出しましょう」

「うんにゃ、若いの」と魚臭い男。「いまの海峡は危険すぎる」

三人の中に、ドーヴァーまで行ってくれる人はいないらしい。だれかべつの人間を見つけるしかない。マイクは波止場を歩き出した。その背中に、パイプ男が、「ハロルドのやつなら船を出してくれるかもな」と声をかけてきた。

「ハロルド？」マイクは三人のところに引き返した。

「おう。コマンダー・ハロルドだ」とパイプ男がいい、魚臭い男がうなずいた。

海軍将校か。よかった。それならUボートや機雷を避けて操船できるだろう。「どこに行けば会えますか？」

「ラッシー・ジューン号でみづがんだる」とトンプキンズ氏がいった。「むがしがらこえだ三発ボールでらたしがかっだら」

マイクはパイプ男のほうを向いた。「どこへ行けばその——その人の船の名前はなんていいました？」

しかし、パイプ男よりはやく、ミスター・トンプキンズがいった。「ツレッティ・ジン」

栈橋のほうを指さし、「船はあっぢんハルビンとないでんないでる」

どういう意味かは神のみぞ知るだが、栈橋に係留してある船はそんなに多くないし、舳先《へさき》に船名が書いてあるはずだ。マイクは三人組に情報を（まあ、一応は）提供してくれた礼をいい、舫《もや》ってある船を見ながら栈橋を歩き出した。マリゴールド号、マーガレット王女号、ミソサザイ号。艦隊の船名らしくないものばかりだが、それをいうなら、史上最大の撤退作戦をやってのけようというヨットや平底船や小型漁船にふさわしい名前もひとつとしてなかった。そよかぜ号、子猫号、日光号、笑顔のままで号。

願わくは、ダンケルク撤退に参加した船が、ここの船団よりはましなものでありますように。この栈橋の船のほとんどは古く、最近ペンキを塗り直したり、汚れを落としたりした形跡がある船は皆無だった。中の一隻、シー・スプライト号は、分解してとりはずしたエンジンが甲板に置いてある。どう見てもこの船はダンケルクに行かないだろうが、他の何隻かは行くはずだ。沿岸のすべての村の船が撤退作戦に参加したのだから。撤退に加わった小型船舶のリストを暗記する時間があれば、いま船名を見るだけで判別できたのに。

それに、どの船が無事に帰還したかもわかったはずだ。リスト上では、沈んだ船の船名の横にアステリスクがつけてあった。ダンワージーとの面会を待って午後をまるまる無駄にしなければ、どの船がどうなったのかわかったのに。

マイクは桟橋の端までやってきた。ツレッティ・ジン号は見当たらない。ラッシー・ジューン号も。マイクは船の列の前を引き返しはじめた。

「おーい《アホイ》!」と声がした。顔を上げると、ヨットキャップをかぶった年配の男が、全長四十フィートの汽艇《ランチ》の手すりから身を乗り出していた。「そこの人! あんた、小型船舶プールの人かい?」

「いいえ」とマイク。「コマンダー・ハロルドっていう人を捜してるんですが」

老人は破顔し、にこやかな——ありがたいことに歯のある——笑みを浮かべた。「コマンダー・ハロルドはわしだよ。海軍本部の人だな。任命の件で来たんだろ。事前の連絡はもらってないよな。乗りな」

これがコマンダー・ハロルド? どう見ても七十歳は過ぎている。海軍本部から連絡がなかったのも当然だ。マイクは船名を探してランチの舳先に目を凝らした。あった。ペンキの色が褪せて、ほとんど判読できないくらいだ。レイディ・ジェーン号。

船につけるにしては不吉な名前だ。レイディ・ジェーン・グレイは女王の座について九日かそこらで斬首《ざんしゅ》された。このランチも、おなじぐらいの余命しかなさそうに見える。船腹にはフジツボがびっしりつき、もう何年も塗装しなおされていない。

「乗りな、若いの」とコマンダーが声をかける。「わしの任務について——」

「ぼくは海軍本部の人間では――」

「なにをぼんやり突っ立ってる？　乗れ」

マイクは乗船した。近づいてみると、老人はさらに高齢に見えた。ヨットキャップの下の毛髪は真っ白で、あざみの冠毛のように細い。さっと敬礼した右手は関節炎でふくれている。

「海軍本部の人間じゃないんです」とマイクは口早にいった。「ぼくは――」

「どうやら、任命のためだけに新しい戦時部局をつくったと見える。わしの時代の王立海軍には、あんなにいっぱい部局はなかったし、規則やら書類やらで埋まることもなかった。いまみたいに書類を山ほど記入しなきゃならなかったとしたら、ネルソン提督はトラファルガーでどうなっていたと思う？」

ネルソンはトラファルガーの戦いで戦死した。だが、それを指摘するのは賢明ではなさそうだ。たとえ老人の話に口をはさめたとしても。どのみち、はさめなかった。

「あんなに書類仕事があるんじゃ、いまは乾ドックから船を出せるだけでもめっけもんだ。今回の任命辞令を通すのにどのぐらいかかったと思う？」老人は答えを待たず、「九カ月だ。戦争がはじまった翌日に書類を送ったのに、これだけ時間がかかるんだからな。わしの時代なら、もうとっくに海に出ている。で？　どんな船をよこした？　戦艦か？　巡洋艦？」

「ぼくは政府の人間じゃありません。記者です」

コマンダーはがっかりした顔になった。

「オマハ・オブザーバー紙の」

「オマハか。カンザス州じゃなかったかな」

「ネブラスカ州です」

「ソルトラム・オン・シーでなにをしてる？」

「英国の本土防備に関する記事を書いてるんです」

「防備！」コマンダーは鼻を鳴らした。「なんの防備だ？　このへんの海岸に行ったことがないのか、カンザス？　まるで休暇スポットだぞ。バリケードなし、戦車濠なし、有刺鉄線さえない。海軍本部に文句をいったら、向こうの青二才がなんと答えたと思う？『本部の認可を待ってるんです』だと。こういってやったよ。『のんびり待ってたら、ヒムラーの認可を仰ぐことになるぞ！』ってな。あんた、泳げるか？」

「泳ぎですか？」とマイク。話の脈絡がつかめないまま、「ええ。ぼくは――」

「わしの時代には、王立海軍の人間は、提督以下、全員泳げにゃならんかった。いまじゃあ海軍の半分は海へ行ったこともない。ロンドンに腰を据えて、認可書類をタイプしている。来いよ、カンザス。見せたいものがある」

「ここに来たのはひとつお願いが――」とマイクは口を開いたが、コマンダーはすでにハッチの下に姿を消していた。マイクはためらった。ついていったら、もしパウニー氏があらわれても、ダフニにはマイクの居場所がわからない。パウニー氏を逃す羽目にはなりたくなかった。しかし、その一方、コマンダーがドーヴァーまで連れていってくれる気があるかどうかもたしかめたい。もしこのランチで行けるなら、いちばん速い交通手段だし、帰ってくる船舶の乗員に取材するためにどうやって埠頭まで行くかという問題も一挙に解決する。それに、沿岸近くを通行すれば、ドーヴァー海峡もそれほど危険ではないだろう。

マイクは波止場の先のほうを見やった。三人の老人はまだすわりこんでしゃべっている。マイクの居場所はあの三人がダフニに伝えてくれるだろう。まあ、ダフニが彼らの言葉を理解できればの話だが。そう思いながら、マイクはコマンダーのあとを追ってハッチをくぐった。

ハッチの中は暗かった。一瞬、目が見えなくなり、マイクははしごの横木を手探りしながらいちばん下まで降りた。

そして、深さ三十センチの水に浸かった。

「なんという国、ここは？」

――ウィリアム・シェイクスピア
『十二夜』一幕二場より

11 オックスフォード
二〇六〇年四月

すでにきらめきが眩《まぶ》しすぎて、ラボのようすどころか周囲のカーテンさえ見えない。見えるのは開きつつある降下点だけ。コリンへの謝罪の言葉をバードリとリナに伝言する時間がないのはわかっていたが、とにかくやってみた。「コリンに伝えて」とまばゆいきらめきに向かって叫ぶ。「時間がなくていえなかったけど、ごめんなさい、いろいろ手伝ってくれてありがとう。もどってきたらまた会いましょう、って」しかし、遅すぎた。ポリーはすでにネットを抜けていた。

地下室だった。薄闇のなか、かろうじて見分けられるのは、正面の煉瓦の壁と、ペンキが剝げた黒いドア。左右も煉瓦の壁で、天井は低く、背後には昇りの階段が三段あり、その先は、樽と梱包用ケースがぎっしり詰まった煉瓦敷きの地下室になっている。ふつうなら地下室は降下点に好都合の場所だが、いまはロンドン大空襲のさなか。地下室は防空壕として使われている。

しばらくじっと立って、地下室の見えない場所から話し声が——それともいびきが——聞こえてこないか耳をすました。なにも聞こえない。静かに手を伸ばし、ドアのノブをためしてみた。施錠されている。

最高。ネットを抜けたら、鍵のかかった地下室の中だったとは。それも、薄闇に目を凝らしてみると、すごく長いあいだずっと閉ざされたままのように見える。ドアの下のほうの蝶番《ちょうつがい》から土の床まで蜘蛛の巣が張り、そこに枯れ葉が何枚かひっかかっている。ということは、抜け出せる窓がないかぎり、降下点がまた開くまでここで待って、バードリにもう一回トライしてもらうしかない——ダンワージー先生がわたしの現地調査をキャンセルしないことを祈りつつ。

窓がありますようにと願いながら階段を上がった。階段にも枯れ葉がちらばっている。階段の上に出たとき、理由がわかった。ここは地下室じゃない。ふたつのビルのあいだのせまい通路だ。さっきためした黒いドアは、通りからひっこんだ場所にしつらえられた通用口のドアだった。その上のひさしが、すくなくとも部分的には、上から見下ろす目に対して、降下点のきらめきを隠す役割を果たしている。でも、通路の先の通りはどうなんだろう？　もし表通りからきらめきが見えるなら、この降下点は近くにだれもいないときにしか開かず、ほとんど役に立たない。

コートをひっかけて破かないよう、汚してしまわないように注意しながら、積まれた樽の前をすり抜けるようにして通路を歩いていった。樽の上にはびっしり埃が積もり、吹き寄せられた枯れ葉が靴の下でパリパリ音をたてる。いまが九月じゃなくて十一月だったりしなきゃいいけど。そう思いながら、最後から二番めの樽の前を過ぎた。早く時空位置を確認しなければ。表通りからきらめきが見えるかどうかを確認したらすぐに。

だが、表通りではなかった。せまい裏路地で、やはり煉瓦敷き。左右は、煉瓦造りの建物の、窓のない裏側にはさまれている。建物が倉庫なのか商店なのか判然としなかったが、それはどうだっていい。肝心なのは、ここからネットのきらめきが見えたとしても、ネットに面した建物からきらめきを見る人間はだれもいないということだ。夜間、この裏路地は無人だろう。

路地の先を用心深く覗いてみた。だれもいない。さっきの通路とおなじくらい暗かった。午前六時にしては暗すぎる。きっと、ずれがあったんだ。それとも、せまい裏路地にいるせいで、表通りより暗い感じがするのかもしれない。路地の先のほうに目を向けた。路地の突き当たりにある建物はぼんやりしている。

ずれじゃない。霧だ。ということは、いまが何時だとしてもおかしくない。石炭の煤煙から生じた濃い霧のせいで、一九四〇年代のロンドンは、真っ昼間でも夜のように暗くなることがあった。しかし、第二次大戦中であることはまちがいない。というのも、通路の横の煉瓦壁に、チョークで〈ユニオンジャックと〈ロンドンはまけない!〉という落書きがしてあったからだ。予定した時刻きっかりに到着した可能性もおおいにある。九月十日の早朝は、濃い霧が出ていたのだから。

路地の端のほうまで行って、近づいてくる足音がないかしばらく耳をすましたあと、用心深く表に頭を出してみた。左右どちらの方向も、霧の中で見通せるかぎり、だれもいない。左手のほうにぼんやり見えるもっと幅の広い道路にも、車は通っていない。ということは、空襲警報はまだ解除されていない。それなら、ずれはほとんどなかったことになる。

でも、まだ場所がわからない。なんとか場所を――それも、可能なら警報解除の前に――特定しなければ。とはいえ、路地を離れる前に、ここの位置をきちんと記憶して、確実に降下点にもどってこられるようにしておく必要がある。建物のかたちを頭に刻みつけながら、建物にはさまれたさっきの通路まで引き返した。表通りにいちばん近い建物には、褐色に塗装された両開きの大きなドアがついている。そのとなりには、いまにも壊れそうな危なっかしい木製の昇り階段があり、降下点の扉とおなじ、ペンキの剝げかけた黒い扉につづいている。その横が通路だが、〈ロンドンはまけない!〉というチョークの落書きがなければ、きっと見逃していたはずだ。山積みの樽は、黒い扉がある壁のくぼみだけでなく、通路まで隠している。防空監視員がまっすぐ覗いても、通路があることに気づかないだろう。

それどころか、監視員がこの裏路地をチェックすることさえ疑わしい。裏路地は、通路とおなじく蜘蛛の巣と枯れ葉だらけだった。もっけのさいわいだ。

ほかになにか、この場所を記憶する手がかりになる特徴はないかと裏路地を歩いたが、両側の建物はどれも特徴のない煉瓦壁ばかり。唯一の例外は、端から二軒目の建物で、黒と白の木骨造《ハーフ・ティンバー》りのチューダー朝様式だった。よかった。チューダー朝様式、〈ロンドンはまけない！〉、壊れそうな階段、褐色の大きな両開きのドア。

そういう目印は、けっきょく必要なさそうだ。裏路地から一歩出たとたんにそれがわかった。大きなポスターが一枚、裏路地の入口のすぐ横の壁に貼ってある。漫画の絵のヒトラー。トレードマークのちょびひげと、片方の目の上にかぶさる髪の毛の房。建物の角から向こう側を覗くポーズで、その下には、〈警戒せよ。不審な行動をとる人物を見かけたら、すぐ通報〉の文字。

これだから、警報解除のサイレンが鳴る前でよかった。ここがどこなのかをたしかめようとして歩きまわるポリーの不審な行動を見とがめる人間はどこにもいない。とはいえ、またべつの問題が生じるかもしれない。時代人は、戦争がはじまってすぐ、ドイツ軍が侵攻してきた場合に備えて、敵の活動を妨害するため、通りの名前を記した標識をすべてとりはずしたり、ペンキで消したりした。居場所がわかるような目印の建物が見つかることを祈るしかない。教会の尖塔とか、地下鉄の駅とか、（もしここがケンジントンなら）ケンジントン・ガーデンのゲートとか。鉄柵は目印にならないが――撤去されて、金属回収運動に寄付されてしまった――場所によっては、アルバート記念碑やピーター・パン像が手がかりになる。けれど、霧が濃くなって、最寄りの建物以外のすべてを包み隠し、かすかな光まで閉め出してしまった。正真正銘、これがロンドン名物の豆の《ピー・》スープ《スーパー》だ。そう思いながら、もっと幅の広い道路に出てみた。もうすこし遠くまで見通せるんじゃないかと思ったけれど、こちらでは霧がさらに濃く、一分ごとに暗くなってゆく。かろうじて見分けられるのは、道路が右にカーブしているあたりまで。そして、警報解除サイレンがまだ鳴っていないというのはまちがいだったらしい。霧の中からふたりの女性が亡霊のようにあらわれ、前方の道路を横断したのだ。どうやら、防空壕から帰宅する途中らしく、片方は枕を抱えていた。ふたりは足早に歩道を歩き、闇に呑み込まれた。

ポリーは道路を歩き出した。降下点がある路地に面した建物の前を通り過ぎる。ティー・ショップ、毛糸店、出窓のついた角の薬局。どれも粗末な外見で、修理の必要がありそうに見えた。それが戦時中の物資不足によるもので、空間的なずれによってイースト・エンドに出てしまったわけじゃないといいんだけど。

この場所が、十日に空襲に見舞われたホワイトチャペルやステップニーでないことをたしかめなければ。もし空間的なずれがあって、ここがイースト・エンドだとしたら、ダンワージー先生がいようがいまいが、まっすぐ裏路地へ引き返し、オックスフォードに帰還しなければならない。

ポリーは店のウィンドウを覗き、場所を知る手がかりになるような貼り紙を探した。なにも見つからなかったが、ショー・ウィンドウの存在が、いるべき時代にいることを示している。どの窓も割れていないし、細長い紙をガラスの上から×のかたちに貼りつけて補強している店は一軒だけだった。ロンドン大空襲がはじまって数日以上が経過しているとは考えられない。

亡霊のような黒いタクシーが走り過ぎ、前方の道路を山高帽子の男がさっきのふたりの女性よりもさらに速い足どりで歩いていく。仕事に遅刻しそうなんだ、とポリーは思った。ということは、思っていた以上に遅い時刻だ。男は新聞を小脇に抱えていた。どこかこの近くに、もう開いている新聞スタンドがあるにちがいない。タイムズを買って、すくなくともきょうが十日だということをたしかめられる。ついでに通りの名前を店員にたずねてみよう。どのみち、アパートを探すのに新聞が必要だ。

しかし、道路のこちら側には、見渡すかぎり新聞スタンドはなかった。歩道の端まで行って、薄闇に目を凝らした。もしバスが通りかかったら、行き先表示板が出ているはず。霧の中が暗すぎて、表示板が出ていても読みとれるかどうか自信がないが、いざとなったら大声でバスを呼び止め、霧のせいで道に迷ったといって、車掌にここがどこなのか訊けるかもしれない。

しかし、バスは——タクシーも、乗用車も——一台も通らなかった。どんどん濃くなってゆく闇の中で、エンジン音に耳をすまして数分待ったが、あきらめて道路を渡った。そして、縁石を越えるか越えないかというところで、轟音とともにバスが走り過ぎた。

ばか、と心の中で自分を罵倒する。ダンワージー先生にいまのを見られたら、ロンドン大空襲から瞬時にひきもどされるだろう。おまけに、バスをよけようとあわてて飛び退いたので、行き先表示板を見ることもできなかった。

道路のこっち側にも新聞スタンドはない——肉屋と、そのとなりに八百屋があるだけ。八百屋にふさわしく緑色のひさしには、〈T・タビンズ青果店〉という文字がレタリングされ、籠いっぱいのキャベツが入口の左右に置かれている。店はまだ開いていないが、右手の窓には、なにかお役所関係の告知が貼ってある。

近づいて目を凝らした。最寄りの防空壕の住所を伝える空襲時の指示か、せめて、いちばん下に〈メリルボン区〉と印刷してあるようなものを期待していたが、たんなる配給規則の一覧だった。

二軒先は煙草屋で、開店しているばかりか、カウンターの上に新聞が並べてあった。カウンターのうしろには、商売にふさわしく、煙草のやにに染まった口ひげの男がいた。「なにかご用ですか、お嬢さん」

「ええ」と店の戸口をくぐり、「新聞を――」といいかけたとき、空襲警報のサイレンがむせび泣くような独特の調子で鳴りはじめた。ポリーは振り向いて戸口のほうに目をやった。どういうこと？

「毎晩早くなる」と男は苦々しげにいった。

「早く？」ポリーはぽかんとして訊き返した。

店主はうなずき、「ゆうべは七時半。今夜はいま警報が……」

警報。あれは、音程が上がったり下がったりする、空襲警報のむせび泣きだ。警報解除のサイレンじゃない。それを理解した瞬間、これまで目にしてきた断片すべてがカチリと正しい位置にはまった。いまは早朝じゃない、夕方だ。さっき見かけた女性たちは防空壕から帰宅するところではなく、防空壕へ行くところだったのだ。

「さあ、早く帰ったほうがいい」店主がそういって、彼女のためにドアを開けた。

「まあ。でも」とハンドバッグの中をかきまわして小銭入れをさがしながら、「新聞がいるんです」といったが、店主はドアを閉めてしまった。

「待って！」とガラス越しに呼びかけた。「どこで――」

店主は首を振り、シェードを下ろして、ドアをロックした。サイレンがまた、さっきより近くで鳴りはじめた。空襲がはじまるのはだいたい警報の二十分後だとコリンはいっていたけれど、すでに遠くから爆撃機の低いうなりが聞こえてくる。防空壕を見つけなければ。空襲の最中におもてでぼやぼやしているわけにはいかない。とくに、ここがイースト・エンドだとしたら。いや、たとえそうじゃないとしても、コリンがいったとおり、爆撃目標をはずれた誤爆も多い。このあたりの商店には、どこも板ガラスのショー・ウィンドウがある。

どこか近くに防空壕があるはずだ。さっきの女性たちはそこをめざしていた。ポリーは小走りに道路を引き返しながら、防空壕の案内か、赤い円に横棒の入った地下鉄駅の標識がないかとさがした。だが、煙草屋の店先にいた数十秒のあいだに、夜と霧が遮光カーテンのように降りていた。なにも見えない。そして、爆撃機の音は着実に近づいている。もうすぐ真上にやってくる。

だとしたら、ここはイースト・エンドだ。降下点にもどって、できるだけ早く離脱しなければ。でも、この状況では、とても降下点まで帰りつけない。目の前の歩道も見えず、すぐ足もとに縁石があっても、蹴つまずくまでわからない。

前方を探るように用心深く足を一歩踏み出し、だれかにぶつかった。

「ごめんなさい。姿が見えなくて——」だが、相手の姿はまだ見えなかった。黒くぼんやりした道路を背景に立つ、くっきりした闇のかたまり。声を聞くまで、男か女かもわからなかった。

「空襲のさなかになにをやってるんだね、お嬢さん」と男は一喝した。「なぜ防空壕に行かない？」

「探してたんです」ポリーは相手の顔をたしかめようと闇に目を凝らした。見えない相手と言葉を交わすのはどうもおちつかない。「どっちに行けば？」

「こっちだ」男のほうは、どうやらポリーの姿が見えるらしく、腕をつかむと、ひきずるようにして角を曲がり、横丁を歩き出した。

この人がダンワージー先生のいってた強盗じゃなきゃいいけど。ポリーはせまい道をひきずられながら、ハンドバッグをぎゅっと押さえた。それとも、裏路地に連れていって、身ぐるみ剝がすつもりかもしれない。あるいは、もっとひどいことを企んでいるのかも。到着初日に殺されたりしたら、ダンワージー先生に殺されちゃう。

拉致犯《らちはん》は暗い路地を足早に長々と歩き、唐突に立ち止まった。「この下だ」と命じ、ポリーの背中を押す。そのとき、ドーンという鈍い爆発音が響き、南の空が一瞬明るくなった。周囲の建物がけばけばしい黄白色の光に照らされ、ポリーの前に、闇の中へとつづく石段があるのが見えた。

この下に防空壕が？　それとも共犯者が待ち構えているの？　階段の横の壁に、防空壕のマークはついていなかった。

第二の爆発。その光で、男の背後の通りが——脱出ルートが——照らされるのではないかと思って、ポリーは男のほうを向いた。そのとおりだった。そして、男がかぶっているヘルメットに記された白い文字も照らされた。防空監視団《ARP》の監視員。どう見ても七十五歳にはなっている。「その下だ」と男はもう見えなくなった石段を指さして、もういちど命じた。「急いで」

ポリーはそれにしたがい、手すりを探りながら、幅のせまい急な階段をそろそろと降りはじめた。また爆発音が、今度はすぐ近くで轟いたが、光が閃《ひらめ》くことはなく、中ほどまで降りると、まったくなにも見えなくなった。階段の上のほうをふりかえったが、そちらもおなじように真っ暗だ。さっきの監視員がまだ上にいるのかどうかもわからない。ポリーがちゃんと防空壕に入ったことをたしかめるべく見張っているか、それともべつのだれかをこの防空壕に連れてくるために立ち去ったか。

この階段の下にあるのがほんとうに防空壕だとすれば。そもそもこの階段に終わりがあるとすれば。階段は果てしなくつづくような気がした。足の裏で一段ずつ角をたしかめながら降りていった。永遠の時間が過ぎたあと、堅い床にたどりつき、ポリーは壁を手でたしかめながら、ドアの前にやってきた。古めかしい木製の扉。開けようとしたが、施錠されていた。

かんぬきがかかっているらしい。ノックしてみた。

返事がない。

聞こえないんだ。そう思って、さっきより強く、またノックした。

やはり返事がない。

もしさっきの防空監視員が闇の中で道をまちがえて、違う場所に連れてきたんだとしたら？ ここがどこかの裏路地で、この扉がどこかの倉庫のどこかの通用口だとしたら？ 降下点の、蜘蛛の巣が張った黒い扉を思い出しながら、そう自問した。扉の向こうにだれもいなかったら？

また爆発。ここにはいられない。そう思って、手探りでまた階段を昇りかけたとき、階段のてっぺんのすぐ近くに爆弾が落ちた。さらに二発、矢継ぎ早につづく。

ポリーは扉に向き直った。「入れて！」と叫び、両のこぶしでドアを叩く。それでも返事がないので、少しでも大きな音を出そうと、靴を片方脱いで、そのかかとを使ってドアを叩いた。

ドアが開いた。中からあふれだした突然の光に目が眩《くら》み、靴を持った手を上げて目の上にかざした。それから、そこに突っ立ったまま、目をすがめて中の情景を見つめた。床に毛布やラグを敷いて、人々が壁にもたれてすわっている。ひとりの男の足もとに一匹の犬が寝そべっていた。三人の年配の女性が高い背もたれのついたベンチに並んですわり、真ん中の女性は編みものをしている――いや、していた、というべきか。いまは他の全員とおなじく、じっと戸口のポリーを見つめている。奥の隅にすわっていた貴族的な顔つきの老紳士は読んでいた手紙を下ろし、三人の金髪の少女はヘビとはしご（双六の一種）で遊んでいたのを途中でやめて、じっとこちらを見ている。

彼らの顔には表情がなかった。ドアを開けてくれた男さえ、歓迎の笑みを浮かべていない。だれも動かず、なにもいわない。なにかまずいことをしている現場に踏み込まれたとでもいうように、全員がその場に凍りついている。そして室内には、恐怖と危険の感覚が充満していた。

ここは防空壕なんかじゃない。わたしを連れてきた男は本物の防空監視員じゃなかったんだ。あのヘルメットは盗んだもので、ここにいる人間は避難民のふりをしているだけ……。一瞬、そんな思いが頭をよぎった。だが、そんな考えはばかげている。中に入れてくれた男は、明らかに牧師だった。司祭服を着て、眼鏡をかけている。それに、ここはディケンズのロンドンじゃない。一九四〇年だ。

わたしのせいだ。きっと、わたしの外見に妙なところがあるからだ。そのとき、まだ片手に靴を持ったままだったことに気づき、腰をかがめて靴を履いた。それから、防空壕の人々に視線をもどした。さっき見たものは、光のいたずらか、それとも過剰な想像力のなせるわざだったにちがいない。いまは完全にノーマルな情景に見える。白髪の老女はこちらに向かってやさしくほほえんでから編みものを再開し、貴族的な紳士は手紙を畳んで封筒にもどすとそれをコートの内ポケットにしまい、少女たちは双六《すごろく》遊びを再開し、犬は前足の上に頭をのせて寝そべった。

「どうぞ中へ」と牧師が笑顔でいった。

「扉を閉めて」女性が叫び、べつのだれかが、「灯火管制中ですよ――」

「まあ、どうもすみません」ポリーはあわててドアを閉めようとうしろを向いた。

「あなたのせいで全員が罰金刑になるんだよ」と太った男が不機嫌そうにいった。

ポリーが扉を閉め、牧師がかんぬきを下ろしたが、どうやら急ぎかたが足りなかったらしい。

「どういうつもりなんだい？」瘦せた意地悪そうな顔の女が不興げな表情で難詰した。「ドイツ軍に居場所を教えるつもり？」

ロンドン大空襲下の和気藹々《わきあいあい》とした仲間意識という伝説もこれまでか。

「すみません」ともういちど謝ってから、防空壕の中を見まわし、すわる場所をさがした。老婦人トリオのすわるベンチ以外、家具はひとつもない。他の全員が石の床か毛布の上にすわっている。唯一空いている場所は、罰金刑になると文句をいった肥満男と、スパンコールのドレスを着て真っ赤な口紅を引いた、噂話に夢中の若い女性ふたりとのあいだだった。

「失礼ですが、こちらにすわらせていただいてもよろしいでしょうか」とポリーはたずねた。

男は不満そうな表情を浮かべたものの、口の中で「ああ」とつぶやき、若い女性ふたりもうなずいて、おしゃべりをつづけながらつめてくれた。「……ピカデリー・サーカスで落ち合って、いっしょにダンスに行こうっていうのよ！」

「まあ、ライラ、ウソでしょ！」と、もうひとりがいう。「まさか、行かなかったでしょうね」

「もちろん行かないわ、ヴィヴ。年が上すぎるもの。三十なのよ」

ポリーはコリンのことを思い出し、笑いを嚙み殺した。

「いってやったのよ、おなじぐらいの年の相手を探したら、って」

「まあ、ライラったら。ウソでしょ」

「ほんとにいったわよ。どのみち、彼とデートする気なんかないから。デートの相手は軍人だけ」

ポリーは脱いだコートを床に敷いてその上に腰を下ろしてから、部屋の中を見まわした。もともとは商店か倉庫の地下室だったらしい。大空襲がはじまったとき、そこをかたづけて防空壕に改造したのだろう。大空襲が三日前にはじまったばかりだということを考えると、それほど急ごしらえには見えない。もともと置かれていたものは、例の高い背もたれのベンチを除くすべてが奥に寄せられ、天井はがっしりした木材で補強されている。消火用の手押しポンプと水を入れたバケツ一個と斧一挺が戸口の片側に置かれている。反対側には、箱形の小さなラジオ受信機を載せた台がひとつ。手前の壁ぎわのテーブルには、ガスこんろ、やかん、カップと皿、スプーン。

中の人々の態勢も、急ごしらえには見えなかった。編みものの老女は、編み糸とショールと老眼鏡を持参している。テーブルは刺繡をしたテーブルクロスが敷かれ、三人の少女はゲーム盤だけでなく、人形数体とテディベアひとつと大判の本一冊を持ちこんでいる。見たところ三歳、四歳、五歳とおぼしき三姉妹は、その本に載っている童話のどれかを読んでと、母親にせがんでいる。

「『眠れる森の美女』を読んで」といちばん上の子がいった。

「ううん」といちばん下の子。「とけいが出てくるやつ」

時計？ どれのことだろう？

どうやら、姉にもわからなかったらしく、「どのお話のこと？」

「シンデレラのおはなし」いちばん下の子は、わかりきったことでしょといわんばかりに答える。

真ん中の子は、しゃぶっていた親指を口から出して、「だったらとけいの話じゃなくて、くつの話よ」と、ポリーを指さした。

片方だけ靴を履いて立っていたさっきのわたしは、ちょっとシンデレラみたいに見えたらしい。そして、シンデレラとおなじく、時空位置をたしかめそこねて、大惨事を引き起こすところだった。ただし、シンデレラの場合は頭上から爆弾が降ってきたりはしないけれど。

それにバードリは、二時間のずれがあるかもしれないとはいったけれど、十二時間とはいわなかった。こんなにずれが大きかったということは、十日の午前中が分岐点だったにちがいない。それとも、人っ子ひとり通らない場所のように見えて、あの裏路地にきらめきを目撃しうる人物が一日中いて、そのため降下点が開かなかったのか。なにが原因だったにしろ、ただでさえ短い調査期間のうちのまる一日を失ってしまった。

ポリーはまわりの人々を見まわした。編みもの婦人のとなりにすわっている中年女性は、絵に描いたような二十世紀前半のオールド・ミスだった。茶色の紐靴、白髪まじりの髪をうしろで束ねて、鼈甲《べっこう》の櫛《くし》で留めている。

みんな、メロピーが大好きなミステリから抜け出した人物のようだ――はかなげな白髪の老女、聖職者、意地悪そうな顔をした言葉のきつい女、軍隊上がりにも見えるつっけんどんな太った男。軍用リボルバーを携えて防空壕にいるマスタード大佐（英国製の推理ボードゲーム「クルード」の登場人物）。

もしかしたら、最初に彼らの姿を見たとき、不吉な印象を受けたのはそのせいかもしれない。それとも、彼らの沈着冷静な態度のせいかもしれない。もちろん彼らは伝説のロンドンっ子、勇気とユーモアでロンドン大空襲に立ち向かい、V1とV2の攻撃にさえ動じなかった人々だ。しかし、ロケット攻撃までには四年半の歳月があり、彼らはそのあいだに爆撃に慣れた。いまはまだ、ロンドン大空襲がはじまってわずかに四日め。ポリーの歴史研究によれば、最初の一週間、とりわけ高射砲による応戦がはじまる十一日までは、ロンドン市民も恐怖におびえ、それから少しずつ爆撃の恐怖を克服するすべを学んでいった。

しかし、ここではだれも、「こっちの機関砲はどうした？」とか「どうして撃ち返さないんだ？」とかいっていないし、神経質に天井を見上げることもない。爆弾のドーンやバリバリの音になんの注意も払っていない。たったの三晩で空襲に慣れっこになったらしい。白髪の女性は、とりわけ大きな爆発音が鳴り響くと、うるさそうに天井を見上げ、それから編み目を数えはじめた。牧師は、鉄灰色の髪をしたゴージャスな外見の女性と次の日曜の礼拝についての相談を再開した。

意地悪顔の女性はあいかわらず渋面だが、どうもそれが彼女のふだんの表情らしい。貴族的な紳士はタイムズを読み、犬は寝てしまった。ときおり頭上からくぐもった爆発音が響くのと、ライラの兵隊とのデート話をべつにすれば、いまが戦争中だということを示すものはなにもない。

あるいは、ここがどこかということを示すものも。時間的ずれがあって、ネットが目標時刻より十二時間あとへ送り出したということは、空間的なずれが発生している可能性は低い。一般的に、ずれはどちらか片方だけで生じる。でも、ケンジントンかメリルボンにしては、爆弾が降ってくる場所が近すぎる。ポリーは周囲の壁を見まわし、この防空壕の名前か住所を書いたものが貼ってないか探したが、見つかった掲示は、毒ガス攻撃のさいにどうすればいいかという注意書きだけだった。

霧の中で道に迷ったので、ここがどこなのか教えてくださいと頼むことを検討したが、ここに来たとき妙な目で見られたことを思い出し、時代人の会話に耳を傾けて、なにか手がかりが見つかるのに期待することにした。もっとも、ライラがだれかと会う約束をした話はなんの役にも立たない。地下鉄を使えば、イースト・エンドを含め、どこからでもピカデリー・サーカスへ行ける。そしていま、ライラはどうして兵隊さんとしかデートしないのかについて説明し――「戦争協力にあたしなりの貢献をしようと思って」――ベンチの老婦人たちは編み図について話をしている。

ポリーは牧師に注意を集中した。ゴージャスな外見の女性（牧師はミセス・ワイヴァーンと呼びかけていた）との会話の中で、どちらかが教会の名前に言及するかもしれない。だが、ふたりの話題は教会に飾る花についてだった。「祭壇には百合がぴったりじゃないかと思いましたが」と牧師。

「いいえ、祭壇は黄色い菊ですわ」とミセス・ワイヴァーンがいい、どちらが主導権を持っているのかがはっきりした。「付属礼拝堂には赤茶色のダリア――」

「ねずみ！」いちばん下の幼女が歓声をあげた。

「ええ」と母親。「妖精のおばあさんがねずみを馬に変え、かぼちゃを美しい馬車に変えたのよ。『さあ、舞踏会に行ってもいいですよ、シンデレラ』と妖精はいいました。『でも、時計が十二時を打つまでにかならず家に帰ること』」

「売り場監督のやつが、残業してウィンドウ・ディスプレイを仕上げろなんていうから」と、ライラの連れのヴィヴがぼやいた。「あれがなかったらダンス・パーティに行けたのに」

売り場監督？　ウィンドウ・ディスプレイ？　ヴィヴとライラは百貨店の売り子なのか。ということは、一九四〇年のデパート店員の服装についてたいへんな思い違いをしていたことになる。求職面接を受ける前に、オックスフォードにもどって、スパンコールつきのドレスを調達しなければ。もしまた降下点を見つけることができればだが。ここからどう行けば降下点にもどれるのか、さっぱりわからない。

「売り場監督のせいだけじゃないわよ」とライラ。「まず家に帰って着替えようって、あんたがいいはったんじゃないの」

「ドナルドに新しいダンス・パーティ用のドレスを見せたかったのよ」とヴィヴが反論し、ポリーは安堵の息をついた。やっぱり仕事着じゃなかったんだ。でも、ヴィヴがどこの家に帰るのか地名をいわなかったのは残念だった。

ここはきっと、ステップニーかホワイトチャペルだ、とポリーは思った。爆弾は真上に落とされている。いまもすぐ近くでシューッと空気を切り裂く音と、くぐもったバリバリという爆発音が響き、またべつのおぞましい音がつづく――耳もとで大砲を発射した音と鍛冶屋が大ハンマーを振るう音の中間ぐらいか。「あれはなに？」とポリーは思わずいった。

「タヴィストック・スクエアだな」と太った男が平然といった。

「いや、違うよ」犬を連れた男が訂正する。「リージェント・パークだ」

「高射砲ですよ」と牧師が説明し、白髪の編みもの婦人がうなずいた。

高射砲？　しかし、高射砲の迎撃がはじまったのは十一日からだし、当初、時代人は耳慣れない騒音に怯え、そのあとは安堵して有頂天《うちょうてん》になり、「ばんざい！　やっつけてやれ！」とか、「少なくとも、これでちょっとは目にもの見せられるぞ！」とか叫んだはずだ。しかし、ここの人々は、爆弾のことも高射砲のこともろくに気にかけていない。幼い三姉妹は『シンデレラ』に夢中になっているし、犬は目を開けようともしない。ということは、高射砲の対空砲火は八日か九日にはじまっていたことになる。

新たな高射砲が砲撃を開始し、耳を聾するポンポンポンの音が骨を揺るがした。「タヴィストック・スクエアだ」と犬の飼い主がいい、また別の機関砲が、さらに大きな音で射撃をはじめると、「こっちが攻撃してる」

太った男がうなずいた。「ケンジントン・ガーデンだ」

ということは、ここはケンジントンか、でなくてもすぐ近くだ。助かった。という、ことは、空襲の被害に遭ったのが主にステップニーとホワイトチャペルだったからといって、ケンジントンが爆撃されなかったわけではないことになる。コリンのいうとおりだ——誤爆がたくさんあったんだ。それに、人間の記憶にもたくさんまちがいがあった。対空砲火がはじまった日付とか。

たぶん、高射砲の応戦がはじまるまでに何日もかかったように感じられたんだろう。たえ大空襲のはじまりからわずか一日か二日のことでも。

だから史学生による現地調査が必須なんだ、とポリーは思った。歴史資料にはとにかくまちがいが多すぎる。もっとも、ダンワージー先生のもとに出頭して報告するとき、このことを告げるつもりはなかった。ケンジントンが十日に爆撃されたことも、空襲のさなか、おもてをうろうろしていたことも、先生には黙っているにこしたことがない。住所と勤務先を伝えるだけにしよう。

煙草屋の店主がドアを閉める前に新聞を売ってくれたら、あしたの貴重な時間を無駄にするかわりに、今夜、新聞の広告を検討して、適当な部屋を探すことができたのに。ダンワージー先生が出したもろもろの条件から考えると、部屋を探すのに何日もかかるかもしれない。すでに一日を失っている。

貴族的な紳士のほうを見やったが、彼はまだタイムズを読んでいた。太った男のコートのポケットや、白髪の女性の編みもの袋に新聞が突っ込まれていないか、ほかの人々のようすをうかがったが、唯一見つかったのは、犬の飼い主が床に広げてすわっている敷物がわりの新聞だけで、彼は動く気配もなかった。

だれひとり、動きそうにない。明らかに、今晩ひと晩、ここで過ごすつもりのようだ。白髪の女性は編みものをしまい、他の年配の女たちはそれぞれコートにくるまって壁に頭をもたれ、三姉妹の母親は童話の本を閉じた。「そして王子さまはシンデレラを見つけてお城へ連れてゆき――」

「ふたりはすえながくしあわせにくらしました！」いちばん下の子が我慢しきれなくなって大声で叫んだ。

「ええ、そうよ。さあ、もう寝る時間」そういわれて、上の娘ふたりは床に寝そべり母親の横でまるくなったが、末の子は頑固にすわったままだった。

「ううん、あともういっこ！　パンくずをおとすおはなし」とせがむ。これは『ヘンゼルとグレーテル』のことだろう。

「わかったわ。でも、まず横になって」母親がそういうと、娘はおとなしく母親のひざに頭を横たえた。ポリーのとなりの太った男は胸の前で腕を組み、目を閉じたと思ったらたちまち寝息をたてはじめた。犬を連れた男も右におなじ。

借りる部屋をチェックするのは朝まで待つしかないみたい。ポリーはそう思ったが、数分後、犬を連れた男が立ち上がると、かがみこんで犬の背中を叩き、地下室の奥に向かって歩き出した。犬がそのあとについていく。男はついたてと本棚のあいだをすりぬけ、闇の中に姿を消した。

トイレに行くんだ。そう思って、ポリーは立ち上がり、床に広げてあるのが古新聞なのかきょうの新聞なのかをたしかめに行った。もしきょうの新聞なら、男がもどってきたとき、〝部屋貸します〟のページを見せてほしいと頼んでみよう。

「そこにはすわれないわよ」入ってきたときポリーを怒鳴りつけた、意地悪そうな顔の女性が大声でいった。「その場所はとってあるんだから」

「ええ」とポリー。「ただちょっと新聞を――」

「その新聞はシムズさんのですよ」女性は腰を上げると、戦いを挑もうとするようにこちらに歩いてきた。

「ごめんなさい、気づかなくて」ポリーは口の中でつぶやき、自分の場所に退却したが、女性は満足しなかった。

「ノリス牧師さん」と女性が牧師に向かっていった。「その新聞はシムズさんのですよね」

「そちらのお嬢さんにもちろん悪気はなかったと思いますよ、ミセス・リケット」と牧師はおだやかにいった。

ミセス・リケットはそれを無視して、「シムズさん」と、犬を連れてもどってきた男性に声をかけた。「あなたの新聞が盗まれかけたんですよ」とがめるようにポリーを指さし、「あなたが席を立ったとたん、厚かましくも、まっすぐそっちへ歩いていったんです」

「盗もうとしたんじゃないんです」とポリーが抗議した。「貸し部屋のページを見たかっただけで――」

「貸し部屋?」ミセス・リケットは、明らかに信じていない口調で、鋭く訊き返した。

「ええ。ロンドンに着いたばかりで、住む場所を見つけなきゃいけないので」もういちど立ち上がって、シムズ氏のところへ謝罪にいったほうがいいだろうか。しかし、状況をさらに悪化させるのがこわくて、立てなかった。「どうもすみません、シムズさん」

「新聞は場所とり用なんだよ」とシムズ氏。

「ええ、わかってます」と答えたものの、ほんとうは知らなかった。それが問題だ。彼のスペースへ歩いていくことで、どうもなんらかの規則を破ってしまったらしい。それも、全員がこちらを見る目つきからして、きわめて重要な規則を。ミセス・ワイヴァーンと編みものの老婦人もポリーをにらんでいる。犬さえ非難がましい顔つきだった。

「あのひと、なにかいけないことしたの、ママ?」と末の娘がたずねた。

「しいっ」と母親が囁く。

「ほんとうに申し訳ありません」とポリー。「二度としないと約束しますから」しかし、平謝りに謝っても、どうやら事態を解決する役には立たないようだ。

「シムズさんは毎晩その場所にすわるんだ」と太った男。

「防空壕でほかの人の場所を尊重することはきわめて重要です。そう思いませんか、牧師さん？」

助けて、とポリーは思った。コリン、万一のときは助けにくるっていったでしょ。さあ、いまがそのときよ。

「新聞がほしいのなら、自分のお金を出して新聞スタンドで買ってくれれば――」といいかけてミセス・リケットは口をつぐんだ。貴族的な紳士が四つ折りにした新聞を手にして立ち上がり、まっすぐポリーのほうに歩いてくる。

ポリーの前に立つと、威風堂々たる礼儀正しさで新聞をさしだし、「わたしのタイムズがお役に立てますかな、お嬢さん？」とたずねた。静かな声だが（ただし、部屋の中の全員が聞きとれないほど小さな声ではなかった）、外見とおなじくらい洗練された口ぶりだった。

「いえ、でも――」とポリー。

「もう読み終わりましたから」

「ありがとうございます」とポリーは感謝をこめていい、事件は終わった。ミセス・リケットは不機嫌そうにベンチにもどり、白髪の女性はまた編みものを出して目を数えはじめ、牧師は読書を再開し、ライラはポリーの耳もとで、「ミセス・リケットのことは気にしなくていいのよ。根性曲がりのクソばばあだから」と声をひそめて囁き、自分たちが行き損ねたダンスの話を再開した。

あの紳士は、一瞬にして空気をほぐしてくれたけれど、どういう魔術だったのかいまだによくわからない。感謝の視線を投げたが、紳士はすでに部屋の隅にもどり、本を読んでいた。ポリーは自分が手にした新聞に目を落とした。紳士は〝貸し部屋〟のページを上にして新聞を畳んでくれていた。ポリーは、候補になりそうな住所を探して一覧に目を走らせた。メイフェア……だめ、家賃が高すぎる。ステップニー、だめ。ショアディッチ、だめ。クロイドン、もちろんだめ。

ひとつあった。ケンジントン。アシュベリー・レーンか、これならいいかもしれない。番地は？　6、19、21じゃありませんように、と心の中で祈る。11番地。すばらしい――場所は条件を満たしているし、家賃は予算内、オックスフォード・ストリートに近い。あとは地下鉄駅に近ければ……。『マーブル・アーチ駅至便』と広告に書いてある。九月十七日に直撃を食らった駅だ。

頭の中でバツ印をつけてから、一覧のチェックを再開した。ケンサル・グリーン……だめ、遠すぎる。ホワイトチャペル、だめ。

「空襲、おさまりそうね」とライラ。

たしかに騒音の音量が小さくなりつつあるようだ。爆発音は遠くなり、高射砲のひとつは砲撃を中止している。「もしかしたら、今夜は警報が早めに解除されるかもよ、ヴィヴ」とライラ。「そしたらいまからでもダンスに行ける」だが、ライラがそういったとたん、砲撃がまたはじまった。

「ヒトラーなんか大嫌い」ヴィヴが叫んだ。「不公平よ、土曜の夜にこんなところに閉じ込められてるなんて」

ポリーははっと顔を上げた。土曜？　きょうは火曜日のはず。だが、そう思うあいだにも、最初からずっと目の前にぶらさがっていた証拠がやっと見えてきた。ライラとヴィヴが行くはずだったダンス・パーティ、水曜まではじまらなかったはずの対空砲火、それについてだれひとり言及しないこと、天井の補強、蛇とはしご、刺繍入りのテーブルクロス――どれもこれも、彼らが三日よりもっと長くここに通っている証拠だ。牧師と女性の熱心な議論は、日曜の礼拝のため。

あしたの。

おもてにいたとき、時刻を早朝だと思い込んだのとおなじように、あらゆる手がかりをとり違えていた。対空砲火はやっぱり十一日になってはじまった。そしてもちろん、空襲はすぐ頭上のように聞こえたはずだ。土曜日にはケンジントンが爆撃されたのだから。でも、もしきょうが土曜日だとしたら、すでに四日を失ったことになる。それも、時代人が空襲に適応しはじめる、最初の決定的な四日間を。だからみんなこんなに冷静で、こんなにおちついているんだ。すでに適応している。

わたしはそれを見逃した。ポリーは憤懣《ふんまん》やるかたない思いだった。バードリは二時間のずれを予想しているといった。四日半ではなく。じっさい、失ったのは四日以上だ。あしたは日曜。職探しは月曜までお預けになるだろう。

ということは、働きはじめるのは火曜日。デパートの売り子を観察する一週間をまるまる失ったことになる。たった六週間のうちの。

きょうが十四日だなんてありえない。新聞をひっつかみ、ページをめくって一面を探した。

ただでさえ調査日数が足りないっていうのに。

でも、やはりそうだった。発行日の欄には、〝１９４０年9月14日（土曜日）〟とある。

その下には、この状況にふさわしく、〝遅版《レイト・エディション》〟。

釘が足りずに蹄鉄打てず、蹄鉄足りずに馬が走れず、馬が足りずに乗り手が乗れず、乗り手が足りずに国が倒れる……

――マザー・グースより

12

ソルトラム・オン・シー
一九四〇年五月二十九日

じっさいは、水深は三十センチもなかった。ほんの十センチほど。しかし船倉全体が水浸しになっている。泳げるかと訊かれた理由がわかった。

「心配ない」マイクの反応を見て、コマンダーがいった。「ビルジポンプを動かせばいいだけだ」水の中を無造作にじゃぶじゃぶ歩いていって、はね上げ戸を持ち上げた。「冬じゅうずっとここに舫《もや》ってあったからな。一、二時間、海峡を走れば、新品同様になる」

一、二時間、海峡を走れば、海の藻屑《もくず》になるな、とマイクは思った。Uボートの助けを借りるまでもない。マイクは船倉を見まわした。片側の壁ぎわにはプリムスこんろを置いた調理台、反対の壁には傷だらけのテーブル。その上にごちゃごちゃに山をなしているのは、地図や海図、半分空になったスコッチの瓶、懐中電灯、コルク製の大きな浮きが数個、それにサーディンだか釣りの餌だかの蓋を開けた缶詰。もう一方の壁ぎわには収納箱がふたつと、灰色の毛布が乱れたままになっている寝棚。コマンダーは膝立ちになり、はね上げ戸の中に手を突っ込んだ。ビルジポンプが咳き込み、それから停止した。

この船では、ドーヴァーに行くことはおろか、海に出ることさえありえない。ほかの船を探すべきだ。とはいえ、波止場の三人はかならずしも豊富な選択肢を提示してくれたわけではなかった。パウニー氏が車で町に向かっていることを祈ろう。

コマンダー・ハロルドがまたいじると、ビルジポンプが、今度はまるまる一分間、ダダダダダッと作動してから停止した。「ちょいと油がいるな。それだけだ」といって、ばしゃばしゃ調理台のほうへ歩いていくと、コーヒーポットをかけたこんろに点火し、海図の山をひっかきまわしはじめた。「海軍は軟弱になりおった。それがまちがいのもとだ」蓋を開けたポテトの缶詰と、疑わしい外見のマグカップ一個を発掘した。「近ごろの海軍が船の上でなにを飲ませると思う? ミルクと砂糖入りの紅茶だ! ネルソンが紅茶を飲んでたと思うか? ラムだよ、わしらが飲んだのは。それに熱いコーヒー!」マグカップにポットの中身を注いで、こちらにさしだした。

マイクは用心深くひと口すすった。見た目とおなじような味だった。

「連中が送ってよこしたものを見るがいい――ええと、どこへやったかな」コマンダーはテーブルの上のカオスにまた突撃した。「たしかこのへんに――あった!」山の中から一通の手紙をひっぱりだし、これみよがしにマイクに手渡した。「小型船船団《プール》が四週間前に送ってよこした手紙だ」

小型船舶プール。トンプキンズ氏がもごもごいっていた〝こえだ三発ボール〟というのはそれか。そしてこの手紙が、侵略その他の〝有事〟に備えて所有する小型船舶を喜んで軍務に提供する意志があるかどうかをたずねるため、五月初めに発送された依頼状だ。

「入っていたのはクソ書類だ」とコマンダー。「六ページもあった！ 届いたその日にぜんぶ記入して、レイディ・ジェーン号とこのわしは喜んで軍務につくと返信してやった」

賭けてもいいけど、ビルジポンプが壊れている件は書いてないな。あるいは、船倉に溜まった深さ十センチの水のことも。

「それ以来、まるっきりなしのつぶてだ」とコマンダー。「四週間だぞ！ その半分の時間で、ヒトラーはポーランドを占領したのに！ 小型船舶プールみたいな調子でフランスの戦争を指揮していたら、二週間後にはヒトラーに降伏している」

いや、そうはならない。モーターランチや漁船やレジャー・ボートのおんぼろ艦隊が間一髪のタイミングで到着し、彼らを救出したおかげで。しかし、レイディ・ジェーン号はその中に入っていないだろう。海峡を往復するのはもちろん、港を出るのも無理だ。コマンダーに頼んでドーヴァーに連れていってもらうのも無理。ということは、パウニー氏とすれ違いにならないように、王冠と錨亭にもどったほうがいい。「もうお暇《いとま》しないと。コーヒーごちそうさまでした」といって、コマンダーにマグカップを返そうとした。

「レイディ・ジェーン号をぜんぶ見るまでは帰さんよ。これがエンジンだ」コマンダーがべつのはね上げ戸を開けると、潤滑油で黒光りするいかにも古めかしい発動機があらわれた。

「近ごろじゃ、こんなエンジンにはまずお目にかかれん」

そうだろうとも。

「それに、これ以上、航海に適した船もない」水を蹴立てて歩いていくと、収納箱を開けて、ひっかけ鉤、ロープひと巻き、信号灯を見せた。バケツもひとつ入っている。

よかった。ここに降りてきてからでも、すでに水位は二センチ以上高くなっている。

コマンダーはマイクをしたがえて甲板に上がった。ダフニの姿はどこにも見えない。三人の漁師はあいかわらずおなじ場所にいる。コマンダーはブリッジと舵輪を見せ、それから船尾へひっぱっていって、舷縁、錨、スクリューを見せながら、レイディ・ジェーン号がいかにすぐれた船であり、現代の海軍がいかに欠点を抱えているかについて演説し、それからまた船倉に降りて、マイクに海図を見せた。「こういう現代的な航海術は肌に合わん」といって、調理台の時計を指さし、「わしの時代には推測航法を使ったもんだ」

時計は六時五分を指していた。止まったままの時計を使う推測航法で、いったいどうやって航海するつもりなんだろう。マイクは自分のブローヴァに目をやった。正午近い。パウニーはもうもどっているはずだ。ダフニはたぶんぼくを捜しているだろう。「案内してくれてありがとうございました。でも、ほんとにもう行かないと」

「行くって？　まだだめだ、コーヒーを飲んでないじゃないか。それに、なぜわしを捜していたのかも聞いてない」

ドーヴァーまで連れていってくれる船を探してたんですというつもりはなかった。「それはあとにしましょう」とごまかしながら、はしごのほうに歩き、「いまはとにかく——」といいかけて口ごもる。パウニー氏の名前も出せない。「王冠と錨亭にもどって——」「王冠と錨亭？　メシを食わなきゃならんというなら、ここで食えばいい。すわれ」コマンダーはマイクを無理やり椅子にすわらせて、冷めたコーヒーのマグカップを押しつけ、テーブルの山をまたかきまわしはじめた。鍋をとりだし、そこに缶詰のサーディンを空けた。「わしの時代には、王立海軍の人間はひとり残らず、料理も帆の補修も甲板磨きも自分でやれたもんだ」缶詰のポテトを鍋に放り込み、「そこのコンビーフをとってくれ」マイクが手渡すと、コマンダーは缶を開けて、かたまりのままの中身を鍋に投入し、ナイフでぐちゃぐちゃに攪拌《かくはん》してから、鍋をプリムスこんろにかけた。「近ごろの連中は、書類に記入することとお茶の休憩をとることしか知らん。軟弱。それがいまの海軍だ」またひっかきまわして、ブリキの皿と古色蒼然としたフォークをとりだし、マイクによこした。「賭けてもいいが、ヒトラーの兵隊はお茶の休憩なんぞとるまい。皿をよこせ、カンザス」

「いえ、ほんとにもうお暇しないと。これから新聞社に連絡して——」

「それは食事のあとでよかろう。皿をよこせ」

「おじいちゃん！」と声がして、はしごの上から少年が顔を突き出した。「ママが、お昼の用意ができたから帰ってきなさいって」

間一髪で救われた。「じゃあ、ぼくはこれで」と立ち上がる。

「あんたはそこにいろ」コマンダーは上の少年に向かって、「ジョナサン！」と叫んだ。「昼は船で食べると母さんに伝えろ。さあ、もう行け」

少年はその場を動かなかった。年齢はもっと下だが、どことなくコリン・テンプラーを思い出させるところがある。「きょうは雨になるから、船にいたら風邪引いて死んじゃうって」

「この八十二年、自分の体の面倒は自分でみてきたといってやれ。それと――」

「もどらないなら、これを着なさいって」ジョナサンははしごを降りてきて、コマンダーにピーコートを手渡し、それからマイクのほうを向いた。「小型船舶プールの人？」

「いや、新聞記者だよ」とマイク。

「戦争特派員だ」とコマンダー。「さあ、もう帰れ。わしは帰るときが来たら帰ると母親に伝えろ」

「戦争特派員！」ジョナサンはなおも踏みとどまり、「たくさん戦争見たの？　ぼく、ものすごく最高に戦争に行きたいんだ。入れる年齢になったらすぐ海軍に入るつもり」

「母親が許せばの話だがな」とコマンダーは少年が去ったあとでいった。

「お孫さんですか？」

「ひ孫だ」ピーコートを寝棚に投げ、「いい子なんだが、母親が過保護でな。もう十四歳になるのに、わしとレイディ・ジェーン号で航海に出ることさえ許さない」

当然の判断だろう。

「泳ぎを教えることさえ許さない。溺れるかもしれないからだと。まったく、泳ぎを知らなかったらどうなると思ってるんだ？　さあ、皿をこっちへ」

「いえ、ほんとにもう。記事を書かなきゃいけないので」

「わしの時代には、記者は前線に張りついて本物の記事を書いていた。賭けてもいいが、おまえさんもこんな片田舎じゃなくて、前線に行きたいだろう」

ぼくが行きたいのはドーヴァーだよ、とマイクは思った。

「まあ、いまフランスに行きたがる人間がいるってわけじゃない。向こうじゃ、なにもかも坂を転がり落ちるような状況だからな」といって、またしてもフランス人とベルギー人とゴート将軍の無能について悪口雑言を吐きはじめた。マイクがようやく脱出に成功したときは、十二時半になっていた。さいわい、コマンダーは英国海外派遣軍《BEF》の軟弱さをあげつらうのに夢中で、なんの用だったのかマイクにたずねるのを忘れてくれた。それに、こんろにかけたシチューのことも。

でも、もしパウニー氏とすれ違っていたら……。

マイクは桟橋を駆けもどった。年寄り三人はいなくなっていた。マイクは王冠と錨亭に急いだ。ダフニはカウンターのうしろで、数人の客のためにピッチャーからグラスにエールを注いでいた。「パウニーさんはまだもどってないよね？」とマイク。

「ええ。どうしてこんなに遅いのかわからないけど」ダフニはカウンターの端まで行って、エール飲みの男たちとちょっと話をして、またもどってきた。「もしかしたら、村に寄らず

た。

「距離はどのぐらい?」おねがいだから歩ける距離でありますように、と祈りながらたずね
「いいえ。パウニーさんの農場はここから南のほうだから」

「帰る途中、村を通るんじゃないの?」

にまっすぐ家に帰ったのかもしれないって」


「遠くないわ。海沿いの道を南に三マイル歩くだけ」といいながら、地図を描いてくれた。

「でも、畑を突っ切っていけば、ずっと近い。こんなふうに」

たぶんそのとおりだろう。でも、もしパウニー氏がまだ帰宅していなかったら、行き違ってさらに時間を無駄にするかもしれない。それに、道路沿いに行けば、運よくだれかが車で通りかかって——海岸線の防備をかためるために派遣された陸軍の車両とか——ヒッチハイクできる可能性もある。

そこで、海沿いの道路を歩くことにしたが、パウニー氏の農場へつづく脇道に出るまでのあいだ、ただの一台も車を見かけなかった。

農場にもだれもいなかった。マイクは、納屋や離れにずかずか歩いていって、パウニー氏がいつもどるのか知っていそうな作男をさがしたが、まわりの牧草地を含めて、数頭の牛以外、人っ子ひとり見当たらない。

ということは、行き違わないように、またおなじルートで引き返さなきゃいけないということか。ダフニが地図で教えてくれた近道に、焦がれるような視線を投げた。こんなに長い

距離を歩く準備はしていない。それに、ソルトラム・オン・シーからこの農場までの距離は、ダフニがいっていたよりずっと遠く――脇道に入ってから農場までだけでもゆうに一マイルはある――マイクは疲労困憊《こんぱい》し、のどがからからだった。それに、腹も減っている。

この時代に来てからなにも食べていない。ダフニがすすめてくれた燻製ニシン《キッパー》を食べておけばよかった。もしくは、コマンダーのサーディン・シチュー。いまはあの鍋さえ、うまそうに思える。

コマンダーのおぞましいコーヒーはぜったい飲んでおくべきだったな、とあくびをしながら思った。目をしゃっきりさせておくのに役立ったはずだ。

天候も助けにはならない。だれもかれもが嵐になると予想していたのに、午後の空はきれいに晴れわたり、あたたかな空気は眠けを誘う蜜蜂の囁きに満ちている。農道をとぼとぼ歩きながら、草の上に寝ころがって昼寝をしたいという圧倒的な欲求と闘っていた。パウニー氏がついにあらわれて、トラックに乗せてもらうことができたら、ドーヴァーまでずっと寝ていこう。

しかし、ソルトラム・オン・シーまでの道中、車は一台も通らず、王冠と錨亭の外にもトラックは停まっていなかった。もう三時近いというのに。パウニー氏は、きっときょうはもどらないんだろう。マイクはぐったりした思いでそうひとりごちた。これ以上、パウニー氏を待つわけにはいかない。こうしているあいだにも撤退はどんどん進んでいる。ドーヴァーへ行かなければ。船のどれかに乗せてもらうしかない。そう思って、波止場をめざした。いまごろはもう、すくなくとも漁船数隻はもどっているはずだ。だれかと交渉して、ドーヴァーまで運んでくれるように説き伏せて——

足を止め、大きく目を見開いた。波止場はからっぽだった。桟橋の突端にレイディ・ジェーン号が係留されているが、他の船はすべて姿を消していた。エンジンがばらばらにされて甲板に置かれていたシー・スプライト号まで含めて。いったいぜんたいどこへ消え失せたんだろう。

ダンケルクだ。そう思い当たってがっくりした。ぼくがいないあいだに、小型船舶プールがここに来たんだ。でも、そんなはずはない。レイディ・ジェーン号は残っている。コマンダー・ハロルドは真っ先に志願したはずだし、他の船すべてをこんなに短時間で出航させるなんて不可能だ。きっと、ほかに理由がある。

マイクは桟橋の突端のレイディ・ジェーン号のところへ走っていった。

「コマンダー・ハロルド！」と叫ぶ。「みんなどこへ行ったんです？」

返事がない。船に飛び乗り、ハッチの下に向かって呼びかけたが、やはり返事がないので、コマンダーが船倉で眠っているんじゃないかと、はしごを降りてたしかめにいった。

ぼくとおなじように、小型船舶プールに参加しそびれたのかも。そう思ったが、寝棚にコマンダーの姿はなかった。きっと孫娘のところだ。

マイクは、孫娘の家をダフニに教えてもらおうと、王冠と錨亭へ走っていった。宿屋の入口のドアは開いたままで、その脇の壁には自転車が立てかけてある。マイクは中に入り——

——電話中のコマンダーとあやうく衝突しそうになった。「小型船舶プールの責任者を出せ！　きょうの午後、ソルトラム・オン・シーにやってきた将校だ！　だったら、海軍本部につなげ！　ロンドンの！」マイクを横目で見やり、「無能なやつらばっかりだ！　そういう連中が、どの船が航海に耐えるかを勝手に決めている！」

小型船舶プールに不適格だとはじかれたのか。だからコマンダーとレイディ・ジェーン号はまだここに残っている。

「特別任務のためにわしらの船が必要だとぬかした」とコマンダーが吠えた。「特別任務！　フランス軍がヘマをやらかして、ヒトラーがやってくる前にこっちの兵隊を逃がすためにわしらの力が必要なんだと。集められる船すべてが必要だ。そういってから、わしに向かってこういった。レイディ・ジェーン号は航海に適さないと！」

航海に適そうが適すまいが、ともあれ、レイディ・ジェーン号は町に残された唯一の船だ。ドーヴァーまで乗せていってくれとコマンダーに頼みこむしかない。「コマンダー――」とマイクは口を開いたが、老人はなおもしゃべりつづけた。

「航海に適さない、そういっておいて、シー・スプライト号とエミリー・B号を徴発した！　エミリー・Bだぞ！」と咆哮する。「舵がいかれているうえに、船長はエールをとりにカウンターまで自分を操縦していくこともできんような男だ。だったら、連中の船団のどれかを水先案内してやろうとわしが申し出たら、高齢すぎるといいおった！　高齢すぎる？　どういう意味だ、海軍本部にだれもいないとは？　やつらはいまが戦争中だと知らんのか？」

老人は手を振ってマイクを黙らせた。「ふむ、だったら次官を出せ！　用件？　おまえらが負けそうになってる戦争の件だ！」コマンダーは受話器をクレイドルに叩きつけた。「無能な愚か者めが！　こうなったら海軍本部へ行くしかない！」

「行く？」マイクが訊き返したときには、コマンダーはすでにマイクの横を通ってドアから外に飛び出していた。

「コマンダー、待って！」マイクはそのあとを追った。「おねがいが――」

「もどってきたのね」とダフニが行く手をはばんだ。「パウニーさんは帰ってた？」

「いや……コマンダーに――」マイクはダフニの向こうにまわろうとした。

「ものすごい騒ぎだったのに、ぜんぶ見逃しちゃったわね。小型船舶プールから将校がやってきて――」

「知ってる――待って、コマンダーをつかまえないと」マイクはダフニの横をすり抜けて外に出たが、コマンダーは自転車にまたがり、すでに通りの真ん中あたりを走っていた。

「コマンダー！」マイクは両手をメガホンがわりにして大声で叫び、あとを追って走り出した。しかし、コマンダーの自転車は波止場を素通りした。いったいどこへ行く気だろう。自転車でロンドンまで行くのは不可能だ。一週間かかる。だいいち、方角が反対だ。小型船舶プールが彼を水先案内に採用しなかったのも無理はない。で、今度はどうする気なんだ？

コマンダーの自転車が視界から消えるのを見届けてから、マイクはきびすを返し、パブにもどった。

「パウニーさんは帰ってきてた？」ダフニがやってきてたずねる。

「いや」

「どうして帰ってこないのかぜんぜんわからない」ダフニは片腕をマイクの腕にからめた。「あんな遠くまで歩いて、くたくたでしょ」宿屋の奥へと導き、「パブのほうですわってて。おいしいお茶を淹れてあげる。将校は海軍大尉で、とってもハンサムだったわ。あなたにはぜんぜんかなわないけど」肩越しに媚びるような視線をマイクに投げ、やかんを火にかけた。『水に浮かべる乗りものは一隻残らず、いますぐドーヴァーに直行してほしい』っていったの」

ダフニは、男たちが道具をひっつかんで船に積み込み、シー・スプライト号のエンジンを組み立て、ものの二時間ですべての船を出航させたいきさつをべらべらしゃべりつづけた。で、ぼくはそれを目撃するチャンスを逃した。バスを逃したのとおなじく——

いまの、車の音じゃないか？　マイクはぱっと立ち上がり、戸口に走った。ダフニがすぐうしろについてくる。ぎりぎりのところで、轟音とともに走り去るおんぼろロードスターが見えた。運転席ではコマンダーが両手でぎゅっとハンドルを握りしめ、右にも左にも目もくれず、道路のまっすぐ前方をひしと見据えている。「待って！」マイクは叫び、通りに走り出て両手を振りまわし、停まってくれと合図した。しかし、車は砂塵を残して北に向かって驀進《ばくしん》し、やがて見えなくなった。

マイクは憤然とダフニに向き直った。「この町で車を持ってる人間はパウニーさんしかいないっていったじゃないか！」

「コマンダーの古いロードスターのことはすっかり忘れてた」

そうだろうとも。

「戦争がはじまってから一回も乗ってなかったから。どこへ行ったんだと思う？」

ロンドンだ、と心の中で答える。そして、ロンドンで海軍本部の人間がだれも見つからなかったら、ドーヴァーへ行くだろう。けさ五時からずっとぼくが必死に行こうとしていた場所に。

「ごめんなさい」とダフニ。「あのロードスターは台に乗せて走れなくするんだっていってたから。でも、おんなじことよ。コマンダーは最低のドライバーなの。パウニーさんの車に乗せてもらうほうがずっといいわ。ねえ、すごく怒ってる？」とかわいらしく口をとがらせた。

怒ってるなんて言葉で足りるもんか。「ほかにだれか、車の持ち主を忘れてないか？　オートバイでもいい。なんでもいい。今日中にドーヴァーへ行かなきゃいけないんだ」

「ううん、ほかにはだれも。でも、パウニーさんはきっと夜までに帰ってくるわ。毎週水曜の夜は国土防衛軍の会合があって、毎回かならず出席してるから」

そしてパウニー氏は灯火管制中に車を運転したがらない。ということは、彼がドーヴァーまで送ってくれるとして、最速でも出発は明朝で、到着は昼ごろ。撤退は半分終わっている。

もうこれ以上、ここで時間を無駄にするわけにはいかない。すでに撤退の最初の三日間を見逃していて、とり返しがつかない。オックスフォードにもどって、バードリにもっとドーヴァーに近い降下点を見つけてもらおう。

「ねえ、怒らないで」ダフニが話している。「お茶といっしょに、おいしい鱈《たら》を揚げてあげるから。食べ終わるころにはパウニーさんが来てるわ」

「いや。もう行かなきゃ」マイクは立ち上がった。「ロンドンの新聞社に記事を送らないと」

「でも、もうお茶の用意ができるわ。もちろん、お茶を一杯飲むくらいの時間は――」

時間こそ、いまのぼくにいちばん足りないものだ。「いや、午後版に間に合わせなきゃいけないから」といって、足早にパブを出ると、村をあとにして丘を登った。暗くなる前に降下点に着きたかった。日のあるうちのほうが、きらめきが目立たないだろう。ゆうべ降下点が開くのを妨げた船が沖合にいたとしても、いまごろはもう、ドーヴァーまでの中間地点にさしかかっているだろうが、危険はおかしたくない。それに、一九四〇年をはやく発てば、バードリがそれだけ早く新しい降下点を設定できる。

バードリが新しい降下点を見つけるのに一ヵ月かかろうが二ヵ月かかろうがかまうもんか。とぼとぼ丘を登りながら思った。これまでの睡眠不足すべてを一気に埋め合わせるチャンスができる。もしくは、時代差ぼけ《タイムラグ》を解消するチャンスが。襲ってきたのがどっちだとしても、丘を登るのがやっとだった。ありがたいことに、頂上はもうすぐだ。降下点が開くのを待つあいだに眠りこんで寝過ごさないことを祈ろう――

崖のへりに六人の子供たちが立っていた。浜辺へ降りる小径《こみち》のすぐ上で、海峡のほうを指さし、興奮した口調でしゃべっている。指の先に目をやると、煙の幕が水平線をおおい、黒々とした柱が何本か立ち昇っている。ダンケルクの火災。

ああくそ、今度はなんだ？　小銭をやって追い払えるだろうか。そう思いながら歩き出したが、子供たちはすでに小径を駆け下りていた。「ちょっと待て！」と呼びかけたが、無駄だった。浜辺にはもっとおおぜいの子供たちと、数人の男たちがいた。ひとりの男は双眼鏡を持ち、ふたりの子供はすこしでも見晴らしをよくしようと、マイクの岩の上に登っている。

連中は日没までここにいるだろう。火災そのものがここから見えるとしたら、夜中まで居座るかもしれない。そのあいだ、いったいどうすればいい？　ここにぼうっと突っ立って、撤退を観察するチャンスが煙となって消えるのを見守る？　救出された兵士たちを満載した船舶は、すでにドーヴァーに到着しはじめている。

マイクは憤懣やるかたない思いできびすを返し、村へもどりはじめた。ドーヴァーに行く方法がほかになにかあるはずだ。レイディ・ジェーン号はまだ残っている。ジョナサンが操縦できるかもしれない。それともぼくが。海岸沿いに行けばいい。そして船を座礁させるか、海峡の海底に沈めるか。船倉に溜まった水を思い出したが、とにかく波止場まで行ってみた。だれかほかにバイクを持っている人間をジョナサンが知っているかもしれない。それとも、馬。

しかし、ジョナサンは船に乗っていなかった。「アホイ！　ジョナサン！」マイクはハッチの下に向かって呼びかけた。「いるかい？」

返事がない。マイクははしごを降り、底にたまった水のすぐ上で止まった。水かさはけさより増している。いちばん下の段に届きそうなくらいだった。「ジョナサン！」

ジョナサンはいなかった。王冠と錨亭にもどって、ジョナサンの家がどこなのか、ダフニに教えてもらうしかないな。うんざりしながらそう考えたとき、コマンダーの寝棚が目に入った。灰色のウールの毛布と汚れた枕が信じられないほど蠱惑的《こわくてき》に見えた。

突然の眠けに圧倒されながら思った。せめてほんの一時間か二時間ここで眠れたら、なにか名案を思いつくかもしれない。それに、そのころにはパウニー氏がもどっているかも。あるいはコマンダーが。マイクは靴と靴下を脱ぎ、ズボンの裾をまくりあげると、水の中をじゃぶじゃぶ歩いていって、寝棚に這い上がった。

ビルジポンプを動かしたほうがいいかも。そう思ったが、だしぬけに、身動きもできないほどの疲労感に襲われた。きっとタイムラグだ。生まれてこのかた、こんなに疲れを感じたことはない。毛布をひっぱりあげるのもやっとだった。毛布はタールと濡れた犬のにおいがしたし、端っこは水に浸かってぐっしょり濡れていた。

いくらレイディ・ジェーン号でも、一時間以内に沈むってことはないよな。そう思いながら寝棚の上で体をまるめた。船がゆったりと前後に揺れるのに合わせて、船倉の水がたぷたぷ音をたてる。とにかく一時間。それだけでいい。目が覚めて、まだ水位の上昇が続いているようなら、ポンプを始動させよう。いつかの時点で、マイクは眠ったままよろよろと起き上がって、それをやってのけたらしい。というのも、目を覚ましたときはダッダッダッとポンプが作動する音が響き、水がたぷたぷする音は聞こえなくなっていた。

どのぐらい眠ってたんだろう？　腕時計を見ようと目の前にかざしたが、暗すぎて文字盤が読めない。何時だとしても、パウニー氏がもどっていないかたしかめて、そのあとジョナサンを捜しにいったほうがいい。そう思って、毛布を押しのけ、体を起こすと、寝棚を降りた。

足は、水深三十センチの凍るように冷たい水に浸かった。ポンプが役に立っていない。ぜいぜいと苦しそうな作動音を響かせているのに。ポンプの音は船倉全体を満たし、まるで船が――

「まさか！」思わずそう叫ぶと、水をはねちらして船倉を突っ切り、はしごにとびついた。ビルジポンプじゃない。エンジンだ。船が動いてる。マイクは勢いよくハッチを開けた。

外も暗闇だった。莫迦《ばか》みたいにぱちぱち瞬きして、闇と、ごうごう顔に吹きつける風や塩辛いしぶきに目が慣れるのを待った。

「おやおやおや、こいつは驚いた」コマンダー・ハロルドの声が楽しげにいった。「密航者か？」

闇の中で、コマンダーの顔がかろうじて見分けられた。ピーコートにヨットキャップ姿で舵輪を握っている。「こんなことを企んでるんじゃないかという気がしとったよ」

「こんなこと？」マイクは甲板に這い上がり、船尾のほうに必死に目を凝らしたが、暗闇以外なにも見えない。「どこへ向かってるんだ？」

「うちの兵隊を連れもどしに向かっている」

「どういう意味だ？　ダンケルクか？」マイクは風に負けじと声を張り上げた。「ダンケルクに行くわけにはいかない！」

「だったら、いますぐ泳ぎはじめたほうがいいな、カンザス。もう海峡を半分横断してるぞ」

「さあ、舞踏会に行ってもいいですよ、シンデレラ」と妖精はいいました。「でも、時計が十二時を打つまでにかならず家に帰ること」
「でも、なにを着ればいいの？」とシンデレラはたずねました。「こんなボロじゃ、舞踏会になんか行けない」

――『シンデレラ』より

13

サリー州ダリッジ
一九四四年六月十三日

応急看護部隊《FANY》のダリッジ支部に着いたときには、火曜日の午後も遅い時間になっていた。ノックしても、だれも出なかった。もちろんそうだろう。みんな、V1の破片を探しにいっている。予定では十一日の朝に到着して、全員と顔を合わせて職場になじみ、ロケット攻撃がはじまるまでまるまる二日間かけて彼らの行動を観察する予定だったけれど、ノルマンディー侵攻によって生じるあらゆる遅れを計算に入れていなかった。

Dデイのノルマンディー上陸はほとんどなんの問題もなく進んだかもしれないが、海峡のこちら側では混沌が支配していた。列車もバスも道路もすべて限界いっぱいまで詰め込まれるか、侵攻軍だけの使用に制限されていた。ホワイトホールまで文書を運ぶアメリカ陸軍婦《WA》

人部隊員に同行してロンドンまで行く交通手段の手配に一日半かかり、最後の最後になって、そのWACにポーツマスのアイゼンハワーの参謀本部に行けという命令が下り、ポーツマスに着いたときには、用意されていた車も運転手も英国情報部に徴用されていた。それから三日間、ハンプシャー州の荒野で列車の座席を確保しようと無駄な努力をつづけた挙げ句、数人の米兵といっしょにダリッジに向かう車に乗せてもらえたが、そのときにはすでにV1の第一陣が発射されていたから、〝通常の〟環境下にある支部を観察するチャンスを棒に振ってしまった。

もっとも、そうじゃない可能性もある。爆発事故が無人ロケットによるものだと、政府はまだ認めていない。公式に発表されるのは、いまから三日後。ゆうべ飛来した四基のV1のうち、ダリッジに落ちたものは一基もない。ということは、ダリッジ支部の人間は、まだV1のことを知らずにいるかもしれない。この新兵器についてくわしい情報を収集するため、国防省が着弾現場に派遣した部隊の中に、ダリッジ支部が含まれていないかぎり。しかし、いくらノックしても返事がないところをみると、どうやら現地に派遣されたようだ。支部は無人だった。

でも、無人だなんてありえない、と彼女は思った。ここは救急支部なんだから、だれかが電話番をしているはず。もう一度、もっと強くノックした。やはり返事がない。

ノブを回してみた。ドアが開いたので、中に入った。「もしもし？ どなたかいませんか？」と呼びかけ、やはり返事がないので、通信司令室を探して歩き出した。

廊下を半分ほど行ったところで、アンドリュース・シスターズが歌う「二人の木陰」が聞こえてきた。歌声を頼りに廊下を歩いていくと、半分開いたままのドアがあった。中を覗いてみたところ、髪の毛をおさげにした少女がソファに寝そべり、ズボンをはいた片足をひじかけから垂らした格好で映画雑誌を読んでいた。どう見ても、まだV1のことは知らないようだ。よかった。彼女はドアを押し開けた。「もしもし？　失礼します。担当将校を捜してるんですが」

娘ははじかれたように立ち上がると、蓄音機に飛びつこうとして映画雑誌をとりおとし、ページが空中でぱらぱらとめくれた。レコードを止めるのをあきらめ、ぱっと直立不動の姿勢をとる。ということは、夕食抜きでベッドに追いやられるやんちゃな子供みたいな顔で突っ立っているにもかかわらず、少女ではないらしい。「フェアチャイルド少尉であります」と敬礼し、「なにかご用でしょうか」

「ケント少尉です。軍務のため出頭しました」転任書類をさしだし、「本日付でこちらの支部に配属になりました」

「配属？　少佐はなんにもいってなかったのに……」娘は眉間《みけん》にしわを寄せてしばらく書類をにらんでいたが、やがてにっこりした。「とうとう司令部が人をよこしてくれたのね。信じられない。もうすっかりあきらめてたのに。ダリッジ支部にようこそ、少尉――ごめんなさい、なんて名前だっけ？」

「ケント。メアリ・ケントです」

「来るのを知らなくてごめんなさい。ここは何ヵ月も人員不足で、だれかよこしてくれと少佐が司令部にかけあってたんだけど、きっともう来ないだろうとあきらめていたのよ」ケント少尉」フェアチャイルド少尉が片手をさしだした。「ようこそ、

「来るのを知らなくてごめんなさい。

わたしもよ、とメアリは思った。

「一ヵ月前に来てくれてたら最高だったのに。侵攻作戦とかのせいで、車に乗せて送っていかなきゃいけない将校が山ほどいて、てんてこ舞いだったから。なにがどうなるのか、あたしたちは知らないはずなんだけど――なにもかもすんごく秘密にされてるから――もうすぐ大きな動きがあるのは見え見えだった。あたしはパットン将軍を車で送っていったのよ」と、得意げにいう。「でもいまはみんなフランスにいて、あたしたちはなにもやることがない。あなたが来てくれてうれしくないわけじゃないけどね。それに、こんなヒマなのはそう長くないだろうし」

そのとおりよ、とメアリは心の中でいった。

「その点については、少佐が面倒をみるわ。この支部は怠慢とは無縁だから」ソファの上の映画雑誌にうしろめたそうな視線を投げて、「戦争に勝つために、わたしたちは毎日毎日かたときも休まずそれぞれの分を尽くさなきゃいけないって少佐はいってる。少佐がもどってきたとき、この支部を案内する仕事をさぼっていたのを知ったら、絞め殺されちゃう」フェアチャイルドは書類を机に置いて、戸口のほうに歩いていった。「タルボット！」と廊下の先に向かって叫ぶ。

返事はなかった。「きっと気が変わって、他の連中といっしょにりんご荷車倒し《アップルカート・アップセット》に行ったんだわ」りんご荷車倒し？　救急無線の符牒だろうか？　当然通じると思っている口ぶりだが、予備調査で調べた第二次大戦スラングの中にそんな言葉はなかった。

「もうもどってるもんだと思ったけど。待ってて」フェアチャイルドは映画雑誌をまるめて、ドアが閉まらないように隙間にはさんだ。「電話が鳴ったら、これで聞こえる。もっとも、たぶん必要ないけどね。きょうは一日、電話は一本もかかってきてないし。こっちよ、ケント」

電話が一本も入っていないのだとしたら、荷車倒しは救急無線の符牒ではありえない。事象《インシデント》を意味するスラングだろうか。

「ここがうちの食堂《メス》」廊下の途中のドアを開けて、フェアチャイルドがいった。すくなくとも、このスラングの意味はわかった。「で、その先が厨房《ちゅうぼう》。それからこっちは――」と横のドアを開けて、メアリを先に通した。「ガレージ。もっとも、あいにくいまはたいして見るものないけど。救急車は二台、ベントレーが一台とダイムラーが一台よ。ダイムラー運転したことある、ケント？」とたずね、メアリがうなずくと、「それ、何年だった？」

二〇六〇年。「たしか、三八年式だったと思った」

「だったらあんまり役に立たないかも。うちのダイムラーはすごい骨董品なのよ。フローレンス・ナイチンゲールがクリミア戦争で運転してたかも。エンジンをかけるのが死ぬほどたいへんで、運転するのはもっとたいへん。せまい場所で方向転換するのはほぼ不可能。少佐は新しい救急車を要請してるけど、いまのところ成果なし。これが業務日誌」壁にかかっているクリップボードのそばに歩み寄ると、時刻、目的、距離が記入された欄を示した。「私用のための遠回りは厳禁。少佐は、ガソリンの無駄遣いに関しては鬼だから。それと、日誌に記入せずに車を出すことに関してもね」

「事象の現場に向かう場合はどうなの？」

「事象？　ああ、スピットファイアが墜落するとかしたらってこと？　その場合は、もちろんただちに現場に急行して、もどってきてから日誌に記入する。でも、そういうことはめったにないわ。患者のほとんどは、喧嘩をしたとか、へべれけになって階段から落ちて頭を打ったとかいう兵隊だから。残りの時間は、将校を車であちこちに送り届ける。出勤したら、司令室の鍵を渡されるから」メアリを連れて、ソファと蓄音機があるさっきの部屋にもどると、「ここに掛けておいて」といって、壁の三本のフックを示した。ロナルド・コールマン、クラーク・ゲーブル、ベラ・ルゴシとラベルがついている。「空軍が飛行機に名前をつけるんなら、あたしたちは救急車に名前をつけようっていう話になって」

「救急車は二台っていわなかった？」

「ええ。ロナルド・コールマンは少佐の自家用ベントレー。救急車が二台とも出払っているときや、重要人物を送り届ける場合には、あたしたちに使わせてくれる」

「なるほど。じゃあ、たぶん〝ベラ・ルゴシ〟がダイムラーね？」

「ええ。もっとも、そんな名前じゃ、あの車の邪悪な性質はとても表現しきれない。あたしはハインリッヒ・ヒムラーと名づけたかったんだけど」メアリを先導してべつの廊下を歩き、ドアを開けた。その先は、きれいに整えられた六つの寝棚が並ぶ細長い部屋だった。「あなたが寝起きするのはこの部屋」右手の二番めの寝棚に歩み寄り、「これがあなたの」と寝台を叩いてから、洋服だんすに歩み寄って扉を開け、「私物はここにしまって。使えるスペースは半分。だから、サトクリフ＝ハイスに半分以上を使わせないようにしてね。彼女のあとかたづけもしちゃだめ。彼女、自分のものを散らかしほうだいにして、ほかの人にかたづけてもらおうとするくせがあるのよ。入隊してまだ四カ月。その前は、もちろん召使いにぜんぶやってもらってたわけ」

フェアチャイルドのざっくばらんな口ぶりは、メアリがすでに推論したことを裏付けていた——おさげの髪と映画雑誌にもかかわらず、フェアチャイルドは、応急看護部隊《FANY》に所属する若い女性の大半の例に漏れず、上流階級の出だ。彼らにFANY入隊の資格があるのは、下層階級の娘と違って、車の運転ができるからだ。それに、将校たちとうちとける社交能力もある。このため彼女たちは、救急車を運転するのと同時に、将軍たちの運転手をつとめることになった。

「ええっと、ほかになにかいっとくことあったっけ？」とフェアチャイルド。「朝食は六時、消灯は十一時。他人のタオルや男を借りるのは禁止。それとイタリアの話も禁止ね。グレンヴィルの婚約者が向こうに行ってて、この三週間、音沙汰がないの。ああ、それと、メイトランドの前では、婚約に関係する話は厳禁——あなた、婚約してないわよね？」

「ええ」と答えて、メアリはダッフルバッグを自分の寝棚に置いた。

「よかった。婚約者がいる娘は、いまのメイトランドには癪《しゃく》の種だから。つきあってるパイロットにプロポーズしてもらおうとずっとがんばってるんだけど、これまでのところ運がなくて。あたしは、タルボットを教訓にしろっていってるんだけど。彼女、あたしが着任してから四回も婚約してるの。あなた、つきあってる男はいたの——前の任地ってどこ？」

「オックスフォード」

「オックスフォード？　だったらきっと——」どこかでドアがバタンと鳴る音が響き、フェアチャイルドはさっと頭をもたげた。

「フェアチャイルド！」と声がして、FANYの制服と制帽姿の、はつらつとしたブルネット美人が入ってきた。「いま聞いた話、とても信じられないわよ」

ロケット攻撃開始前の日常生活を観察する計画もこれまでか、とメアリは思った。

「ここでなにやってるの、タルボット？」とフェアチャイルド。「メイトランドたちと荷車倒しにいったんじゃなかった？」

「ううん。そのはずだったんだけど。黄色人種《イエロー・ペリル》にはもううんざり。大声で叫び出しそうなくらい」

黄色人種？　日本が救急支部となんの関係があるんだろう。一九四〇年代のスラングをもっと調べておくんだった。

「モーター・プールに行ったら、少佐がどうしてもベラ・ルゴシにしろってうるさくて」フェアチャイルドから救急車の名前の話を聞いていて助かった。さもなければまったく意味不明だった。イエロー・ペリルも乗りものの一種かなにかだろうか？

「整備がまだだって、少佐にいったのよ」とタルボットが話をつづける。「でも少佐は――この人だれ？」

「メアリ・ケント」とフェアチャイルド。「うちの新しい運転手」

「まさか、そんなわけない！」タルボットが叫び、メアリははっとして目を上げた。「ごめんなさい。キャンバリーと賭けをしてたもんだから。たとえ少佐でも、司令部から新しい運転手を調達するのは不可能だっていうほうにストッキングを賭けたの。うわあ、どうしよう。一足だけしかないまともなストッキングをジルバに貸したら、あっさりずたずたにしてくれたのよ」

「ジルバっていうのは、パリッシュ少尉のこと」とフェアチャイルドが説明する。「ジルバに夢中なの」

「とにかくストッキングがいるのよ。フィリップが土曜日にリッツへ連れてってくれるんだから」

いいえ、それは無理。土曜日には百基以上のV1が襲来するから。あなたは負傷者の搬送に追われることになる。

「もしかして予備のストッキング持ってて、それを貸してくれたりしないわよね、ケント？」とタルボットがたずねた。

しませんとも。それに、もし持っていたとしても、持ってるとはいわない。そんなことをしたら、たちまち偽者だとバレてしまうから。戦争のこの時点で、人前に出して恥ずかしくない絹のストッキングを持っている女なんて、英国にはひとりもいなかった。「あいにくだけど」と、いま履いているあちこち繕った木綿のストッキングを指さした。「わたしのせいで賭けに負けたのならごめんなさい」

「あら、いいのよ、少佐が負けるほうに賭けたわたしが悪いんだから。わかってたはずなのに。もう少佐には会ったの、ケント？」

「ううん」とフェアチャイルドがかわりに答えた。「少佐はロンドン。司令部の会議に呼ばれてる」

「そう。とにかく、少佐に会えば、おそろしく意志が強い人物だってわかるわ。とくに、この支部で必要としている備品や消耗品――それに人員――の調達にかけてはね」

フェアチャイルドがうなずいた。「戦争の勝利は、ひたすらあたしたちの双肩にかかってると信じてるから」

「わたしなら、尻の軽い運転将校が戦争の行方を左右するなんてとてもいわないけど」とタルボット。「言い寄ってくる男たちを受け流す能力があることを祈ってるわ、ケント」フェアチャイルドのほうを向いて、「メイトランドたちはいつごろもどると思う？」

「ていうか、いまごろはもうもどってると思ってた」

「りんご荷車倒しの場所は？」

「ベスナル・グリーン」

「ああ、だったらもどる前にシャワー浴びてくる」タルボットはジャケットを脱いで、戸口のほうに歩き出した。

「待って」とフェアチャイルド。「まだ行っちゃだめ。なにを聞いたか、話が途中よ」

「ああ、そうだった。忘れるところだった。モーター・プールへ行ったら、あしたにはベラの整備ができてるからっていわれたの。まあ、いつもそういうんだけど」タルボットはスカートのホックをはずしてすとんと下に落とすと、ブラウスのボタンをはずしはじめた。「きょう必要だから、整備が終わるまで待つっていったのよ」肩を揺すってブラウスを落とすと、スリップ姿でまっすぐ立ち、両手を腰にあてた。「でも、それがまちがいだった。向こうはただのんびりおしゃべりしたいだけだったのよ」

無理もないわ、とメアリは思った。タルボットは美人というだけじゃなく、プロポーションも抜群だ。なぜ四回も婚約することになったのかは一目瞭然。「だから、けっきょく食堂へ行って、お茶を飲んでたら、待機中のリトルトンがいたのよ。ドーヴァーにもどる沿岸防備隊の大尉を乗せていくんだとか――」

タルボットはまちがいなくV1のことを知っている。沿岸防備隊はドイツ軍に無人ロケット発射計画があることを何週間も前から知っていた。極秘にされていたが、問題の大尉が運転手にしゃべり、運転手がタルボットにしゃべったにちがいない。

「で、リトルトンから聞いた話なんだけど、とても信じられないわよ」とタルボット。「イーデン大尉が結婚したんだって。空軍婦人補助部隊員《WAAF》と」

「イーデン大尉って、先週、あんたをクァグリーノへ連れてってくれた？」

「先々週はサヴォイに連れてってくれたし、三日前には、芝居につきあってくれって電話してきた男」

「最低なやつ」フェアチャイルドが吐き捨てるようにいった。

「どうしようもない下司《げす》野郎ね」とタルボットはうなずいた。「すごく見たいお芝居だったのに。でも、考えてみたら、彼、ダンスがものすごくへただったし、おかげでだれかアメリカ人を見つけてデートするチャンスができる。あたしにベタ惚れして、ナイロン・ストッキングをプレゼントしてくれるかも」肩にタオルをひっかけ、「ばいばい《ター・ター》、シャワー行ってくるね」と部屋を出ていった。

「支部のほかの場所を案内しなきゃ」とフェアチャイルド。「荷ほどきはあとで。あんまり時間がないの」

わたしもよ。そう思いながらメアリはあとについていった。タルボットがV1のことを知らなかったとしても、もどってくる女たちはまちがいなく知っている。フェアチャイルドによれば、外出組はベスナル・グリーンに向かったそうだ。二発目のV1が落下して、鉄道橋を粉砕した場所だ。ということは、やっぱり彼らは、破片の回収任務に派遣されたんだろう。だとすれば、〝アップルカート・アップセット〟はきっと爆発事象《インシデント》の意味だろう。でも、だとしたら、どうしてタルボットは自分も行きたかったなんていったんだろう。

「ここが談話室。そっちのドアは地下室に通じてる。うちの防空壕よ」フェアチャイルドがドアを開けると、急な下り階段があらわれた。「一度も使ってないけどね。サイレンが鳴ったのはこの三カ月で一回だけ。それも、どこかの子供が民間防衛の支所に押し入って、いたずらでサイレンのクランクを回したのよ」

ゆうべ、サイレンは一度も鳴らなかった？　でも、そんなはずはない。V1四基それぞれについて、まちがいなく空襲警報が鳴った。ある十歳の航空機監視員がそれぞれの警報サイレンと警報解除サイレンが鳴った時刻を自分の日誌に記録している。きっと、ダリッジではそれが聞こえなかったんだ。

「それにいまはもう英軍がフランスに上陸したんだから、空襲のことは心配しなくて済む」とフェアチャイルド。「戦争はそう長くつづかないだろうし――」口をつぐんで聞き耳をたてる。

車のドアがバタンと閉まる音と、それにつづいて話し声が聞こえた。

「もどってきた」フェアチャイルドが急ぎ足で廊下に出た。

FANYの制服を身にまとった三人の若い女性がガレージからやってきた。それぞれ、両手いっぱいに衣類を抱えている。「でもやっぱりあの生成《きな》りのレースは手に入れるべきだったわねえ」先頭のひとり、ずんぐり体型のブロンドが、長身の赤毛に向かって話している。

「サイズが小さすぎたじゃない」と赤毛。「キャンバリーが着ても、ファスナーが上まで上がらないんだから」

「グレンヴィルなら、ちょっと直して着られたかも」とブロンド。

「収穫あった、リード？」とフェアチャイルドがたずねる。

「ちょっとだけね」赤毛が司令室に入ってきて、抱えていた衣類をソファにどさっと投げ出した。「手に入ったイヴニングドレスは一着きりだった」

「それを手に入れるのに、キャンバリーはあやうく殺されかけたのよ」とブロンド。「クロイドンのセント・ジョン救急隊の子ふたりと取り合いになって」

「でも、勝ったわ」三人目の、妖精みたいな外見の小柄な娘がいった。衣類の山から、床まで届く丈のピンクの薄手のドレスを手にとって、誇らしげに高々とかざしてみせた。「セント・エセルレッドりんご荷車倒し《アップルカート・アップセット》の優勝者」

これでひとつ謎が解けた。アップルカート・アップセットは、古着交換会を意味するスラングだ。交換会は、戦時中ひんぱんに開かれた。布地が軍服やパラシュートのために徴用されて供給が逼迫《ひっぱく》し、配給制になった結果だった。

「ちょっと丈が短いけど」と赤毛のリード。「スカートはたっぷりしてるからひだ飾りもつけられるし――」途中で口をつぐみ、「この人は？」

「メアリ・ケント少尉」とフェアチャイルド。「ケント、こちらはメイトランド大尉」と小太りのブロンドを指さした。それから、赤毛の子と妖精っぽい子を指さし、「リード少尉とキャンバリー少尉。ケントはうちの新しいドライバー。司令部がオックスフォードからよこしたの」

「まさか！」とメイトランド。

「少佐ならやってのけるっていったでしょ」とキャンバリー。「ちょっと遅かったとはいってもね。あいにく、お楽しみを逃しちゃったみたいよ、ケント」

「オックスフォードにいたんなら」とリード。「きっと向こうで――」

「その話はいいから」タルボットが濡れた髪にタオルを巻いて、バスローブ姿でやってきた。「戦利品を見せて。ピンク？　うわ、やめてよ、あたし、ピンク似合わないのよね。顔色が悪く見えちゃうから。それでも」とピンクのドレスを広げて、「土曜日にイエロー・ペリルを着ていくよりはましか」

「土曜日にそれを着るのはあんたじゃないわよ」とキャンバリー。「生命と手足を危険にさらしてセント・ジョンの子たちと戦ったのはあたしなんだから。あたしが最初に着る」

「イヴニングドレスは供給不足なの」とフェアチャイルドが説明する。「だから、みんなで共有してる。イエロー・ペリルと、サトクリフ－ハイスが宮中晩餐会に着たドレスとで間に合わせてたの。ラベンダー色に染めたんだけど、むらになっちゃって」

「すごく暗いナイトクラブでしか着られないよ」とリード。

「でも、そのピンクはあたしが着なきゃ」とタルボット。「リッツなのよ。イエロー・ペリルはもう二回も着てってる」

「リッツへはだれと行くの？」とリードが問いただした。

「まだはっきりしないけど。たぶんジョンスン大尉」

「ジョンスン？」とリード。「いかした口ひげのハンサムな人？」

「じゃなくて」タルボットはピンクのドレスを体の前に当てて鏡を覗きながらいった。「酒《P》保《X》につてのあるアメリカ人」

メアリとしては、こういうやりとりが聞けたことに喜んでしかるべきだった。V1以前の救急支部の平穏な日常を示す、完璧な一例。でも、どうしてだれもV1のことを聞いてないんだろう？　もちろん、ベスナル・グリーンの救急車クルーはV1の話をしたはずだ。

莫迦《ばか》なこといわないで。向こうのクルーが来てたわけないじゃないの。メアリは自分で自分にそう反論した。午前四時半からずっと、犠牲者——六人いた——の応急手当てと病院搬送に忙殺されていたはずだ。古着の交換会にうきうき出かけられたわけがない。

でも、たとえ現地の救急車クルーがいなかったとしても、当然、爆発音を聞いたことをだれかが交換会で話題にしたはずだ。でなければ、空襲警報のサイレンを聞いたことを。もしフェアチャイルドがいったとおり、何カ月もサイレンを聞いていないのだとしたら、当然、ちょっとしたニュースになるだろう。もしも——と、戦利品のピンクのドレスや古いダンス・シューズを順ぐりにためつすがめつしているFANYの面々を見ながら、メアリは思った——服を漁《あさ》るのに夢中で、ほかのだれとも話をしてなければべつだけど。

「ハヴィランドが来てたんだけど、あっと驚く話を聞いたわよ」とメイトランド。「ウォード大尉覚えてる？　食堂のダンス・パーティで会った——ウェーヴした黒髪の？　ハヴィランドの話だと、彼、わたしに熱を上げてるんだけど、気おくれしてデートに誘えないでいるんだって」

「あんたに口紅を見つけてあげたわよ」リードがタルボットに話している。「ほら、クリムゾン・カレス」そういって、金色の円筒をさしだした。

「わあ、ありがとう」タルボットが口紅のキャップをとり、くるくるまわして、鮮やかな深紅のスティックを出した。「あたしのは根もとまで使い切ったとこだったのよ。黒の手袋は手に入った？」

「ううん。でも、ヒーリーとベイカーが来てて、あっちの支部で七月にバザーをやるんだけど、寄付された中にたしか黒い手袋があったはずだから、とっておいてくれるって」

「ベスナル・グリーン支部はなんでバザーを？」とフェアチャイルド。

「新しい救急車を買うための資金集め」

「うわ、その話が少佐の耳に入らなきゃいいけど。でないと、うちでもやれっていうわよ」タルボットはうめき声をあげたが、メアリはろくに聞いていなかった。ベスナル・グリーンのFANYクルーは古着交換会に来ていた。

V1攻撃がはじまった日付をまちがって覚えてたんだろうか。でも、V1の着弾時刻と場所は、歴史記録から直接インプラントしてある。でも、もしV1がベスナル・グリーンの鉄道橋を直撃したのなら、地元のクルーがそれを話題にしないわけがない。

「ねえ」とリードの声。「ほかにもビーチ・サンダ――」唐突に口をつぐみ、耳をすます。「少佐が「エンジンの音が聞こえたみたい」といって部屋をとびだし、すぐもどってきた。

帰ってきた」

空襲警報のサイレンが鳴ったも同然だった。リードとキャンバリーは広げた衣類を抱え上げて部屋から運び出した。フェアチャイルドは蓄音機にとびついてプラグを抜き、ばたんと蓋を閉め、それをメイトランドの腕に突きつけた。「談話室にもどしといて」と命令し、メイトランドが出ていくと、制服のジャケットを着込む。「ケント、〈フィルム・ニュース〉をとって。はやく」とジャケットのボタンを留めながらいう。

ドアの隙間にまるめてはさんであった映画雑誌をメアリがあわててとって手渡すと、フェアチャイルドはそれをファイル・キャビネットの引き出しに突っ込み、デスクに飛んでもどって椅子にすわった瞬間、ちょうど少佐が入ってきて、そくざにまた起立した。

いままで聞いた話から、猛女タイプを予想していたが、少佐は小柄でほっそりした、優美な顔だちの女性だった。髪の毛にはわずかに白いものが混じりはじめている。メアリが敬礼して、「メアリ・ケント少尉、軍務により出頭いたしました」と告げると、やさしい笑みを浮かべ、静かな口調で、

「ようこそ、少尉」

「支部の中を案内するところだったんです」とフェアチャイルド。

「それはあとでいいわ。談話室にみんなを集めて。発表があります」と少佐がいった。ということは、やっぱりV1は予定どおり発射されたんだ。ベスナル・グリーンのFANYは、話に出た沿岸防備隊の将校とおなじく、公式発表まで口外を禁じられていたんだろう。そし

ていま、少佐からその公式発表がある。

そしてメアリは、到着が遅れたにもかかわらず、支部の日常生活――このあと根底から変わってしまうことになる生活――の断面を観察するチャンスを得たわけだ。すでに変化ははじまっている。談話室に集められた若い女性たちの真剣な表情は、なにかが起きているのを知っていることを示している。タルボットは濡れた髪をきれいに梳《と》かして制服に着替え、フエアチャイルドはおさげの髪を頭のてっぺんにピン留めしている。全員が直立不動で待ち受けるなか、少佐が入室した。

「戦争は新たに重要な局面を迎えました。司令部で開かれた会議の結果を報告します――」

さあ、来るぞ。

「わが隊は、新しい任務を与えられました。われわれは、明日付けで、ノルマンディー侵攻作戦で負傷した兵士たちを外科手術のためオーピントン病院に搬送する任務につきます」

「咳とくしゃみは感染のもと」
——一九四〇年の英国厚生省ポスターより

14 ウォリックシャー州バックベリー 一九四〇年五月

アイリーンがミセス・チェンバーズの応対に出て、三人の疎開児童の受け入れ書類に記入し終えたときには一時間近くたっていた。ひとつには、シオドアが三十秒ごとに帰りたいと宣言するからだった。わたしだって帰りたいわよ、とアイリーンは心の中でいった。あんたたちが来なかったら、いまごろオックスフォードに帰りついて、VEデイに送ってほしいとダンワージー先生に直談判していたのに。

「あたしは帰りたくない」と年長の少女、エドウィナがいった。彼女はビニーとおおいに気が合いそうだ。「そのはずだったみたく船に乗りたい」

「トイレに行きたい」と年下のほうのスーザンがいった。「いますぐ」

アイリーンはスーザンを二階へ連れていき、さらにもう何枚か書類に記入した。「いろいろとお骨折りいただいてありがとうございましたと奥さまにぜひともお伝えください」とミセス・チェンバーズが手袋をはめながらいった。「奥さまの戦争協力への貢献にはほんとうに頭が下がります」

アイリーンはミセス・チェンバーズが帰るのを見送ってから、遊んできなさいと子供たちを外に送り出し、彼らの荷物を二階の子供部屋に運んで、三度目に自分の部屋へ駆け込んだ。お仕着せを脱いで私服に着替え、手紙と封筒をベッドの上に配置してから階下へ急いだ。三時十分。よかった。他の子供たちは四時まで学校から帰ってこない。ということは、道路を使える。急ぎ足で屋敷の角を曲がり、私道に出た。

「危ない！」男の声がして、はっと顔を上げると、オースティンがみるみる迫ってくるところだった。助手席には教区牧師、運転席には――うわっ、なんてこと――ユーナだ。アイリーンはわきへ飛び退《の》いた。

「違う、ブレーキ、ブレーキ！　そっちはアクセルだ――」と牧師が叫ぶが、オースティンはアイリーンめがけてまっすぐ突っ走ってくる。ユーナは溺れかけている人間のように両手を上げた。

「だめだ、ハンドルから手を――」と叫びながら牧師がステアリングをつかんだ。オースティンは激しく横滑りして、アイリーンのコートのすそをかすめ、屋敷の壁にぶつかる数センチ手前で、タイヤをきしませて停止した。牧師が飛び出してくると、「だいじょうぶですか？」とこちらに駆け寄り、「怪我してないよね」

「ええ」滞在最終日に車にはねられて死んだりしたら、それこそ完璧な大失敗だ。「車をバック
「運転の練習してたの」と運転席からユーナがいわずもがなのことをいった。

させたほうがいいかしら」

「やめて」牧師とアイリーンが同時にいった。

「きょうはもう終わりにしよう、ユーナ」と牧師がつけ加える。

「でも牧師さん、練習をはじめてまだ十五分よ。奥さまのいいつけでは——」

「わかってる。でも、今度はミス・オライリーにレッスンをしないと」

「あら、でもわたし——」といいかけて、アイリーンは口をつぐんだ。いましがた、母が病気だという手紙を受けとったんですというわけにはいかない。そんなことをしたら、駅まで車で送るといわれるだろう。とはいえ、運転の教習を受けている時間もない。

「おねがいだから」と牧師が囁き声でいった。「ユーナが運転する車に乗らずに済むようにしてください」

アイリーンは笑いを嚙み殺してうなずき、オースティンのほうに歩いていった。ユーナはしぶしぶ降りてきた。「でも、次のあたしの練習はいつですか、牧師さん？」

「次の金曜日だよ」といいながら、牧師は助手席にすわった。

アイリーンはエンジンをかけ、私道に車を出した。「牧師さんは勇気ありますね。わたしだったら、なにがあっても彼女の運転する車には二度と乗らないわ」

「先にディストリビューターをはずしておくつもりだよ」と牧師が囁き声で答えた。

あなたに会えなくなるのはさびしいわ、とアイリーンは心の中でいった。黙っていなくなるんじゃなくて、せめてグッド牧師にだけはさよならをいえたらいいのに。でも、それでなくても、じゅうぶん面倒な問題を抱えている。まずは教習を早めに切り上げてもらう口実を考えないと。「牧師さん、わたし――」

「わかってる。必要もない運転教習で一時間も無駄にするほどヒマじゃないよね。無理やりそんなことをさせるつもりは毛頭ない。ユーナが安全に屋敷の中に入るまで運転して、あとはこれから一時間、彼女の目につかないようにしてくれたら――」

それならだいじょうぶ以上よ。そう思いながら、屋敷の門を抜けて敷地の外に出ると、せまい小道に車を走らせた。

「次のカーブを曲がったすぐ先に、車をUターンさせられる場所がある」と教区牧師。

アイリーンはうなずいてカーブを曲がった。ビニーとアルフが道の真ん中に立っていた。車を見ても、動こうともしない。

「危ない――」教区牧師が叫び、アイリーンはブレーキペダルを思いきり踏み込んで、車を急停止させた。アルフは道に突っ立ったまま、莫迦《ばか》みたいに車を見ている。

ビニーが助手席のほうにまわってきた。「こんちは、牧師さん」

「ビニー、どうして学校にいないの？」アイリーンは詰問した。

「帰されたんだ。アルフが病気になって。乗せてってくれる、牧師さん？」

「いいえ」とアイリーン。「まっすぐ学校にもどりなさい」

ビニーはアイリーンを無視して、「アルフを連れて帰れって先生にいわれたんだよ、牧師さん。ひたいがすんごく熱くて、すんごく気分が悪いんだ」

アイリーンは車のドアを押し開けて外に出ると、まっすぐアルフに歩み寄った。「病気なんかじゃないわ、牧師さん。いつもの手よ。アルフ、どうしてミス・フラーの車のボンネット飾りとドアハンドルを盗んだの？　ドイツ軍の上陸に備えて車を走れなくするつもりだったなんていう言い訳は聞かないわよ」

「違うよ」とビニー。「スピットファイア基金のためにアルミニウムを集めてたんだ。それで飛行機をつくるんだよ」

「いますぐミス・フラーに返してきなさい」

「でも、アルフが病気なんだ」

「病気なんかじゃないわ」アイリーンはアルフのひたいに手を当てた。「このとおり、アルフは――」といいかけて口をつぐむ。燃えるように熱い。アルフの顔を上に向かせた。目が赤く、潤《うる》んでいる。土に汚れた顔は、頬が紅潮しているように見えた。「熱があるわ」とアルフの頬や手に触れながら、牧師に向かっていう。

「だからそういったじゃんか」ビニーがすましていった。

アイリーンはそれを無視して、「連れて帰らなきゃ」といって、アルフの上にかがみこんだ。「気分が悪くなったのはいつ？」

「わかんない」アルフがだるそうにいって、アイリーンの靴の上に嘔吐した。

「学校でもゲロしたよ」とビニーが自分から説明した。「二回も」

教区牧師がただちに指揮を執った。アイリーンにハンカチを渡し、アイリーンが靴を拭いているあいだに、自分のコートを脱いでアルフの体をそれにくるむと、ビニーに命じて後部座席のドアを開けさせてから、アルフを横たえた。「前に乗れ、ビニー。アイリーンがアルフといっしょにうしろにすわれるように」

ビニーはただちに運転席にすわった。「運転できるよ」

「いや、だめだ」と牧師。「助手席にすわれ」

「でも、緊急事態でしょ。あたしに運転を教えるのは緊急――」

「助手席に移りなさい」とアイリーンはいった。「いますぐ」

ビニーはいわれたとおりにした。アイリーンは後部座席にすわった。アルフは両手で頭を抱えて隅にまるくなっている。

「頭が痛いの？」とたずねる。

「うん」アルフはアイリーンのひざに頭をのせた。コートの布地ごしに熱を感じる。

「賭けてもいいけど、腸チフスだよ」とビニー。「知り合いの男の子が腸チフスで死んだんだ」

「アルフは腸チフスじゃありません」とアイリーン。

「その子、ゆで卵を食べたんだ」とビニーはものともせずに先をつづけた。「そしたらおなかが破裂したんだ、バーンって。腸チフスになったら、卵を食べちゃいけないんだよ」

牧師はオースティンを屋敷の勝手口の前に停めた。ドアを開け、アイリーンの腕からアルフをひきとると、抱えるようにして厨房へ入っていった。ミセス・バスコームがパンをこねているところだった。「車の運転を習うように説得しにきたんなら、牧師さん、よけいな口出しは無用だよ。だれがなんといおうと、あたしは――アルフ、今度はなにをやらかしたんだい？」

「病気なの」とアイリーンが説明した。

「道路で出くわしたんです」と教区牧師。

「アイリーンの靴の上に思いきりゲロ吐いたんだよ」とビニーが口をはさむ。

「電話して医者を呼んだほうがいいと思います」

「もちろんですとも、牧師さん」とミセス・バスコーム。「ユーナ、電話できるように、牧師さんを書斎にお通しして」しかし、ふたりがいなくなると、彼女はアルフに食ってかかった。

「医者？　おまえに必要なのは薪小屋行きだ、アルフ・ホドビン。またジャム戸棚へ行ったんだろ？　ほかになにを詰め込んだんだい？　ケーキ？　ラムのパイ？」

おねがいだから食べものの話はやめて、と思いながらアイリーンはアルフの顔に不安な視線を投げた。「食べもののせいじゃないと思います。熱があるの。病気じゃないかしら」

「毒を盛られたのかも」とビニー。「第五列《スパイ》に。ドイツ軍が――」

「必要なのはひまし油と、体を思いきり揺さぶることだね」ミセス・バスコームはアルフの腕をつかんだが、そこで手を止め、眉間にしわを寄せて、まじまじとアルフの顔を見つめた。

「どこが痛い？」片手をひたいに、それから頬に押し当てる。「目がひりひりする？」

アルフがうなずいた。「腸チフスでしょ？」とビニー。

ユーナがもどってきた。「牧師さんはどこ？」とミセス・バスコームが詰問する。「医者に電話したの？」

ユーナはうなずいた。「非番で家にいて。牧師さんが車で迎えにいきました」

ミセス・バスコームはアルフに向き直った。「頭が痛い？」アルフがうなずく。「洟水《はなみず》は出てた？」とアイリーンにたずねる。

アルフはいつも洟を垂らしている。この二、三日、ふだんよりひんぱんに服の袖で洟を拭いていたかどうか思い出そうとした。

「なにかおぞましいものが鼻から垂れてたよ」とビニー。ミセス・バスコームはアルフのシャツをぐいとひっぱり、胸もとを覗き込んだ。アイリーンの目には正常に見えた。どこでつけたのやら知る由《よし》もない泥の汚れが長いすじになっているのをべつにすれば。ゆうべ風呂に入れたばかりなのに。

「のどがひりひりする？」とミセス・バスコームがたずねた。

アルフがうなずいた。

「アイリーン、アルフを二階へ連れていって、ベッドに寝かせて」とミセス・バスコーム。「舞踏室にアルフの寝台を用意してちょうだい」

「舞踏室に？」アイリーンは、前回子供たちが舞踏室に入ったときのことを思い出して、思わず訊き返した。

「ええ。ビニー、こっちに来て、胸を見せて。目がひりひりしない？」

「アルフ、おいで」アイリーンはアルフを連れて階段を上がり、子供部屋へ行った。「パジャマに着替えてて。すぐもどるから」といって、厨房に駆けもどった。ミセス・バスコームはやかんに水を入れているところだった。ビニーは興味津々の顔で鍋やフライパンを見ている。廃品回収運動に出せるものを物色しているにちがいない。アイリーンは急いでミセス・バスコームのそばに歩み寄り、小声でたずねた。「アルフはなにか深刻な病気なんですか？」

ミセス・バスコームはビニーのほうに目をやり、やかんをレンジにかけてからマッチを擦った。「アルフの体があたたまるようにしてやってちょうだい」といって、ガスバーナーに点火する。「お湯を入れた瓶をすぐに持っていくから」つまり、ビニーの前ではなにもいいたくないということだ。ということは深刻な病気で、明らかに感染性がある。腸チフスではないにしても――あれは飲料水で感染する病気だった――抗ウイルス薬以前の時代にはありとあらゆる伝染病が猖獗《しょうけつ》を極めていたし、中には命にかかわるものもあった。チフスとかインフルエンザとか猩紅熱とか。

猩紅熱なんてありえない。心の中でそういいながら二階へ駆けもどった。きょう発《た》つはずなのに。時計に目をやる。もう四時。医者が来るまでにどのくらいかかるかわかったもんじゃない。暗くなる前に降下点にたどりつけなければ、まるまる一週間よぶんにここに閉じ込められてしまう。でも、もしアルフの病状が深刻だとしたら――

アルフをベッドに寝かせてから、ミセス・バスコームがお湯の瓶を持ってきたあと、すぐさま屋敷を抜け出して降下点に走っていって、遅くなると伝えよう。そう思いながら子供部屋にもどった。アルフは自分の寝棚のへりにおちつかないようすですわっていた。まだ着替えていない。アイリーンは帽子とコートを脱いで、アルフがパジャマに着替えるのを手伝いながら、少年の胸に不安な視線を走らせた。ちょっとピンク色になっているが、発疹《ほっしん》は見当たらない。「横になってて。ベッドの用意をしてくるから」といって、寝台のひとつを舞踏室に運び込み、ベッドを整えた。それから、アルフに手を貸して廊下の反対側まで歩かせ、寝台に横たえた。

階下でバタンとドアが閉まる音と、話し声がした。「外へ行って、遊んできなさい」というミセス・バスコームの声。ほかの子供たちが学校からもどってきたのだろう。

「アルフに会いたい」とビニーがいった。

「おうちに帰りたい」とシオドア・ウィレットがいった。

「外へ」とミセス・バスコームがくりかえした。

「でも、雨が降ってるよ」とビニーが抗議した。「風邪引いて死んじゃう」

アルフがどんな病気にかかっているにしろ、そんなに深刻だなんてありえない。というのもミセス・バスコームは、「口答えはなし。外よ。全員」と宣言したからだ。

「ぼく、外に行かなくてもいいよね？」とアルフが心配そうにいった。

「ええ」アイリーンはアルフの体に毛布をかけてやった。ものすごく顔色が悪い。「また吐きそう？」

アルフは弱々しく首を振ったが、それでも万一の場合に備えて、洗面器をとってくることにした。もどってみると、スチュアート医師が到着し、ミセス・バスコームがしたのとおなじ質問をアルフにしているところだった。アルフの胸をながめ、それからいかにも原始的に見えるガラスの体温計をアルフの口の中に差し込み、二本の指と腕時計を使って脈を測った。もしこれがなにか深刻な病気なら、アルフはやっかいなことになる。一九四〇年代の医学はおそろしく未発達だ。あんな体温計では熱さえ探知できそうにない。

「ずっとさむけがしているみたいでした」とアイリーンはいった。「それと、三度吐きました」

スチュアート医師はうなずき、いらいらするほど長く待ったあと、口から体温計を抜いて目盛を読み、ペンライトをかばんからとりだした。「大きく口を開けて」といって、頬の内側をライトで照らす。「思ったとおり。はしかですね」

猩紅熱じゃなかった。助かった。もしほんとうに重い病気だったら、置き去りにして出発できるかどうか自信がなかった。でも、はしかはこの当時の子供がかかる病気だ。「たしかですか？」とアイリーンはたずねた。「発疹が出てませんけど」

「発疹が出るのはあと一日かそこら経ってから。それまでは、体をあたたかくして、病室は目を傷《いた》めないように暗くしてください。灯火管制の利点だな。新しいカーテンを買う必要がない」医師はペンライトをかばんにしまった。「発疹が出るまで、熱が急激に上がるかもしれない」かばんの口金をぱちんと閉じて、「今晩、またようすを見にきます。いちばんだいじなのは、ほかの子供たちを近づけないこと。この屋敷には、いま何人？」

「三十五人です」とアイリーン。

医師はやれやれというように首を振った。「ふむ。ほとんどの子供がはしかを済ませているることを祈りましょう。アルフ、お姉さんははしかにかかったことがあるかい？」アルフは弱々しく首を振った。医師はアイリーンのほうを向いた。「あなたは済ませてるでしょうな、願わくは」

「いいえ」とアイリーン。「でも――」といいかけて、一九四〇年には天然痘以外のワクチンが存在しないことを思い出した。「いやその、ええ、わたしは――」とまた口ごもる。はしかにかかったことがあると答えれば、病室の責任者に指名されて、ここを離れられなくなる。医師は答えを待つようにこちらを見ている。「はしかにかかったことはありません」ときっぱりいった。

「すわって」医師は黒い往診かばんを開けた。アイリーンの体温を測り、のどの奥を覗き、頬の内側を調べる。「まだ症状は出てないね。でも、患者と間近で接触している。ミセス・バスコームに、いますぐだれかあなたのかわりになる人をよこすように伝えます。それまで、どうしても必要なとき以外は、これ以上、患者と接触しないように」

アイリーンはうなずいた。もうこれで、出発しない理由はない。残ったところで、アルフやはしかに感染した他の疎開児童に近づくことは許されないのだから。

「今夜また、アルフのようすを見にくるから」といって、スチュアート医師は帰っていった。

「だれかかわりになる人をよこすってどういう意味？」アルフが寝台に体を起こしてたずねた。「ぼくの世話してくれないの？」

「わたしは近づかせてもらえないのよ。はしかにかかったことがないから」アイリーンは戸口に歩き出した。

「まだ行っちゃわないよね？」

「ええ。子供部屋に行って、もう一枚、毛布をとってくるだけ。すぐもどるわ」

「約束する？」

「約束。だれか交替する人が来るまではここにいるから」

「だれ？」

「さあ。ユーナか――」

「ユーナ？」アルフは疑わしげな口調で、「ユーナならぼくが死ぬまで放っとくに決まってる。ぼくとビニーによくしてくれたのはアイリーンだけだもん」といって、すごく悲しそうな顔をしたので、もうちょっとでかわいそうになるくらいだった。もうちょっとで。

「横になって」といって、毛布をとってくると、また子供部屋へ帽子とコートをとりにいき、舞踏室のドアのすぐ外のテーブルの上でそれを身につけた。アルフの病気の利点のひとつは、結果として生じる屋敷の混乱のおかげで、こっそり脱け出すのが楽になることだ。だれか交替する人間が来たときに。ユーナはどこだろう。スチュアート医師がミセス・バスコームに ユーナをよこすようにというのを忘れたのか？ それに、ミセス・バスコームが届けるといっていたお湯の瓶は？　アルフは震えている。

ドアにノックの音がした。やっとだ。そう思いながらドアを開けた。「アルフのようすを見にきたの」とビニーが舞踏室の中を覗き込んだ。

「ここに来ちゃだめよ、ビニー。あなたの弟はしかにかかってるの。うつるかもしれない」

「ううん、うつらない」ビニーはなんとかアイリーンの横をすり抜けようとしながら、「前にかかったことあるから」

「ウソだよ」アルフが寝台の上からいった。

「ウソじゃない。あんたは赤ん坊だったから覚えてないんだよ。あたしは体じゅう赤い点々だらけになった」

だとしたら不幸中のさいわいね、とアイリーンは思った。具合の悪くなったホドビン姉弟だけはかんべんしてほしい。それでもビニーを中に入れるつもりはなかった。「外で遊んでなさい」といってドアを閉めた。

ビニーはただちにまたノックした。アイリーンがドアを開けると、「アルフは病気のとき、だれかにそばにいてほしいんだよ。こわがってる」

アルフは生まれてこのかた、なにかをこわがったことなんか一度もない。「だれも中には入れません」といってまたドアを閉め、ロックした。

ビニーがまたノックした。「もう行きなさい」「医師の命令」

「アイリーン？」とアルフ。

「ビニーは中に入れないのよ」

アルフは首を振った。「そうじゃなくて、ぼく――」といって、また嘔吐した。アイリーンは洗面器をひっつかんだが、それをアルフの顔の下に突き出すのが一秒遅かった。シーツ、枕、パジャマがゲロまみれになった。またノックの音。「行って、ビニー！」とアイリーンは叫び、タオルをひっつかんだ。

「ユーナよ」おどおどした声がいった。

やれやれ。「入って」

「入れないの。錠が下りてる」アイリーンはアルフにタオルを渡して、ドアのロックをはずした。おびえた表情のユーナが入ってくる。「ミセス・バスコームに、あなたのかわりをしろっていわれて」

アイリーンは洗面器を彼女に渡してそのまま出ていきたい誘惑にかられた。「アルフのパジャマを脱がせて。わたしはこれを洗ってくるから。それと、ビニーは入れないで」アイリーンは洗面器をすすぎ、リネン室から新しいシーツをとってきて、清潔なパジャマを見つけ出した。舞踏室にもどると、ユーナはさっきとおなじ場所に突っ立ったままだった。

「病気はなに？」と神経質にたずねる。「流感？」

「いいえ」アイリーンはアルフを立たせて、パジャマの上のボタンをはずして脱がせ、胸をきれいに拭いてやった。「はしかよ」それから、ユーナの顔に浮かぶ恐怖の表情を見て、

「はしかにかかったことあるんでしょ？」とたずねた。

「ええ」とユーナ。「つまり、かかったかもしれない。はっきりしないの。でも、はしかの人を看病したことなんかない」

「医師《せんせい》が力を貸してくれるわ」アイリーンはシーツをはがして、寝台をベッドメイクしながらいった。アルフに手を貸してベッドに横たえ、毛布でくるむ。「スチュアート医師《せんせい》は今晩また来るって。必要なのは、アルフをあたたかくしておくことだけ」汚れたシーツとパジャマを抱えて、「それと、洗面器をそばに置いておいて。あと、ビニーを中に入れないこと」

そういって、舞踏室を脱出した。しかし、汚れたシーツのかたまりを抱えたままだし、階下の洗濯室へ持っていく危険はおかしたくなかった。ミセス・バスコームにお湯の瓶を渡されるか、他の子供たちの面倒を見る仕事をいいつけられるかもしれない。浴室のドアを開け、浴槽にシーツを投げ込んでからドアを閉めた。この状態で残していくのはうしろめたいが、しかたがない。ここを出なければ。

コートを着て帽子をかぶり、子供たちに聞き耳をたてた。みんな屋敷にもどってきたのか、それともビニーだけ？　そのビニーはどこに？　この期《ご》におよんでビニーに尾行されるわけにはいかない。階下でドアがバタンと閉まる音と、ミセス・バスコームの声が聞こえた。

「二階へ行って、持ちものを置いたら、すぐもどってきなさい。お茶の時間ですよ。それと、舞踏室には近づかないこと」

「どうして？」とビニー。「はしかにかかったことあるのに」

よかった、みんなキッチンにいる。いまのところは。アイリーンは廊下を走り、主階段を駆け下りた。レイディ・キャロラインがもどるか、医師がまだここにいたら、アルフの世話について訊きたいことがあるふりをすればいい。しかし、階下のホールにはだれもいなかった。よし。十五分後には降下点に到着し、帰途につく。アイリーンは広いホールを突っ切り、玄関ドアを開けた。

サミュエルズが片手に金槌、反対の手に大きな黄色い紙の束を持って立っていた。

「まあ」アイリーンは息を呑んだ。「医師《せんせい》はもう行っちゃった？」サミュエルズがうなずいた。「あら。まだ追いつけるかも」アイリーンは歩き出そうとした。

サミュエルズがその前に立ちふさがった。「出られないよ」アイリーンの帽子とコートにとがめるような視線を投げる。

「医師《せんせい》を呼びにいくだけよ」とサミュエルズの横をすり抜けようとした。

「いや、だめだ」サミュエルズは黄色い紙の一枚をさしだした。そのてっぺんには、〝ヴォリックシャー州厚生局の命令により〟とある。

「医師以外はだれの出入りも認められない」サミュエルズはアイリーンの手から紙をとりもどして、それをドアに釘で打ちつけた。「この屋敷と中の全員は隔離された」

島のべつの場所で。

——ウィリアム・シェイクスピア
『テンペスト』より

15　ケント　一九四四年四月

セスがオフィスのドアを開けて、中に首を突っ込んだ。「ワージング！」と呼びかける。返事をしないでいると、「アーネスト！　記者の芝居はやめて、いっしょに来てくれ。仕事できみが必要なんだ」

アーネストはタイプライターを打ちつづけた。「無理」歯と歯のあいだに鉛筆をはさんだまま、「新聞記事五本とラジオのニュース十ページ分を書かなきゃいけないんだ」

「それはあとでも書けるだろう」とセス。「戦車が来てるんだ。ふくらませないと」

アーネストは歯のあいだから鉛筆をとって、「戦車はグウェンドリンの仕事だと思ったが」

「彼はホークハーストに行ってる。歯医者の予約で」

「戦車よりそっちが優先？　歴史書のタイトルが目に浮かぶね。『第二次大戦の敗北は歯痛のせいだった』」

「歯痛じゃない。詰めものがとれたんだ。それに、ちょっと外の空気を吸うのはおまえの健康にもいいだろう」セスはタイプライターにはさんであった紙を引き抜いた。「おとぎ話を書くのはあとにしろ」

「いや、だめだ」アーネストは紙をとりかえそうとして空《くう》をつかみ、「この記事をあしたの朝までに書き上げないと、火曜版に載らない。そうなったらレイディ・ブラックネルに首をもがれる」

セスはアーネストの手が届かない高さに紙をかざし、記事を朗読した。「『尖り十字婦人会は、金曜午後、第21空挺部隊の将校を招き、来村歓迎お茶会を開催した』戦車をふくらますよりまちがいなく重要だな。一面トップの記事だよ、ワージング。察するところ、タイムズ用だろうね、きっと」

「サドベリー・ウィークリー・ショッパー用だ」もういちど紙をつかもうとして、今度は成功した。「締切はあしたの午前九時。まだぜんぜん手をつけてない他の四本の記事もだ。それと、おまえのおかげで、すでに先週の締切も飛ばしてる。モンクリーフを連れていけよ」

「たちの悪い風邪で寝込んでる」

「きっと、大雨の中、戦車をふくらませてるあいだに引いた風邪だな。おれの考える楽しみとはちょっと違う」アーネストは新しい紙をタイプライターにセットした。

「雨は降ってない」とセス。「薄い霧が出てるだけだし、朝には晴れるはずだ。完璧な飛行日和。だから今夜のうちに戦車をふくらませなきゃいけないんだよ。一時間か二時間で済む。もどってきてから記事を仕上げてサドベリーに送るだけの時間はたっぷりある」

アーネストはその言葉を信じなかったし、雨が降っていないことも信じなかった。春じゅうずっと雨だったのだ。「ほかにだれかやれるやつがこの館にいるはずだ。レイディ・ブラックネルは？　彼ならこの仕事にうってつけだ。やる気満々だし」

「彼はロンドンでお偉がたとの会議に出てる。ほかの全員は、キャンプ・オマハだ。頼むよ、ワージング。自分の子供に、お父さんは戦争のあいだじゅうタイプライターを叩いてたっていうのと、戦車をふくらましたっていうのとどっちがいい？」

「いつか任務のことを口外できる日が来るなんてどうして思うんだい、セス？」

「たしかにそうだな。しかし、いくらなんでも孫ができるころには、いくつか機密解除になってる任務もあるだろう。つまり、戦争に勝てば、ってことだけどね。おまえが力を貸してくれないと、その戦争にも勝てない。戦車と掘削機と、ひとりで両方の面倒をみるわけにはいかないからな」

「ああ、わかったよ」アーネストがタイプライターから記事をひっぱりだし、それをファイル・フォルダーに入れて、書類の山の上に置いた。「五分待ってくれ。戸締まりするから」

「戸締まり？　留守のあいだにゲッベルスが押し入ってお茶会の記事を盗むと本気で思ってるのか？」

「規則にしたがってるだけだよ」アーネストは椅子をくるっと回転させて金属製のファイル

・キャビネットのほうを向くと、上から二番めの引き出しを開けてフォルダーをしまい、ポケットからキー・リングをとりだして、鍵のひとつでキャビネットに施錠した。『フォーティテュード・サウスおよび特務ユニットによって書かれた文書すべては、最高の最高機密《トップ・トップ・シークレット》と見なし、それにしたがって扱うべし』規則といえば、牛がうようよしてる牧場で一晩中すごすんなら、まともなブーツがいる。『すべての将校は、任務にふさわしい装備を支給される』」

セスはアーネストに傘を渡した。「ほらよ」

「雨じゃなくて霧だといわなかったか」

「薄い霧だ。朝には晴れる。それと、作戦の最中にだれかがあらわれた場合に備えて、軍服を着用しろ。あと二分だ。暗くなる前に着きたい」セスは出ていった。

アーネストは耳をそばだてて待ち、外のドアが閉まる音が聞こえてから、すばやくファイルの引き出しを解錠すると、さっきのフォルダーをとりだして数ページを抜きとってからもとにもどし、また引き出しに施錠した。抜きとった数ページをマニラ封筒に滑り込ませ、封をしてから、それをデスクのいちばん下の引き出しに入っている書類の山の下に突っ込んだ。それから首に下げている鍵を使ってその引き出しをロックし、鍵をまた首にかけてからシャツの下にたくしこみ、傘をとり、軍服を着て長靴を履き、外に出た。

外は、すべてを包み込む黒っぽい灰色のかたまりだった。これがセスのいう薄い霧だとしたら、濃い霧はどんなものだろうと考えて、ぶるっと身震いした。戦車もトラックも見えない。足もとの砂利敷きの私道さえ見えない。

しかし、エンジン音は聞こえた。アーネストは両手を前に突き出し、その音に向かって手探りで進み、やがて両手がオースティンの側面に突き当たった。「どうしてこんなに時間がかかったんだ?」といいながら、セスが霧の中から身を乗り出して車のドアを開けた。「乗れ」

アーネストは車に乗り込んだ。「戦車がここに来てるといわなかったか」

「来てるよ」セスは闇の中、轟音とともにオースティンを走らせながらいった。「テンターデンでピックアップして、それからイクルシャムまで運ぶんだ」

テンターデンは〝ここ〟じゃない。イクルシャムとは反対の方向に、ここから十五マイル。この霧では、テンターデンに着いた段階で、とっくに日が落ちているだろう。これじゃあひと晩かかるな。午前九時の締切にはぜったい間に合わない。

しかし、ブリードの手前で霧がはれ、テンターデンに着いてみると、驚くべきことに、すべての荷は積み込みを終えて、いつでも出発できる準備が整っていた。アーネストは、セスが乗るトラックのあとについてオースティンを運転しながら、かすかな希望を抱きはじめた。荷を下ろして設置するのにそう時間がかからなければ、もしかしたらほんとうに、戦車配置任務が真夜中までに完了するかもしれない。だが、その時点でまた霧が降りてきて、セスはイクルシャムへの分岐点を二度、車線を一度まちがえた。牧場の正しい場所をつきとめたときには、すでに真夜中近くなっていた。

アーネストはオースティンを茂みのあいだに駐車し、ゲートを開けようと車を降りた。アーネストの足はただちに泥の中に足首まで沈み、なんとか泥から逃れたと思ったら、次は大きな牛糞を踏んだ。アーネストは文字どおり重い足でトラックに向かって歩きながら、牛の姿を求めて周囲を見渡した。もっとも、霧に覆われたこの闇の中では、牛に衝突するまでわからないだろう。「この牧場には牛がいないんじゃなかったのか」とセスに向かっていう。

「前はいたんだが、牧場主が牛をぜんぶ、となりの牧場へ移したんだよ」セスが窓から顔を出していった。「だからこの牧場を選んだんだ。それと、向こうにある大きな雑木林が決め手」といって、闇のどこかを漠然と指さす。「木々に隠れて戦車が見えないからな」

「そもそもドイツ軍に戦車を見せるのが目的じゃなかったのか」

「戦車の一部を見せるんだ」とセスが訂正した。「この大隊に、戦車は十二台参加してる」

「戦車十二台をふくらませなきゃいけないのか？」

「いや、三台だけだ。戦車隊は林の中に姿を隠したが、最後尾のほうが枝の下から覗いているという寸法だ。いちばん簡単なのは、牧場をバックで進むことだろうな。方向転換に手を貸してくれ」

「ほんとに名案だと思うか？」とアーネスト。「ものすごくどろどろだぞ」

「おかげで轍《わだち》が目立つんだ。心配しなくていい。このトラックはいいタイヤをはいてるから。泥にはまって立往生なんかさせるもんか」

セスはさせなかった。アーネストはさせた。三台の戦車を下ろしたあと、トラックを運転してゲートまでもどる途中だった。泥から脱出するのに二時間かかり、その過程でバランスを失ったアーネストは泥の上に倒れ込み、牧場の真ん中にぐちゃぐちゃのひどい痕跡を残すことになった。

「ゲーリングの兵隊は、戦車のキャタピラがこんな跡を残したなんてぜったい信じないぞ」

アーネストは攪拌された泥を遮蔽トーチで照らしながらいった。

「たしかに」とセス。「この跡が隠れるように戦車を配置して——そうだ！——その戦車が泥にはまって立往生したように見せかけよう」

「戦車は泥にはまったりしない」

「この泥なら動けなくなるさ。四分の三だけふくらませて、四分の一はぺちゃんこのままにしておく。そしたら傾いてるみたいに見えるだろ」

「一万五千フィートの上空からそう見えると本気で思うか？」

「さあねえ」とセス。「しかし、ここに突っ立って議論してたら、作業は朝までに終わらないし、おれたちの目論見《もくろみ》がドイツ軍にばれてしまう。さあ、手を貸してくれ。戦車を降ろして、それからトラックを運転して小道までもどろう。そうすればひきずっていかずに済む」

アーネストは重たいゴムのパレットを降ろすのに手を貸した。セスがポンプをつなぎ、戦車をふくらませはじめた。「向きはほんとにこれでいいんだろうな？」とアーネスト。「雑木林のほうを向いてなきゃいけないぞ」

「ああ、そうだな」セスは片手でトーチの光を遮り、戦車の上で照らした。「いや、反対だ。

こっちだ。動かすから手を貸してくれ」

重いかたまりを押したり引いたりして、反対を向かせた。「さあ、あとは上下逆さまじゃないことを祈ろう」とセス。『こちらが上』っていうマークをつけるべきだな。もっとも、ドイツ人に疑われそうだけど」セスがポンプを動かしはじめた。「ああ、よかった。トレッドがある」

灰緑色のゴムのぺちゃんこだったひだがふくらんで、戦車の前部がかたちをとりはじめた。びっくりするほど戦車っぽく見える。アーネストはしばらく作業を見守ってから、蓄音機とそれを載せる小さな木製のテーブルとスピーカーを運んできてセットした。トラックからとってきたレコードをターンテーブルに載せ、針を落とす。地響きをたててこちらに進んでくる戦車群の轟音が牧場を満たし、セスの声がまったく聞きとれなくなった。

その反面、もういちいちトーチを点灯する必要はない。ただあの音をたどっていくだけでいいんだから。トラックの後部から戦車トレッド掘削機を降ろそうと格闘しながら、アーネストはそう思った。もっとも、この牧場に、じっさいに牛がいるんだとしたら話はべつだが。しじゅう踏んづけてしまう真新しい牛糞の数から判断すると、いまもここに牛がいる可能性はおおいに高そうだった。

テンターデンまでの道中、セスから聞いた話では、掘削機の操作は非常に簡単だという。芝刈り機のようにただ押すだけでいい。しかし、掘削機は、芝刈り機のすくなくとも五倍の重さがある。ほんの十センチ動かすだけでも、ハンドルに全体重をかけて押す必要がある。

五センチ以上伸びた草の上ではまったく動かせないし、すぐ斜めにそれてしまう。トラックにもどって熊手をとってくると、失敗した箇所をもとどおりならし、さらに何回かやりなおしたあと、ようやくゲートから泥の中で立往生する戦車まで、おおむねまっすぐな轍をつくることに成功した。

セスはまだ、戦車の右前方四分の一に空気を入れている。「空気が漏れてる」セスは戦車の轟音に負けじと声を張り上げた。「自転車のパンク修理キットを持ってきておいてよかった。それ以上近づくな！　その掘削機は危ない」

アーネストはうなずき、戦車のもう一方の轍があるはずの場所に掘削機を向けると、ゲートめざしてもどりはじめた。「轍はあといくつ必要だ？」とセスに向かって怒鳴る。

「すくなくとも十二台分」とセスが叫び、「いくつかは重なっている必要がある。霧がはれてきたみたいだな」

霧ははれてきていなかった。針をもどしてレコードを最初から再生しようとトーチのスイッチを入れると、蓄音機は霧に包まれていた。もし仮に霧がはれたとしても、この暗闇ではとてもわからないだろう。アーネストは腕時計に目をやった。午前二時。なのにまだ一台の戦車も空気を入れ終わっていない。永遠にここにへばりついていることになる。

セスはようやく泥の中で立往生する戦車を完成させ、他の二台をふくらませるためにぬかるみの上を雑木林のほうへ歩いていった。アーネストは掘削機を押してそのあとにつづき、戦車が林の中へと入り込んだことを示すトレッドの轍をつくった。

ゲートと雑木林の中間あたりまで来たところで戦車の音が途絶えた。くそ、針をもどすのを忘れていた。はるばる牧場を横断して蓄音機のところまで引き返し、また最初からレコードを再生しなければならなかった。ようやくまた掘削機を手にしたとき、たしかに霧がはれてきた。

「いっただろ」とセスが楽しげにいい、とたんに雨が降りはじめた。

「蓄音機が！」とセスが叫び、アーネストはトラックから傘をとってきて蓄音機の上にさしかけ、傘の柄を戦車のゴム製の砲塔にロープで結びつけた。

雨は夜明けの直前までつづき、ぬかるみの状態をさらに悪化させた。牧草もさらに滑りやすくなり、アーネストはあと二回も転んでしまった。そのうちの一回は、蓄音機の針を動かそうと走っているときのこと。針がひっかかって、戦車が驀進するおなじ三秒間が何度も何度もくりかえされていたのである。二度めは、セスが新たなパンクを修理するのを手伝っているときだった。

「まあしかし、孫に聞かせる戦争の思い出話のことを考えてみろよ」といいながらセスは泥を拭った。

「おれに孫ができるかなあ」アーネストは泥を吐き出しながら、「今夜を生き延びられるかどうかさえ疑わしいよ」

「ばかばかしい。いまにも日が昇るし、こっちの作業はほとんど終わった」セスは腰をかがめて、泥に刻まれたトレッド痕を検分した。本物そっくりに見えることは認めざるをえない。

「あと二本つくったら、この最後の戦車の分は終了だ。朝食に間に合う時間に帰れる」

午前九時までに記事を仕上げてサドベリーに送るのにも間に合う。そう思いながら、他のトレッド痕と揃うように掘削機の向きを調整し、強く押した。とにかくよかった。鍵をかけた引き出しの中とはいえ、あと一週間、他の記事を寝かせておくのは気に入らない。自分が向かう方向が部分的に見えるようになり、一メートル進むごとに立ち止まってトーチで照らしてチェックしなくて済むようになったのだから、あと二十分もすれば、トレッド痕を刻み終えて撤収できる。もどるのに四十五分。遅くとも七時には帰りつける。それだけあればだいじょうぶだ。

しかし、ほんの二、三メートル進んだところで、セスが霧の中からぬっとあらわれて、アーネストの肩を叩いた。「霧がはれだしてる。ここを離れたほうがいい。おれは戦車を終わらせるから、おまえは先に装備のかたづけをはじめてくれ」

セスのいうとおりだった。霧は薄くなりはじめている。灰色の夜明けの中で不気味に浮かぶ木々のぼんやりしたシルエットが見分けられる。牧草地の先には、フェンスと、のんびり浮かぶ——草を食《は》む三頭の白と黒の牛——さいわい、向こう側だ。

アーネストは防水シートをたたみ、傘を縛りつけていたロープをほどいてポンプといっしょにトラックに運び込み、それから掘削機をとりにまたもどってきた。持ち上げてから、これを向こうまで抱えていくのはとても無理だと判断し、地面に降ろしてコードをひっぱると、エンジンをかけた。掘削機を全力で押して、戦車の左のトレッドの真正面から牧草地の端まで、最後の一本となる轍をつくり、そこからトラックまではよたよたしながら引きずっていった。掘削機を持ち上げて、トラックの後部に載せるころには、霧が割れて、たなびく長いすじがベールのように牧場の上を漂いはじめた。長いトレッド痕が雑木林までつづいているのが見える。その先では、不完全に隠された戦車の後部が葉のあいだから覗き、その奥にさらにもう一台が見える。どうやってつくったのか知っていてさえ、まるで本物のように見えた。まして、一万五千フィート上空からなら、偽装は完璧のはずだ。牧場の真ん中にぽつんと置かれた蓄音機さえなければ。

回収するためにまた引き返した。じっさい、数メートル先まで視界が利く。しかし、戦車のそばまでやってきたときには、また濃密な霧が降りてきて、すべてを覆い隠した——すぐ横の戦車さえ見えない。アーネストは蓄音機の蓋を閉じて留め金を下ろし、テーブルを畳んだ。

「セス！　そっちはどうだ？」たぶんそのあたりにいたはずだと思う方角に向かって呼びかけたとき、とつぜん、舞台の緞帳《どんちょう》がするすると上がるように、霧がさあっとはれて、雑木林と牧場全体が見通せるようになった。

そして、一頭の牛が見えた。牧場の真ん中あたり。ぼさぼさの毛を生やした巨大な茶色い動物。ビーズのような小さな目と、ばかでかい角。じっと戦車を見ている。

「おい！　そこの！」柵のところから声がした。「おらの牧場でなにをやってる？」アーネストが反射的にふりかえると、農夫が立っているのが見えた。

雄牛もそちらを見た。

「そのクソ戦車をおらの牧場からどかせ!」人差し指を宙に突き上げ、大声で怒鳴る。

雄牛はしばらく魅入られたように指を見ていたが、やがてその頭をぐるっと動かし、まっすぐアーネストを見た。

「わたしにとって、大きな悔恨の種は、記録を途切れさせざるをえなかったことだ。そのため、裸のご婦人たちで有名な某劇場と違って、『一日たりとも閉めたことはありません』と自慢することはできなかった」

——セント・ポール大聖堂首席牧師
W・R・マシューズ、
ロンドン大空襲を回顧して

16

ロンドン
一九四〇年九月十五日

タイムラグの利点は、ひっきりなしに爆弾が投下され、高射砲が咆哮をつづけるなかだろうと、冷たい石の床の上だろうと、ぐっすり眠れることだ。ポリーは空襲警報解除のサイレンが鳴り響くあいだもこんこんと眠りつづけ、目を覚ましたとき、防空壕に残っていたのは、床に敷いていた毛布を畳んでいるライラとヴィヴ、それに不機嫌そうな顔のミセス・リケットだけだった。

出ていくとき、わたしがなにか盗まないように見張っているつもりなんだろう。ポリーは自分のバッグと〝貸間〟のリストを持って立ち上がった。部屋を見にいくとして、日曜の朝は何時からだったら失礼にならないんだろうか。腕時計に目をやった。六時半。さすがに早すぎる。頭はまだぼうっとしている。ここに残って眠るわけにいかないのが残念だ。細い腕を胸の前でいかめしく組んで、ライラとヴィヴをにらんでいるミセス・リケットがそれを許してくれるとはとても思えない。

ふたりがくすくす笑いながら出ていくと、ミセス・リケットがポリーのほうに近づいてきた。早く出ていけと急《せ》かすつもりなんだ。あわててコートを着込み、「すみません、すぐに――」と口を開きかけた。

「部屋を探してるのかい?」ミセス・リケットは、ポリーが手にしている新聞を指さした。

「はい」

「うちに空き部屋があるんだけどね」とミセス・リケット。「下宿屋をやってる。新聞に広告を出すつもりだったけど、もし興味があるようなら……」

「住所はどちらですか」

「カードル・ストリート14番地。これからいっしょに来れば、部屋を見られるよ。遠くないから」

しかも、ダンワージー先生が承認した住所だ。「はい」ポリーはミセス・リケットのあとについて戸口を出て階段を上がった。「ありがとうございます」外に出たところで立ち止まり、さっきまで地下にいた建物を見上げた。夜明けの空をバックに尖塔がそびえている。

教会だ。牧師がいたことと、祭壇の花についての議論も、それで説明がつく。いま上がってきた階段は、教会の側面にあり、その横の壁には掲示板が出ていた。〈セント・ジョージ教会、ケンジントン〉とある。〈主任牧師《レクタ》フロイド・ノリス師〉

「シングルの部屋は、賄《まかな》い付きで十シリング八ペンス」通りを渡りながら、ミセス・リケットがいう。「こぢんまりした、いい部屋だよ」

ということは、ものすごくせまくて、たぶんひどい部屋だろう。でも、たった六週間のことだ。いや、ずれのおかげで、五週間ちょっとか。それに、部屋で過ごす時間はとても短い。昼間はずっと百貨店で働き、夜は地下鉄駅のシェルターで過ごすんだから。

「最寄りの地下鉄駅まではどのくらいですか？」

「最寄り駅はノッティング・ヒル・ゲート」ふりかえって、歩いてきた方角を指さし、「通りを三本越したところ」

完璧だ。ノッティング・ヒル・ゲート駅は、ホルボーン駅やバンク駅ほど深くないが、一度も爆撃されていないし、オックスフォード・ストリートまではセントラル線で一本。おまけにカードル・ストリートまでは四百メートル以内。ダンワージー先生も大喜びだろう。もし、居住可能な部屋なら。

居住可能だった。かろうじて。建物の三階で、あまりに〝こぢんまり〟しているので、ベッドが部屋の大半を占拠している。ミセス・リケットはその足もとの側をすり抜けるようにして、奥の衣裳だんすのところへ歩いていった。床はレバー色のリノリウムで、壁紙の色はさらに暗く、ミセス・リケットがひとつきりの小さな窓にかかっている灯火管制用の遮光カーテンを開けても、ほとんど光が入ってこない。洗面所は三階と四階のあいだ、バスルームは四階で、湯は別料金。

しかし、ダンワージー先生の出した条件すべてを満たしているし、貴重な時間を部屋探しに費やしたくなかった。ミセス・リケットは家主として最低のタイプじゃないかという気がするものの、住む場所が決まっていれば、面接を受けた百貨店とも連絡がつきやすい。「電話はありますか？」

「一階の玄関ホールに。ただし、市内通話専用。六ペンス。市外通話《トランク・コール》をかけるときは、ランプドン・ロードに電話ボックスがある。午後九時以降は電話禁止」

「借りることにします」といってポリーはハンドバッグを開けた。

ミセス・リケットは片手を差し出し、「一ポンド五シリング。前払いで」

「でも、さっき十シリング八ペンスだと……」

「この部屋はダブルだからね」

戦時下における寛容の精神という伝説もこれまでか。「シングルの部屋は空いてないんですか？」

「あいにくだけど」

空いていたとしても、空いてるというつもりはないだろう。でも、たった五週間のことだ。

ポリーは下宿代を支払った。

ミセス・リケットはそれをポケットにしまって、「二階から上は、男性の訪問客の立入禁止。喫煙と飲酒、部屋の中での料理も禁止。平日は、朝食午前七時、夕食午後六時。日曜は、昼食が午後一時で、夕食は冷たい軽食」片手を差し出して、「配給手帳を貸して」

ポリーは手帳を渡して、すぐ食事にありつけることを期待しつつ、「朝食はもう食べられるんですか？」とたずねた。

「あんたの賄いはあしたからだよ」という言葉に、思わず配給手帳をひったくって、他の下宿屋を探すといいたくなった。「これが部屋の鍵。それと、こっちは玄関の鍵」

「ありがとうございます」と答えて、ミセス・リケットをじりじりと戸口のほうに追いやろうとしたが、まだいくつか伝達事項が残っていた。「子供とペットは禁止。部屋を出るときは、十四日前に連絡すること。前の下宿人みたいに、空襲に怯える人じゃないといいけど」

「だいじょうぶです」タイムラグがひどくて、立っているのもやっとなだけ。

「灯火管制カーテンは五時までに引いておくこと。だから、その時間までに仕事から帰宅しないときは、朝出かける前に引くように。灯火管制違反の罰金は各自支払ってもらうからね」といって、ようやくミセス・リケットは部屋を出ていった。

ポリーはベッドに倒れ込んだ。降下点を見つけて、ここからの道すじと、教会からの道すじを調べておく必要がある。それから地下鉄駅を見つけて、オックスフォード・ストリートに行って、あしたは何時に店が開くのか確認しなければ。でも、疲れすぎていた。タイムラグの症状は前回以上にひどい。あのときは、ひと晩ぐっすり眠るだけでじゅうぶん適応できた。ゆうべは防空壕で八時間近く眠ったのに、まるで徹夜したみたいに疲労困憊している。

それに、これから先、たっぷり睡眠がとれる機会はありそうにない。ゆうべはタイムラグのおかげで空襲のさなかも爆睡できたが、毎晩あんなにぐっすり眠れるとは思えない。時代人はみんな、大空襲のあいだ睡眠不足になったと愚痴をこぼしている。眠れるうちにたっぷり眠っておくのが得策だろう。もっとも、じっさいには選択の余地などなかった。眠すぎて、ベッドに潜り込むのも億劫《おっくう》なほど。靴を脱ぎ落とし、しわにならないようにジャケットとスカートを脱ぎ、スプリングがきいきい鳴るベッドに潜り込んで、瞬間的に眠りに落ちた。

三十分後に目を覚まし、そのまま横になっていた。そのまま横になりつづけた。数時間にも思えた二十分が過ぎて起き上がり、タイムラグの予測不能の症状に悪態をつきながら服を着て部屋を出た。廊下にはだれもいないし、どの部屋からも物音は聞こえてこない。ほかの下宿人はすやすや眠っているらしい。そう思ってむっとしたが、階下に降りてみると、食堂のほうから話し声が聞こえてきた。みんな朝食をとっている。すると、急に腹が減ってきた。

もちろんおなかも空くでしょうよ、この百二十年間、なにも食べてないんだから。そう思いながら玄関を出た。ランプドン・ロードにティー・ショップがあった。もう開いてるかもしれない。今後のために通りの数を数え、目印になる建物を脳裏に刻みながら、セント・ジョージ教会までてくてく歩いていった。朝食にはなにを食べよう。ベーコン・エッグだ、と決心した。これが最後のチャンスかもしれない。ベーコンは配給制だし、卵はすでに供給不足になっている。それに、ミセス・リケットの食卓はたぶん、質には期待できない気がする。

教会にたどりついた。祈禱書《きとうしょ》を持った女性が正面入口の扉の前に立っていた。「おそれいりますが」とポリーは声をかけた。「ランプドン・ロードはどちらの方角でしょうか」

「ランプドン・ロード？　この道がそうですよ」

「まあ。ありがとうございます」といって、ポリーは行き先がわかっているような顔をして足早に道路を歩き出した。さっきの女性は胸の前で祈禱書を握りしめ、こちらを見ている。〈不審な行動をとる人物を見かけたら、すぐ通報〉のポスターを見ていなければいいんだけど。

女性のいうとおりだった。この道はまちがいなくランプドン・ロードだ。この特徴的なカーブはゆうべの記憶にある。教会は、思ったより降下点と近かったにちがいない。細い道路をひとつ横断すると、次の角に薬局が見えた。その先にはティー・ショップ。あいにく、まだ開店していない。通りの反対側には、新聞スタンドと、ゆうべ店の前にキャベツの籠が置いてあった八百屋。ドアの上には、〈T・タビンズ青果店〉と看板が出ている。

ということは、降下点は次の路地沿いにほんの数メートル行ったところにある。ゆうべは暗闇の中でずっと長く歩いたような気がしたが、きっと防空監視員がまわり道をしたんだろう。路地のほうを向いた。いますぐ降下点を抜けてラボに住所とずれのことを伝えたほうがいいだろうか。ずれがどのくらいか記録するようにとバードリは明言していた。こういう事態をいくらかでも予想していたのだろうか。四日半のずれは分岐点のせいにちがいないし、大空襲の初期には分岐点がたくさんある。だからこそ、七日ではなく十日に到着するようにしたのだ。でも、もしいま出頭したら、百貨店に就職が決まったあと、また報告にもどらなければならない。ポリーとしては、ダンワージー先生に現地調査をキャンセルされる危険は必要最小限にとどめたかった。

あした、仕事が決まってから出頭しよう。念のため、ゆうべの路地にまちがいないかどうか確認した。まちがいない――樽と、壁にチョークで書いたユニオンジャックと〈ロンドンはまけない！〉のスローガン。そのあと、開いているレストランを求めてランプドン・ロードを引き返した。

北のほうは住宅ばかりで店は見当たらない。セント・ジョージ教会を通り越し、道がカーブしているところまで行ってみたが、そちらのほうにも、シャッターの下りている菓子屋と服屋、玄関の両側に砂嚢《さのう》を山積みにした防空監視団《ARP》支部しかない。追加料金を払うから賄いをきょうからにしてほしいと交渉すればよかった。すでにシェルター食堂が開設されて営業していることを期待してノッティング・ヒル・ゲート駅に行ってみたが、駅全体で見かけた食べものといえば、セントラル線のホームで小さな男の子が食べていたすぐりのパンだけだった。

乗り換え駅のオックスフォード・サーカス近辺には当然もう開いているレストランがあるだろうと思ったが、やはりどこも開店前で、オックスフォード・ストリートは無人だった。ポリーは閉まっている店やデパートを見ながら、長い商店街を歩いていった。ピーター・ロビンソン、タウンゼンド・ブラザーズ、巨大なセルフリッジ。グレイの石造りの堂々たるファサードと柱を擁する建物は、どれも百貨店というより宮殿のようだ。

そして、破壊不能に見えた。いくつかの店のショー・ウィンドウに貼ってある〈安全快適なシェルター設備あります〉と告知する小さな印刷カードと、赤い郵便ポストに貼ってあるイエロー・グリーンのガス探知シールをべつにすれば、戦時中であることをうかがわせるしるしはなにもない。ボーン＆ホリングズワースは〝この秋流行の婦人帽〟を、メアリ・マーシュは〝最新モードのダンス・パーティ用ドレス〟を宣伝し、トマス・クックのウィンドウはいまも〝あなたの旅行を手配します〟と宣言していた。

旅行って、どこへ？　ヒトラーが占領したばかりのパリでも、ヨーロッパの他の場所でもないのは明らかだ。ジョン・ルイス百貨店は毛皮のコートのバーゲンを開催中。だが、それも長くはない。ポリーは店の正面で足を止め、巨大な正方形の建物と、大きなショー・ウィンドウのディスプレイを記憶に刻みつけようとした。水曜の朝には、ここは焼け焦げた廃墟と化してしまう。

ポリーはその前を通り過ぎて、マーブル・アーチへと歩きながら、店の前に掲示された営業時間をチェックし、〈従業員募集〉のカードを探したが、唯一見つかったのはパジェット百貨店で、ここはダンワージー先生の禁止リストに載っている。もっとも、パジェットが爆撃されるのは、ポリーの任務終了の三日後、十月二十五日のことだ。

それと同時に、どこか食事ができる場所も探したが、目に入るレストランはすべて〈日曜休業〉の札が出ているし、たずねられる通行人もいない。ようやく、パーソン百貨店の外で立ち話をしている十代の少年と少女を見つけた。しかし、近づいてみると、ふたりが地図を眺めているのがわかった。ということは、ふたりも地元の人間ではない。「ロンドン塔に行って」と少女が地図を指さし、「ワタリガラスを見物できるわ」

コリンと変わらない年ごろに見える少年は首を振った。「いま、ロンドン塔は監獄に使われてるよ、むかしみたいに。ただし、いま監禁されてるのは王族じゃなくて、ドイツのスパイだけど」

「首を斬るの？」と少女がたずねた。「アン・ブーリンみたいに」

「いや、いまは絞首刑だよ」

「残念」と少女はがっかりしたようにいった。「すごく見たかったのに」

どっちだろう。ワタリガラス？　それとも首斬り？

「幸運のしるしなのよ」少女がいった。「ロンドン塔にワタリガラスがいるかぎり、イングランドはけっして倒れない」

だから、来月ワタリガラスが爆風で死ぬと、政府は秘密裡に死骸を処理し、新しいワタリガラスを補充する。

「すっごく不公平！　せっかくのハネムーンなのに！」と少女は唇をとがらせた。

ハネムーン？　コリンがここにいなくてよかった。もしいまのを聞いていたら、火に油を注ぐことになりそうだ。

少年はしばらく地図をためつすがめつしてから、「ウェストミンスター寺院へ行けるよ」

観光旅行に来てるんだ、大空襲の真っ最中なのに。ポリーは感嘆した。

「それとも、マダム・タッソーの蠟人形館へ行って、アン・ブーリンや、ヘンリー八世の他の奥さんたちを見るかな」

いいえ、それは無理。蠟人形館は十一日に爆撃されてる。心の中でそうつぶやいてから、そうだ、わたしも観光しようと思い立った。職探しはあしたからだし、防空壕での行動を観察するのも今夜までおあずけ。百貨店に勤めはじめたら、ロンドンを観光してまわる時間なんかほとんどなくなる。これが唯一のチャンスかもしれない。

それに、ウェストミンスター寺院やバッキンガム宮殿のそばには開いているレストランがあるだろう。爆弾が直撃して王と王妃があやうく殺されかけた宮殿の北端だって見物できる。地下鉄駅にもどろうと歩きながら思った。それとも、大空襲で失われた場所を見にいくべきかもしれない。ロンドン市庁舎とか、十二月二十九日に焼失したクリストファー・レン建築の教会のどれかとか。

それとも、セント・ポール大聖堂を見物にいってもいい。ポリーはふと思った。ダンワージー先生はセント・ポール大聖堂を崇拝し、いつもその話をしている。わたしが実際に大聖堂へ行って、先生が誉めちぎるものすべて——ネルソン提督の墓、囁きの回廊、ウィリアム・ホルマン・ハントの『世の光』などなど——を見物し、どんなに美しかったかを先生に話したら、もう一週間、余分に滞在させてくれるよう説得できるかもしれない。あるいは、せめて現地調査のキャンセルを思いとどまらせるか。

いいえ、待って。ダンワージー先生の話によれば、この九月、セント・ポール大聖堂の下に不発弾が潜り込んだはずだ。ええっと、でもそれは九月十二日の朝。つまり先週の木曜だ。掘り出すのに三日かかったという話だから、きのうの十四日には作業が終わっているはず。

それなら、大聖堂はまたオープンしているだろう。

セントラル線のほうに歩き出したところで気が変わり、ベイカールー線でピカデリー・サーカスまで行くことにした。そこからバスに乗って行けば、途中で多少なりともロンドン見物ができる。それに、ピカデリー・サーカスに開いているレストランがあるかもしれない。

ピカデリー・サーカスは、オックスフォード・ストリートより人出が多かった。兵士たち、〈最新の戦況〉と記された広告板の横で新聞を呼び売りしている老人。しかしここでも、開いている店は一軒もない。広場中央のエロス像は板で囲われていた。ギネスの時計や、ボブリルとリグリー・チューインガムの巨大広告看板は残っているものの、派手な電飾は消えていた。灯火管制がはじまった時点で、電球はすべて撤去されたのだ。

開いているカフェを探してシャフツベリー・アベニューとヘイマーケットをちょっと歩き、またピカデリー・サーカスにもどったところで、ちょうどセント・ポール大聖堂行きのバスが見つかった。バスに乗り、幅のせまい螺旋階段を上がって、屋根のない二階のオープンデッキに出た。こっちのほうがずっと見晴らしがいい。もっとも、デッキにいるのはポリーひとりだけで、バスが動き出したとたん、理由がわかった。凍えるほど寒い。コートのポケットから出した手袋をはめ、コートの前をぎゅっとかき寄せる。下に降りようかと考えたが、前方にトラファルガー広場が見えてきたので、我慢して上にとどまることにした。

大きな広場はほとんど無人だった。噴水も止まっている。五年後には終戦を祝って歓声をあげる大群衆でごった返すことになる場所だが、いまは鳩にまで見捨てられている。ネルソン記念柱の台座は〈戦時国債を買いましょう〉の横断幕に覆われ、だれかがブロンズのライオン像の耳にユニオンジャックを縛りつけていた。ライオンの前足をたしかめたが、まだ爆弾の破片で欠けてはいなかった。それから、ポリーは思いきり首をそらせて、柱のてっぺんに立つ、三角帽をかぶったネルソン提督を見上げた。

ヒトラーは、ロンドンを制圧したあと、この記念碑をライオンその他一切を含めてまるごとベルリンに運び、国会議事堂《ライヒスターク》の前に据えつける計画だった。それだけでなく、ヒトラーの計画では、ウェストミンスター寺院で、みずからヨーロッパ皇帝として戴冠し――極秘の侵略計画書の中にすべて書き記している――知識人をはじめとする邪魔者すべてを処刑するはずだった。それにもちろん、ユダヤ人も処刑される。ヴァージニア・ウルフは〝処理〟リストに名前が載っていた。ローレンス・オリビエとC・P・スノーも。それにT・S・エリオットも。しかもヒトラーは、この計画の実現に、信じられないほど近づいていた。

バスはナショナル・ギャラリーの前を通過して、広いストランドを走り出した。このあたりでは、戦争関連の看板や砂嚢、防空壕の案内が目立つ。サヴォイ・ホテルの外には消火用の大きな貯水タンク。空襲の被害は見当たらない。それも今夜で変わる。あしたのこの時刻には、いま通過しているほとんどすべての店のウィンドウが砕け散り、いま走っている道路には巨大なクレーターができている。きょう来てよかった。

バスはフリート・ストリートに入った。前方に、一瞬だけセント・ポール大聖堂が見えた。ダンワージー先生は、大聖堂の鉛色のドームがラドゲート・ヒル高くそそり立ち、ロンドンの街を見下ろしていると話していたが、フリート・ストリートに面して建つ新聞社各社の本社ビル群のあいだや上にときどき垣間《かいま》見《み》えるだけだった。これらの新聞社ビルはすべて、いまから数週間後に爆撃の被害に遭い、翌朝の朝刊を出せたのは一紙だけだった。その朝刊の見出しを思い出して、ポリーはにっこりした。〈爆弾、フリート・ストリートの秋《フォール》に落《フォ》下《ール》〉

セント・ブライド教会がすぐ前方に見える。ポリーは身を乗り出し、デコレーションされた層とアーチ窓を擁するウェディングケーキ型のとんがり屋根を眺めた。十二月二十九日、あのアーチ窓は炎に明るく照らされる。いま通り過ぎてゆく建物のほとんども。その夜、ロンドン旧市街のこの一画全体が、ロンドン市庁舎とレン建築の教会八つを含めてまるごと焼け落ち、歴史的には第二のロンドン大火と呼ばれることになる。

でも、セント・ポール大聖堂は無事だった。その夜、ここから見守っていた記者たちは、大聖堂もおしまいだと思ったけれど。アメリカ人記者のエドワード・R・マロウは、ラジオ放送をこんなふうに語りはじめた。「今夜、こうしてわたしが話をしているいまも、セント・ポール大聖堂は炎上し、燃え落ちようとしています」

けれど、燃え落ちなかった。セント・ポール大聖堂はロンドン大空襲を生き延び、第二次世界大戦を生き延びた。

それでも、二一世紀のテロリスト時代を生き延びることはなかった。いまバスが通過している風景すべては、殉教者コンプレックスとピンポイント爆弾を抱えたテロリストを生き延びられなかった。いまは前方にそびえる大聖堂のドームをもう一度ながめた。もうすぐ到着だ。

しかし、しばらくすると、バスは鋭く右に曲がって大聖堂から離れた。ポリーはデッキの端に寄って、下の通りを見下ろした。木挽《こび》き台と〈立入禁止区域〉と書かれた警告板とで封鎖されている。

この先に爆弾が落ちたんだ。バスは通りを二本越してからまた東に折れたが、その通りも、張り渡されたロープと〈危険〉と書かれた板でふさがれていた。その前でバスが停車すると、黒いヘルメットをかぶった警官がやってきて、運転手となにごとか話しはじめた。バスはそのあと縁石に寄ってドアを開き、乗客はぞろぞろと降りていった。空襲？　なにも聞こえなかったけれど、エンジン音がうるさくてサイレンが聞こえないことがあるから注意したほうがいいとコリンがいっていたし、乗客はみんな降りてしまう。ポリーは螺旋階段を駆け下りた。

「空襲ですか？」と運転手にたずねる。

運転手は首を振り、警官がいった。「不発弾《UXB》です。この地域全体が封鎖されました。どちらへいらっしゃるんですか？」

「セント・ポール大聖堂です」

「セント・ポールへは行けませんよ。不発弾があるのはそこなんですから。時計塔のとなりの道路に落ちて、基礎に潜り込んだ。大聖堂の真下にあるんです」

いいえ、もう撤去されてるわ。と心の中でいったが、それを口に出すわけにはいかない。

「残念ながら、またべつの機会にするしかありませんね」と警官がいい、運転手が「このバスでピカデリー・サーカスまでもどれますよ。それとも、ブラックフライアーズ駅から地下鉄に乗るか。すぐそこです」といって、丘の下を指さした。地下鉄駅のマークが見える。

「ありがとう。そうします」といってポリーは運転手が指さした方角に歩き、最初の角でふりかえって、彼らがこっちを見ているかどうかたしかめた。だいじょうぶだ。ポリーは横道に飛び込み、次の通りまで足早に歩いて、また坂を登り、バリケードを突破する道をさがした。警官以外に目撃される心配はない。この地域は会社と倉庫ばかりだ。日曜日には無人だろう。二十九日の火災が燃え広がったのはそれが原因だった。その日も日曜日で、焼夷弾を消す人間がだれもいなかった。

この通りの端にも、警官がひとり歩哨に立っていたので、次の通りに向かった。こちらの通りの先はせまい路地の迷路だった。どうして火事が燃え広がったのかはよくわかる。倉庫と倉庫のあいだはほんの数十センチしか離れていない。炎は建物から建物へ、通りから通りへと容易に飛び移れる。ここからは大聖堂のドームも西の塔も見えないが、いま歩いている路地は上り坂だった。縁石の上にぼやけた白いペンキの字で〈アーメン・コーナー〉と書いてあるのが判読できる。かなり近づいているはずだ。

まちがいない。これはパタノスター・ロウだ。ポリーはその通りを歩き出した。必要とあればいつでも戸口に飛び込んで身を隠せるように、なるべく建物のそばを進む。やがて、セント・ポール大聖堂の正面が見えてきた。大きな階段と、柱の立つ広いポーチ。

でも、不発弾の撤去に要した日数に関するダンワージー先生の話はまちがいだった。トラック一台とポンプ車二台が中庭に停まっている。階段の端のすぐ先には、巨大な穴がぽっかり口を開けていた。そのまわりには黄土色の土が山をなし、シャベルやウィンチやつるはしや厚板があちこちに散らばる。土まみれの作業服を着た男がふたり、そろそろと穴の中へロープを下ろしていた。べつの二人が消防用のホースをかまえ、さらに数人が作業を熱心に見守っている。中には司祭服を着た人の姿もあった。どう見ても、不発弾はまだあの下だ。爆弾処理班のクルーの表情からして、いつ爆発しても不思議はないらしい。

だが、爆発はしなかった。不発弾はつつがなく運び出されて、ハックニー・マーシュで爆破された。ということは、爆弾がいまここにあろうがなかろうが、大聖堂の中に入るのはまったく安全だ。姿を見られずに、彼らの前を突破することさえできれば。

大階段のてっぺんにある大聖堂の扉に目をやった。たとえ施錠されていないとしても、重すぎて、すばやく――しかも静かに――開けるのはむずかしそうだ。

男の声が叫んだ。「無理だ――いったいぜんたいどこへ――?」急に途切れ、心臓が止まるような、ズシンという音がうつろに響いた。

たいへん、爆弾を落っことしたんだ、とポリーは思った。撤去に要する日数の件では、ダンワージー先生の話はまちがっていた。不発弾が爆発しなかったというのもまちがいだったら？

でも、もしここで爆発したのなら、大聖堂は崩壊していたはず。そうなれば、十二月二十九日の夜、大聖堂を救おうと英雄的な努力がなされることもなく、ひいては、炎と煙の上に傲然とそそり立つ大聖堂の写真が、降伏を拒否する英国の決意のシンボルとして戦意を高揚することもなく、ロンドン大空襲は——そして第二次世界大戦は——まったく違う道をたどったことだろう。

数分の一秒のあいだにこうした考えが脳裏を駆けめぐったが、ポリーは穴のほうに目をやって、さっきのズシンという音がそこから聞こえたのではないことに気づいた。男たちはあいかわらず、じっと穴を見つめながらロープを少しずつ下ろしている。ポリーはポーチのほうをふりかえった。丈の長い黒の牧師平服《カソック》を着てヘルメットをかぶった男が柱のうしろからあらわれ、かなてこを手に、急ぎ足で穴のほうに歩いていく。

柱のうしろにもうひとつ扉があるのが見えた。さっきのは、あの扉が閉じる音だったんだ。ヘルメットの牧師がポーチから階段を降りていくなり、ポリーは戸口を離れてようすを見にいった。そのあいだも油断なく男たちを見張っていたが、だれも顔を上げない。牧師が消防士のひとりにかなてこを渡したときでさえ、じっと穴のほうを見ていた。

柱の向こうにはたしかに扉があった。玄関扉よりも小さく、当然、施錠はされていない。

だが、中にだれかいるかもしれない。もし見つかったら、なんと言い訳しよう？　すみません、バリケードにもポンプ車にも消防士にも、ぜんぜん気がつかなくて……。もしそんなことで逮捕されたら？　でも、もうここまで来ている。ポリーは用心深く中庭を歩き出した。

「ストップ！」とだれかが叫び、ポリーは凍りついた。だが、だれもこっちを見ていない。一心に穴を見つめている。男たちはロープを下ろすのをやめ、消防士のひとりが片ひざをつき、両手をメガホンがわりにして、穴の中に向かって怒鳴った。「左に動かしてみてくれ」

つっかえたんだ。ポリーは中庭を突っ切り、大階段を駆け上がり、ポーチを抜けて、小さい扉をひっぱった。扉は重く、一瞬、やはり鍵がかかっていたのかと思ったが、そのときやっと扉が動いた。するりと中に滑り込んで、静かにそっと扉を閉めた。

そこは、暗くて細長い控えの間だった。しばらくそこに立って聞き耳をたてたが、聞こえるのは、大きな建物に特有の静けさだけ。忍び足で控えの間を出ると、側廊に入り、身廊のほうを見やった。木製の案内デスクが置かれているが、だれもいない。北通路も無人だった。

ポリーは身廊に足を踏み入れた。そして、息を呑んだ。

セント・ポール大聖堂は唯一無二だとダンワージー先生はいっていたし、ポリー自身、動画や写真をたくさん見ていた。それでも、こんなに美しいとは思いもよらなかった。それに、こんなに広大だとも。通路のせまいゴシック様式の教会を予想していたが、ここは広々としてて天井も高い。身廊は、どっしりした四角い柱に支えられた一連の丸みを帯びたアーチがつづき、みごとな景観――ドーム、聖歌隊席、内陣、祭壇――のすべてが、湾曲した金色の天井や、金色の手すりがついたバルコニー、金箔のモザイク、金色がかった石そのものから降り注ぐ豊かであたたかい金色の光に照らされ、空気そのものも金色に染まっている。

「きれい……」ポリーは思わずつぶやき、そのときはじめて、大聖堂の破壊がなにを意味しているかを実感した。いくらテロリストだとしても、どうしてあんなことができたのか。二〇一五年九月のある朝、大聖堂にやってきて、五十万人の人間を殺した。そして、これを破壊した。

しかし、そのとき破壊すべき大聖堂が存在したのは、いまこの瞬間、地下に潜り込んだ不発弾が爆発せず、ヒトラーの空軍の爆撃によっても炎上しなかったからだ。

ドイツ軍は、むろんのこと、セント・ポール大聖堂を破壊しようとした。ポリーは、広大な空間に足音を谺《こだま》させながら身廊を歩いた。一九四四年と四五年にヒトラーが発射したV1とV2ロケット群はいうまでもなく、ドイツ空軍は数百の焼夷弾を大聖堂の屋根に落とした。

しかし、セント・ポール大聖堂は準備を整えていた。それぞれの柱の脇には水桶が置かれ、壁ぎわには一定の間隔を開けて、つるはしや砂バケツ、巻いたロープが置いてあった。十二月二十九日の夜、数十の焼夷弾が屋根を直撃し、水道管が断裂したとき、大聖堂と破壊とのあいだに立ちはだかったのは、そうした備品――および、それらを手にしたボランティア――だった。

どこか遠くで扉が閉まる音が響き、ポリーは四角い柱のうしろにある南通路に飛び込んで身を隠した。しかし、それにつづく物音はなく、一分ほど用心深く耳をすましたあと、ポリーはまた身廊に出た。ダンワージー先生が熱く語っていたものすべてを見るつもりなら、急いだほうがいい。いつ見つかって、放り出されるかもしれない。

でも、囁きの回廊やネルソン卿の墓がどこにあるのか、よく知らなかった。墓はたぶん地下聖堂だろうけど、どこから降りればいいのかわからない。はじめてセント・ポール大聖堂に来たとき最初に見たのは『世の光』だったと先生は話していたから、きっとここの通路のどこかにあるはずだ。いまもまだあるとすれば。壁のあちこちに、そこだけ色が薄くなった四角い箇所がある。もともと掛けてあった絵が撤去された跡だろう。

いや、あった。南通路の中ほどの柱間に掛けてある。ダンワージー先生が話していたとおりの絵だった。白いローブを着て、いばらの冠をかぶったキリストが、黄昏《たそがれ》の濃紺に包まれた森の中、木製の扉の前にじれったげに立っている。左手にランタンを持ち、上げた右手はいまにも扉をノックしようとしている。

これはダンワージー先生だ。どうしてわたしがまだ出頭しないのか知りたがっている。先生がこの絵を大好きなのも無理はない。

ポリーはさほど感銘を受けなかった。思っていたより小さいし、ぎこちなく古風な画風だ。もう一度じっくりながめてみると、キリストの顔は、じれったげというより、だれかがノックに応えてくれるかどうか不安そうな表情に見えた。扉が何年も閉ざされたままに見えることを考えると、たぶんそっちのほうが正解だろう。扉の上には蔦《つた》が這い、敷居には雑草が生い茂っている。

「あたしだったらあきらめるな」とポリーはつぶやいた。

「失礼、いまなんと？」とすぐうしろで声がして、ポリーは思わずとびあがった。黒いスーツにベストを着た初老の男性だった。「びっくりさせるつもりはなかったんですが、その絵をごらんになっているようでしたから——教会の一般公開を再開したとは知らなかったので」

爆弾処理班かカソックの男から、中に入ってもいいといわれたんです、と答えたい誘惑にかられたが、もし確認されたら……。「あら、公開を中止してたんですか？」

「ええ、そうなんです。木曜からずっと。西側の地下に不発弾が埋まっていて。ついさっき、撤去したばかりですよ。危機一髪でした。ガス管が炎上して、まっすぐ爆弾のほうへと火が広がったんです。もし爆弾まで到達していたら、わたしたち大勢の人間ごとセント・ポール大聖堂を吹っ飛ばしていたでしょう。あのおそろしいものが運び出されて、こんなうれしいことはありませんよ。しかし、マシューズ首席牧師がこんなに早く教会の公開を再開したのは驚きました。ガス管の再チェックを終えるまでは閉めておくという話だと思っていたので。だれが——」

「では、また開いてくださって、ほんとうにうれしいですわ」とポリーはあわてていった。「友人から、ロンドンに来たらかならずセント・ポール大聖堂を見るようにといわれてたんです。とりわけ『世の光』を。きれいですね」

「あいにく、複製ですが。オリジナルは、大聖堂の他の宝物といっしょにウェールズに送られました。しかし、『世の光』のないセント・ポールはセント・ポールじゃないということになりましてね。先の大戦のあいだもずっとここにかかっていました。だから、今度の戦争でも、『世の光』がここにあることが肝要だと。とりわけ、灯火管制が敷かれて、ヨーロッパの光が消え、ヒトラーが薄汚い闇のカーテンを世界に広げているいまは、この絵が、わたしたちに、すくなくともひとつの光は決して消えることがないのだと思い出させてくれます」批判的な目で絵を見ながら、「あまり出来のいい複製ではありませんね。オリジナルより小さいし、色彩も鮮やかには再現されていない。それでも、ないよりはましです。光が薄れていくような感じを見てくださ い。それと、画家がキリストの顔に、同時にいくつもの感情を表していること。忍耐と悲しみと希望」

そしてあきらめ。「その扉の向こうにはなにがあるんでしょうか。絵からではわかりません」

男は優秀な生徒を見るような笑顔をポリーに向けた。「まさしく。扉に掛け金がないのがおわかりでしょう。内側からしか開けられない扉なんです。心の扉のようにね。それがこの絵のいちばんすばらしいところですよ。見るたびに違ったものが見える。わたしたちはこの絵を〝額縁の中の説教〟と好んで呼んでいます。もっとも、額縁もウェールズに運ばれてしまいましたが――金泥を塗った木製の美しい額で、画題となった聖句が記されています」

「『見よ、わたしは戸口に立って、叩いている』(ヨハネの黙示録3：20)」とポリーは引用した。

男はさらに大きな笑みを浮かべてうなずいた。「『だれかわたしの声を聞いて戸を開ける者があれば、わたしは中に入るであろう』画家の墓は、地下聖堂にあります」ネルソン卿の墓といっしょに。「ぜひ拝見したいです」とポリー。

「あいにく、地下聖堂は、見学者の方には公開されていません。しかし、教会の他の場所はご案内できますよ、もしお時間があるんでしたら」

それに、マシューズ首席牧師がやってきて、教会はまだ見学を受けつけていないのに、いったいなにをやっているのかと詰問しなかったら。「ぜひ見学させていただきたいです。お手間でなければ。ミスター――？」

「ハンフリーズです。聖堂番ですから、ぜんぜん手間じゃありませんよ。よく見学ツアーを引率していますし」ポリーの先に立って通路を引き返し、中央の扉の前に立った。どうやらそこが見学ツアーのいつもの出発点らしい。「これが西大扉です。式典の際にしか開きません。通常は、この大扉の左右にある小さな扉を使用します」ポリーが入ってきた北通路の扉と双子のようにそっくりな扉が南通路の突き当たりにあるのが見えた。「付柱《つけばしら》はポートランド石です」と四角い柱の一本を叩きながら説明する。「いま立っているこの床は――」

火災監視《ファイア・ウオッチ》の石碑が立つことになる場所、とポリーは心の中でいった。セント・ポール大聖堂の火災監視員たち、〝神の恩寵《おんちょう》によりこの教会を救いし〟志願者たちの努力を称えるための祈念碑。ピンポイント爆弾のあと、これだけが残った。

「――カラーラ大理石で、黒と白の市松模様になっています」とハンフリーズ氏。「ここからは、大聖堂の全体が見渡せます。十字架のかたちをしています。右手には――」と、南通路を歩いていって、控えの間を過ぎた先にある、急ごしらえの板塀の前に立った。「クリストファー・レン設計の螺旋階段があります。ごらんのとおり、現在は板で囲ってありますが、どうするかの結論はまだ出ていません」

「どうするかとは？」

「ええ。教会のこちら側では、この階段が天井に通じるいちばんのルートですが、同時にきわめて壊れやすく、とりかえがきかない。しかし、もし焼夷弾が書庫の屋根や塔に落ちたら……。どうすべきかはむずかしい問題です。こちらは」と南通路を歩いてもどり、鉄格子の前に立つ。「聖ミカエルと聖ジョージ勲爵士団礼拝堂と、木製の祈禱席です。いつもはこの上に横断幕がかかっているのですが、あいにくいまは安全に保管するためにとりはずされています」

一七世紀の智天使像も、身廊のシャンデリアと南通路のモニュメントのほとんども同様に撤去されていた。「重すぎて動かせないものは、まわりに砂囊を置いてあります」ハンフリーズ氏はポリーを先導して、鎖を張り渡した階段の前を通り過ぎた。掲示板には〈この上、囁きの回廊。見学者立入禁止〉と書いてある。

囁きの回廊もこれまでか。ポリーは聖堂番のあとについて、ドームの真下の広い交差部に入った。ここにもまたひとつ、鎖を渡した階段がある。

「ここが袖廊《トランセプト》です。大聖堂の十字架の横棒にあたる部分です」そういって、ポリーをネルソン卿の像の前に——というかそれを隠している砂囊の山の前に案内した。さらにいくつか、おなじような砂嚢の山が、ロバート・スコット海軍大佐、ハウ提督、画家のJ・M・W・ターナーの像を隠している。「南の袖廊は、主に、グリンリング・ギボンズが彫り上げたオーク材の扉枠が見物ですが、あいにく――」

「安全に保管するために撤去されています」とポリーは口の中でつぶやき、ハンフリーズ氏のあとについて聖歌隊席と後陣に入ると、聖堂番はそこでオルガン（安全に保管するために撤去）、屍衣をまとったジョン・ダンの像（砂嚢の屍衣に包まれて地下聖堂に保管されている）、主祭壇、ステンドグラス窓について解説した。

「いままでのところ、われわれはたいへん幸運でした」とハンフリーズ氏は窓を指さしながら、「大きすぎて板張りすることができないんですが、まだ一枚も失っていません」

でも、いずれ失うことになる。戦争が終わるまでには、すべてのステンドグラスが割れてしまう。最後の一枚は、近くに落ちたV2ロケットによって破壊された。

ハンフリーズ氏はポリーの先に立って、反対側の聖歌隊席を引き返し、壁ぎわに並ぶ水を張ったバケツと消火用の手押しポンプを指さした。「いちばんの心配は火災です。基礎構造は木造ですから、もしどこかの屋根が炎上したら、火線が石のあいだの割れ目を通って進み、一気に燃え広がる。最初のセント・ポール大聖堂が焼失したときもそうなりました。もともとの大聖堂は、このあたり一帯が燃えたロンドン大火のときに全焼したんです」

そして、いまから三カ月後、このあたり一帯がまた火の海になる。ハンフリーズ氏は火災監視員だろうか。年齢が上すぎるようにも見えるが、それをいうなら、ロンドン大空襲は老人と女店員と中年女の戦争だった。

「しかし、二度とそのような悲劇を起こしてはなりません。そのために、屋根の焼夷弾を監視する志願者の一団を組織しました。わたしも今夜の当直です」と、ポリーの疑問に答えてくれた。

「では、お引き留めするわけにはいきません。もう行かなくては」

「いえいえ。わたしの大のお気に入りのモニュメントを見ていただかないことには」と、ハンフリーズ氏はポリーを北の袖廊へひっぱっていった。コリント様式の柱と北のポーチへつづくオーク材の扉を見せ、「そしてこれが、ロバート・フォークナー海軍大佐の記念碑です」といって、またひとつの砂嚢の山を誇らしげに指さす。「大佐の船はひどく損傷し、艤装のほとんどを失って発砲もできず、そこへフランスのフリゲート艦、ラ・ピク号が迫ってきました。フォークナー大佐は大胆にも敵艦の船首斜檣《バウスプリット》をつかんで二隻を接触させると、ラ・ピク号の大砲を使って他のフランス艦を砲撃した。この勇敢な行動が戦いの勝利を呼びました。残念ながら、彼は自分がなにをなしとげたのかを知ることはありませんでした。二隻を接触させた次の瞬間、心臓を撃ち抜かれたからです」ハンフリーズ氏は悲しげに首を振った。「真の英雄です」

マイクル・デイヴィーズに大佐の話を教えてやらないと。いまごろ、マイクルはどこにいるんだろう。わたしのすぐあとに出発するはずだったから、ドーヴァーに行って、撤退を観察しているだろう。でも、いまの時点からすると、ダンケルク撤退は三カ月前の出来事。彼の次の現地調査は真珠湾で、ドーヴァーからもどりしだい出発する予定だが、それはいまから一年以上先の話だ。

「フォークナー大佐の記念碑をお見せできなくて、なんとも残念です。ああ、待って、あとひとつ」ハンフリーズ氏はポリーをしたがえて、身廊を引き返した。大聖堂は黄金の輝きを失い、灰色で寒々しく見える。両側の通路はすでに影に包まれていた。ポリーは腕時計を盗み見た。四時過ぎ。いつのまにか、こんな遅い時間になっている。

ハンフリーズ氏は、彼女を案内デスクに導いた。デスクの上にはたくさんパンフレットが載っている。一枚六ペンスの『世の光』複製プリント、〈掃海艇基金に寄付を〉と書かれた募金箱、絵葉書で埋めつくされた木製のラック。「フォークナー大佐記念碑の写真があったかもしれない」といって、絵葉書の写真を検分する。囁きの回廊、パイプオルガン、ウェリントン記念碑とおぼしき奇怪な三層構造のヴィクトリア朝建造物。「おお、残念ながらここにはないようです。なんともはや！　戦争が終わったら、かならずまたおいでください」

横の扉が音をたてて開き、角張った顔の若者が入ってきた。濃紺の作業服を着て、ヘルメットとガスマスクを携えている。「じゃあ、爆弾はもう撤去されたんですね、ハンフリーズさん？」と若者は聖堂番に向かってたずねた。

ハンフリーズ氏はうなずき、「早いな、ラングビー。おまえの当直は六時半からだろう」

「内陣の屋根のポンプを見ておきたくて。ずっと調子が悪いんですよ。聖具室の鍵ありますす？」

「ああ。すぐに行くよ」

「お仕事のお邪魔になっては」とポリーはいった。「案内してくださってありがとうございました」

「ああ、いや、まだ帰ってはいけませんよ。最後にひとつ、見てもらわなきゃいけないものがある」と、南通路に連れてゆく。

きっとまた砂嚢の山だ。そう思いながらついていったが、連れていかれた先は、『世の光』だった。薄闇の中で、ランタンが輝いているように見える。

「光が薄れたいま、いまはぼんやり暗く見えるのがわかりますか？」ハンフリーズ氏がうやうやしい口調でたずねた。

そのとおりだった。オレンジがかった金色のあたたかな光がそこから広がり、キリストのローブや扉やそのまわりに茂る雑草を照らしている。「マシューズ首席牧師がこの輝きを見たとき、なんといったと思います？　こういったんですよ、『気をつけないと、そのランタンを持ってる現場を防空監視員に見つかったらたいへんだ』」ハンフリーズ氏はくすっと笑って、「首席牧師はなかなかのユーモア感覚の持ち主だ。こういう時代にはそれがおおいに役に立ちます」

扉がまた開いて、べつの火災監視員が入ってくると、身廊を足早に歩いていった。「ハンフリーズさん！」とラングビーが袖廊から呼ぶ。

「もう行かないと」とハンフリーズ氏。「もしまだしばらくここにいて見物されるのでしたら……」

「いえ、もう帰らないと」

聖堂番はうなずいた。「可能なら、暗くなってから出歩かないのがいちばんです」といって、ラングビーのほうに急ぎ足で歩いていく。

そのとおりだ。ケンジントンまでは遠い。それに、帰る前に食事ができる店を見つけないと。なにも食べずにもうひと晩過ごすのは無理だ。それに、今夜の空襲は六時五十四分にはじまる。行かなければ。

しかしポリーはさらに数分その場にとどまり、絵を見つめつづけた。薄暗い光の中で見るキリストの顔は、もう心配しているようには見えず、怯えているように見えた。周囲の森は、暗いだけではなく、おそろしく見える。

可能なら、暗くなってから出歩かないのがいちばん。ポリーは心の中でそういってから、絵の中の扉を見やった。あの扉は、防空壕のドアかしら。

「ほんとだったら素敵じゃない？」

——ロンドンっ子、一九四五年五月七日

17 ロンドン 一九四五年五月七日

三人の娘が地下鉄駅へつづく通りに出ると、通行人はひとりもいなかった。

「さっきのがウソで、ほんとはまだ戦争が終わってなかったら？」とペイジがたずねた。

「莫迦《ばか》なこといわないの」とリアドン。「ラジオでいってたじゃない」

「だったら、みんなどこ？」

「中よ。さあ、来て」リアドンは通りを歩き出した。

ペイジは三人めの娘のほうを向いた。「今度のもウソだってことあると思う、ダグラス？」

「いいえ」とダグラスはいった。

「いいから来てって」リアドンは手を振ってふたりを急がせた。「せっかくのお祭りを見逃しちゃう」

けれど、駅構内に入っても、やはりだれもいなかった。リアドンは「下のホームよ」といって木製の回転バー《ターンスタイル》を通過したが、ホームにもだれもいないのを見ると、「みんなもうロンドンに行っちゃったのよ。わたしたちだって、ウェンライト大佐の痛風がなかったら、いまごろ着いてたはずなんだから。まったく、足の親指が腫れるなんてね。腫れるにしたって、来週にすればよかったのに。でもまあ、考えてみてよ」リアドンは至福の笑みを浮かべた。「もう二度とウェンライト大佐に我慢しなくて済むのよ」

「戦争がまだつづいてるんでなければね」とペイジ。「先週だって、ウェスト・ハムからの電話の一件があったじゃない。戦争はもう終わったとドッド将軍から聞かされたっていう。もし今度も誤報だったら、わたしたち大恥をさらすだけじゃなくて、報告されちゃう。ロンドンの司令部に電話してたしかめるべきよ」

「そんなことしてたらもっと遅くなる」とリアドン。「いまだって、何時間も遅れてるのに」

「でも、もしまだ終わってなかったら……」ペイジが疑わしげにいう。「たぶん、いま電話したほうがいいわ。ちゃんとたしかめたあとで――」

「そんなことしてたら、電車にも終戦にも乗り遅れちゃう」リアドンが電車がやってくる方向に目を凝らしながらいった。「もう八時よ。ねえ、そうでしょ、ダグラス？」

「正確にいうと、いまは八時二十分」とダグラスはいった。それに、ここで立ち話をして一分過ぎるごとに、祝勝会を見物する時間が一分ずつ減ってゆく。

電車が入ってきた。「ぶつぶついわずに、来なさいよ」とリアドン。

ペイジがダグラスのほうを向いた。「あなたはどう思う、ダグラス？」

「ウソじゃないわ」とダグラスはいった。「ドイツは降伏した。戦争は終わった。わたしたちが勝ったのよ」

「確実な情報なの？」

あなたには想像もつかないほど確実な情報よ、と彼女は思った。こんなこと、予備調査からはとても想像できなかった。欧州戦勝記念日《VEデイ》なのに、時代人がそれを知らないなんて。いやむしろ、VEデイ・イヴというべきか。チャーチルと国王の演説、セント・ポール大聖堂の戦勝感謝式典があるVEデイはあしたのことだった――訂正、あしたのことになる――が、祝勝騒ぎはきょうからはじまって夜通しつづく。

「ダグラスは確実だと信じてる」とリアドン。「わたしも信じてる。戦争は終わったの。さあ、電車に乗って」ペイジの腕をつかんで地下鉄車両に押し込む。

車内も無人だったが、ペイジはそれに気づかないようだった。車両の壁に貼ってある地下鉄路線図を眺めている。「ロンドンに着いたら、どこへ行けばいいと思う？ ピカデリー・サーカス？」

「いいえ。ハイド・パークよ」とリアドン。「でなきゃセント・ポールか」

「みんなどこへ行くと思う、ダグラス？」とペイジがたずねた。

そのぜんぶ。プラス、レスター・スクエアにパーラメント・スクエアにホワイトホールと、そのあいだにある通りすべて。「こういうときにみんながいつも集まるのはトラファルガー広場ね」どの場所がいちばん降下点に行きやすいか考えながら答えた。

「こういうときって？」とペイジ。これと似たようなことが過去にもあったとは思ってもいない口調だった。

たしかにそのとおりかもしれない。「戦勝祝いに集まる場所ってこと——トラファルガーの戦いとかマフェキング包囲戦とかの」

「ただの戦勝じゃないわ」とリアドン。「わたしたちの勝利でもあるんだから」

「ほんとに勝ってたらね」とペイジが窓の外を見ながらいう。電車は次の駅に着いたが、ホームにはやはりだれもいない。「ああもう、やっぱり誤報だったのよ、ダグラス」

「いいえ、ほんとうよ」ときっぱり答えたが、内心ではいくらか不安になりはじめていた。史料によれば、戦勝祝いはドイツ降伏のニュースが午後三時にラジオで放送された直後にはじまっている。それがまちがいだったんだろうか？　だれもがペイジみたいに、誤報じゃないかと疑っている？　これまでにもさんざん誤報が流れて、この二週間、みんなをやきもきさせてきた。それに、歴史記録がまちがっていたり不完全だったりするのはいくらでも前例がある。

とはいえ、VEデイに関してはたくさん記録が残っている。それが正しければ、人々はいまごろ雪崩《なだれ》のように列車に乗り込んできて、ユニオンジャックをふりまわしながら「世界にふたたび光が灯るとき」を歌っているはずだ。

「戦争が終わったんなら」とペイジ。「みんなどこにいるの？」

「次の駅よ」リアドンは動じるそぶりもなく答えた。

そのとおりだった。ドアが開くと、文字どおり人間の洪水が車両にどっと押し寄せてきた。旗を振り、ガラガラを打ち鳴らし、ふたりの老紳士は「国王陛下万歳《ゴッド・セイヴ・ザ・キング》」を声をかぎりに歌っていた。

「さあ、これで戦争が終わったって信じる？」ダグラスとリアドンは異口同音にペイジにたずね、ペイジは興奮した顔で勢いよくうなずいた。

あとからあとから客が乗ってくる。母親の手をぎゅっとつかんだ小さな男の子が「またボークーゴーにいくの？」とたずねた。

母親は、「いいえ」といってから、いま気がついたという口調で、「もう二度と防空壕には行かなくていいのよ」

なおもどんどん人が乗り込んでくる。多くは軍服姿で、赤白青のちりめん紙リボンを首にかけている人もいる。国土防衛軍の制服を着た中年男ふたりは、〈終戦〉の大見出しに飾られたロンドン・イヴニング・ニュース紙とシャンペン・ボトル二本を振りまわしている。

車掌が人混みを押し分けてふたりのところにやってくると、「地下鉄車内でアルコール飲料は禁止です」ときびしくいった。

「どういう意味だい、あんた？」と男のひとりがいった。「聞いてないのか？　戦争が終わったんだ！」

「おらよ！」もうひとりが車掌に自分のボトルを渡して、「国王の健康に乾杯！　王妃の健康に乾杯！」連れのボトルをひったくり、車掌の反対の手に押しつけた。車掌の肩に親しげに腕を回して、「いっしょに宮殿へ行って、両陛下の前で乾杯しようぜ」

「わたしたちも行きましょ」とリアドンがいった。「バッキンガム宮殿へ」

「ええ、そうね」ペイジが興奮した口調でいう。「ほんとにご一家の姿を見られると思う、ダグラス？」

あしたならね、と心の中で答えた。ロイヤル・ファミリーが八回もバルコニーに出て、群衆に手を振ってくれるわ。

「王女たちもいるのかしら」とペイジ。

「王女たちはバルコニーで手を振るだけじゃなく、お忍びで群衆に交じり、陽気に「出てき《ウィ・ウォン》て国王《ト・ザ・キング》！」と合唱するのよ。でも、そう答えるわけにはいかない。「たぶんね」と返事をして、車両のドアのほうを見やった。無理やり入ってこようとする人々がまだ押し合いへしあいしている。駅ごとの乗り降りにこんなに時間がかかるんなら、向こうに着くころには夜が明けてしまう。

もうすでに式典の始まりを見逃しているのに。英国空軍の飛行機がロンドン上空で戦勝祝いの曲芸飛行を披露し、いっせいに照明が灯される。帰りの電車もこんなに遅れるとしたら、時間どおり降下点に着くために早く出発しないといけないから、終わりも見逃すことになるかもしれない。

電車はとうとう動き出した。ペイジはまだ王女たちのことをぺちゃくちゃしゃべっている。

「前からずっと見たかったのよ。正装してくるかしら」

「なにを着てようが関係ないかもね」とリアドンがいった。電車が止まり、さらに多くの人が乗り込んでくる。「わたしたち、ここに永遠に閉じ込められたままかも。でも、そんなに悪くないかもね。ダグラス、いま乗ってきたあの少尉見て！　ハンサムじゃない？」

「どこどこ？」ペイジがつま先立ちになる。

「どういうつもり？」とリアドンが難詰する。「あんたはもう、ひとり確保してるでしょ。ガツガツするんじゃないの」

「見てるだけよ」

「見るのもダメ。婚約者がいるくせに。彼、今夜来るの？」

「ううん。ゆうべ電話してきて、すくなくとも一週間は帰ってこられないって」

「でも、それって戦中の話でしょ」とリアドン。「もう戦争が終わったんだから――ああ、神様、また乗ってくる！　破裂しちゃう！」

「次の駅で降りなきゃ」とペイジ。「息ができない」

ふたりはうなずいた。電車がまた速度を落とし、ARPの腕章をつけたヘルメットの男が人混みを押し分けてドアに向かいはじめると、そのあとについて、水兵や海軍婦人部隊員や土木作業員や十代の少女たちをかきわけて突き進んだ。

「なに駅だか見えない」列車がホームに滑り込むと、リアドンがいった。

「どこでもいいわ」とペイジ。「とにかく降りるのよ。つぶれそう。缶詰のオイル・サーディンになった気分」

リアドンがうなずき、腰をかがめて窓の外を覗いた。「ああ、よかった。チャリング・クロスよ。やっぱりトラファルガー広場に行くことになりそうね、ダグラス」

ドアが開いた。「ついといで、ふたりとも！」とリアドンが陽気に叫ぶ。「電車とホームのあいだの隙間に気をつけて！」

転がるようにしてホームに降り立ち、ペイジもそれにつづく。「ついてきてる、ダグラス？」

「ええ」と答えて、「ティペレアリーの歌」を歌いはじめた国土防衛軍の男たちのあいだをすり抜けようとした。

「すみません、降ります。降ろしてください」といったが、彼らは動こうとしない。

「ダグラス、早く！」リアドンとペイジがホームで叫んでいる。「電車が動き出しちゃう」

「おねがい」と歌声に負けないように大声で叫んだ。「通してください」

ドアが閉まりはじめた。

「恥ずかしい話だが、ドイツのせいだよと言ってしまった」
――ウィンストン・チャーチル、
はしかにかかった孫について

18 ウォリックシャー州バックベリー

一九四〇年五月

ビニーたち疎開児童は、隔離されたというニュースを大はしゃぎで歓迎し、アイリーンは子供たちの夕食が半分も済まないうちに、降下点へと逃げ出したくなった。

「あたし、一カ月コックリされたことあるんだよ」とアリスが宣言した。「ローズとあたしは外で遊んだりもなんにもできなかった」

「一カ月も隔離されるわけじゃないよね、アイリーン？」とビニーがたずねた。

「もちろん」はしかは、ほんの数日しかつづかないはず。だから〝三日ばしか〟と呼ばれるのよ。アリスはきっと、なにかとまちがえている。

その夜、スチュアート医師が往診にきたとき、隔離はどのぐらいの期間になりそうかたずねてみた。

「子供たちが何人かかるかしだいだね。もしアルフだけなら――その可能性は低いが――発疹が消えてから二週間。だから、ぜんぶで三、四週間」

「三、四週間？　でも、三日しかつづかないのに」

「それは風疹。アルフが感染したのは麻疹で、発疹が出たあと一週間以上つづく」

「発疹が出るまでにはどのくらいかかるんですか？」

「三日から一週間。わたしが診《み》た例では、最長八日というのがあったな」

アルフのことだから、きっと八日のほうだろう。一週間たす八日たす二週間。一ヵ月隔離されることになる。アルフ以外だれも感染しなかったとして。いま脱け出すしかない。一九四〇年に隔離命令に違反した罰則はどんなものだろう。二一世紀のパンデミックでは、射殺されてもおかしくなかった。しかし、子供の病気は、当然、事情が違うはずだ。それでも念のために全員が寝静まるのを待ち、サミュエルズが玄関の前に持ってきた門番椅子にすわって大いびきをかいているのをたしかめてから、忍び足で裏階段を降りて厨房に向かった。

勝手口のドアは鍵がかかっていた。居間のフレンチドアも、図書室と食堂の窓も、ビリヤード室から外に出る横手の戸口も。

「鍵はおれのポケットの中だ」翌朝、顔を合わせたサミュエルズはいった。「この先もずっと肌身離さず持ち歩くよ。ホドビンのガキがフーディニのトラップを脱出できるってんなら、やってみやがれ。あいつが近所じゅうにはしかを広めるのを許すつもりはない。はしかならの話だが。学校をさぼりたくて仮病を使ってるんじゃないかって気がする」

アイリーンもその見解に賛同したくなった。アルフは、朝食に運んでいったスープをぜんぶ飲み干し、おかわりを要求した。お盆をとりにいったとき、ユーナいわく、寝台の上でぴょんぴょん飛び跳ねるんだけど、どうすればやめさせられるかしら？　訪ねてきた教区牧師が（サミュエルズが屋敷に入れることを拒否したので、勝手口の扉ごしに大声を張り上げて）話してくれたところでは、バックベリーの村立学校ではほかにだれもはしかにかかった子はいないという。

昼食のトレイをとりに二階へ上がると、アルフが舞踏室の戸口から身を乗り出し、ジミーとレグに向かって濡れたタオルを振ってみせていた。「いったいなにをやってるの？」とアイリーン。

「顔を洗ってんだよ」とアルフは無邪気に答えた。

「子供部屋にもどりなさい」アイリーンはレグとジミーに命令した。「アルフ、ベッドにもどって」と舞踏室の中に押しもどす。「ユーナ、アルフを出しちゃ――ユーナはどこ？」

「知んない。なんでアイリーンが世話してくんないの？」

「うつるからよ」それに、あんたが信じられないほど人をいらつかせるからよ。「アルフ、ベッドにもどりなさい」

「ビニーはいつ会いにきてくれる？」

「来られません。さあ、横になって」と命令してから、ユーナを捜しにいった。バスルームにも子供部屋にもいない。子供部屋ではビニーがみんなを指揮して、やかましく鬼ごっこに興じていた。舞踏室のほうをふりかえってみると、アルフが窓を開けようとしている。足もとには、端を縛ってつないだシーツの山。

「スチュアート医師《せんせい》が、新鮮な空気を吸ったほうがいいっていうから」とアルフ。

アイリーンはシーツを没収し、ユーナが自分の部屋でぐっしょり濡れた服——アルフに洗面器の中身をぶちまけられたらしい——を着替えているところを見つけて、階下のアルフのもとに送り返した。

「どうしても？　ねえ、かわってくれない？　新しい映画雑誌あげるから」

気持ちはわかるわ。「無理よ。わたしははしかをやってないから」

「あたしもやってなかったらよかったのに」ユーナは嗚咽《おえつ》した。

アイリーンはシーツをリネン室にもどした。一瞬、これを使って自分の部屋の窓から脱出することを考えたが、四階の高さだし、一時間後にはスチュアート医師が来る予定だ。アルフを——そしてかわいそうなユーナを——ひとめ見たら、まずまちがいなく誤診に気づいて隔離を解除するだろうから、生命と手足を危険にさらさずに、玄関から歩いて外に出て、降下点へ行くことができる。

しかし、スチュアート医師は予定より遅れると電話してきて——プリチャード家の疎開児童のひとりが木から落ちて足を骨折した——午後三時に医師が到着したときには、はしかであることに疑いの余地はなくなっていた。アルフは頭のてっぺんからつま先まで、まがうかたなき赤い小さな斑点に全身をおおわれていた。トニーとローズはともにのどが痛いと訴え、医師が体温を測っているうちに、ジミーが「吐きそう」といって吐いた。

アイリーンは、午後じゅう新しい寝台をしつらえながら、そのチャンスがあるうちに窓から脱出しなかった自分を呪った。トニーの兄のラルフとローズの姉のアリスも夜のうちに具合が悪くなり、スチュアート医師が診察すると、エドウィナは、自分ではどこも悪くないと主張していたのに、口の中に白い斑点ができていることが判明した。「船に乗って外国へ行ってたら、こんなことにはならなかったのに」とエドウィナは不愉快そうにいった。

アイリーンはうわの空で、降下点のことを考えていた。こうなっては、たとえサミュエルズを突破できたとしても、もう降下点には行けない。世話する人間がユーナしかいないのに、子供たちを残していくわけにはいかない。スチュアート医師は看護婦を連れてくると約束したが、その看護婦は週末まで来られない。そのころには、ラボはもう、アイリーンがなぜもどらないのか調べるために、回収チームを派遣しているだろう。

まだ派遣していなかったとしても。「屋敷が隔離されていることは、玄関に貼り紙かなんかしてある？」とサミュエルズにたずねた。

「もちろん。それに、メインゲートの前にもな」

ということは、ネットを抜けてくれれば、なにがあったのかすぐわかる。向こうにメッセージを伝える心配はしなくてもいい。さいわいだった。というのも、つづく二、三日は、余分な時間は一瞬もなかったからだ。トレイを運び、シーツを洗い、まだはしかにかかっていない疎開児童の面倒を見る。スチュアート医師は、ユーナが明らかに過労でも、あくまでアイリーンを病室に近づけない方針だったが、レグとレティシアが感染すると、「残念ながら、看護婦が来るまでのあいだ、きみの手を借りるしかなさそうだ」といった。「麻疹が出たら、すぐに具合はよくなるから。患者との接触はできるだけ避けるように」じっさいには感染の危険がなくて幸運だった。子供たちには休みなしの看護が必要だった。全員、熱と吐き気があり、目は赤く、ひりひりしている。アイリーンは、冷たい湿布を絞り、シーツを交換し、洗面器の中身を空にすることに時間の半分を費やし、残りの半分はアルフをベッドに寝かせておこうとするむなしい奮闘に費やした。

アルフの具合が悪かったのは最初の一日だけで、いまはほとんどの時間を他の患者を悩ませて過ごしている。アイリーンがアルフを絞め殺さずに済んだ唯一の理由は、教区牧師の来訪だった。予備のリネンとミス・フラーからことづかったゼリー寄せを持参したといってアイリーンを呼び出し、窓越しにしばらく話をした。「せめてもの慰めになればですが、隔離されているのはここだけじゃありませんよ。スペリー家とプリチャード家も隔離されました。学校は休校」と牧師はいった。「リネンとゼリーは勝手口のステップに置いておきます。ああ、それと郵便も持ってきました」

郵便は、ドイツ軍がフランスに侵攻しつつあり、ベルギーが陥落するかもしれないと報じるタイムズと、ええ、うちの子供たちははしかにかかったことがありますというミセス・マグルーダーの手紙と、レイディ・キャロラインからのメッセージだった。いわく、〈このような危難の時に屋敷を離れ、皆さんの助けになれずにいることに深く打ちのめされています〉

「はっ！」とミセス・バスコーム。「あの会合に出るために屋敷を留守にしていたことを幸運の星に感謝してるだろうよ。もっとも、あたしにいわせりゃ、奥さまがいなくて助かったけどね。料理をつくったり面倒をみたりする人間がひとり少なくて済む勘定だから」

そのとおりだ。もうすでに処理能力を超えている。週末には、疎開児童の十一人がはしかに倒れ、スチュアート医師が約束した看護婦はまだ到着せず、次に医師がやってきたときアイリーンがたずねてみると、彼はつらそうに首を振った。「彼女は先月、看護部隊に入隊しました。この地域の他の看護婦は、全員、すでにどこかに雇われている。地域全体で大量の症例が発生しているから」

この屋敷でも大量の症例が発生してるわよ。アイリーンは憤慨した。つづく数日で症例の数はさらに増大した。スーザンが倒れ、ジョージーがそれにつづき、音楽室を第二病棟にせざるをえなくなった。そして、屋敷から何人《なんぴと》たりとも脱出させないという仕事に全身全霊を傾けているサミュエルズまで含めて、全員が必死に働くほかなかった。ミセス・バスコームは家事を引き継ぎ、教区牧師は薬と仔牛のすね肉のゼリー寄せを運び、ビニーはトレイを運び、アイリーンの邪魔をした。「みんな死んじゃうの？」舞踏室の中を覗こうとしながら、ビニーは大きな声でたずねた。

「いいえ、もちろん死にません。子供ははしかで死んだりしないのよ」

「死んだ女の子知ってるよ。白い棺に入ったんだ」

それから一日半にわたり似たようなやりとりで憤懣を募らせたあと、アイリーンはビニーを台所業務に再配置した。ミセス・バスコームが自分のエプロンの一着をビニーに着せて、皿洗いと、いまは少し人が減った舞踏室に洗濯物を干す仕事と、床磨きの仕事を与えた。「こんなの不公平じゃん」ビニーはアイリーンに向かって憤然といった。「あたしもはしかにかかれたらよかったのに」

「願いごとをするときは気をつけなさい」パントリーから出てきたミセス・バスコームがいった。「それと、ティーカップの扱いにも気をつけて。この子、もう四つも割ったのよ」とアイリーンに向かっていう。「それに、スポードのティーポットも。レイディ・キャロラインに知れたら、なんといわれるやら」

アイリーンはべつだん心配していなかった。レイディ・キャロラインはあの最初のメッセージのあと、一度だけ手紙をよこし、隔離が解けるまで友人宅で過ごすことにしたから、〈私の白のジョーゼットと、私の銀狐のストールと、私の青の水着〉を送るようにと指示しただけだった。

それから二、三日の記憶はぼんやりしている――子供たちは、嘔吐段階、高熱段階、発疹段階と移行した。ペギーとレグは目の感染症を患《わずら》い、ジルは空咳がひどく、アイリーンはスチュアート医師から注意を怠らないようにと指示された。「病気が胸の中にまで入ると深刻だから」といって、毛布でつくった間に合わせのテントの下で一日二回の蒸気吸入をさせることがアイリーンの仕事リストに加わった。

リストの仕事には際限がなかったが、それでも、小さな子供たちを含めて、みんなが協力してくれた。ペギーとバーバラは子供部屋の掃除、シオドアは自分の寝台のベッドメイク、ビニーは台所での重労働とミセス・バスコームのお説教を我慢すること。アイリーンが台所へ降りていくたび、ミセス・バスコームはビニーの前で指を振りながら、「これが皮むき？じゃがいもが半分になってるじゃないの！」とか、「どうして先に皿をかたづけてしまわないの？」とか、あらゆる場面で使う「いっておくけど、あんたはろくな死にかたをしないよ！」とかの言葉で叱りつけていた。じっさい、ビニーのことがちょっとかわいそうに思えてくるくらいだった。

木曜日、ジルの蒸気吸入用のやかんに入れるメントール入りの蒸留酒をとりに階下へ降りると、ビニーがもうだめだという態度でキッチンテーブルに突っ伏していた。両腕の上に頭をのせ、その横には、これから洗わなければならない野菜の山。「ミセス・バスコーム」アイリーンはパントリーのほうに歩いていって、「ビニーに厳しくしすぎてるんじゃないですか。あの子、いっしょうけんめいやってますよ」

「厳しくしすぎてる？」とミセス・バスコーム。「午前中ずっと、あの子がああやってテーブルにすわってるあいだに、あたしは皿洗いとアイロン掛けを済ませたんだよ。頭痛がするとかいって。まったくどうして——」

「頭痛？」アイリーンはあわてて台所にもどり、ビニーの椅子のわきにしゃがみこんだ。「ビニー？」

少女は頭を上げた。目は明らかに赤く、その下には隈《くま》ができている。

アイリーンはビニーのひたいに手をあてた。燃えるように熱い。「吐きそう？」

「ううん。頭が痛いだけ」

アイリーンは二階の舞踏室に連れていった。「横になれば気分がよくなるわ」といいながら、ビニーのワンピースのボタンをはずした。

「はしかにかかっちゃったんだね」ビニーは悲しげにいった。

「残念ながら、そうみたいね」アイリーンはシャツを脱がせた。まだ発疹は見当たらない。「麻疹が出たらよくなるわ」

しかし麻疹は出ず、ビニーが発熱と頭痛以外の症状を訴えることもなく、熱は着実に上がりつづけた。ビニーは両目をぎゅっとつぶり、頭が爆発するのを押さえるみたいに両のこぶしをひたいに押しつけて横たわっている。「ほんとにはしかなんですか？」アイリーンは、脊髄膜炎を疑いながらスチュアート医師にたずねた。

「麻疹が出るまでに長くかかる子供もいる」と医師はいった。「ようすを見よう。きっと、あしたの朝にはよくなっているだろう」

だが、症状はよくならず、熱は上がりつづけた。午後に医師が往診に来たときは三十九度だった。「四時間おきにこの粉末をティースプーンに一杯、コップの水に溶かして、ビニーに飲ませて」といって、医師はアイリーンに紙包みを渡した。

「熱冷ましですか？」

「いいえ。発疹が出やすくなる薬だ。麻疹さえ出れば、熱はひとりでに下がる」

粉末は無益だった。ビニーに麻疹が出るにはさらに三日かかり、そのあとも症状は改善しなかった。ビニーの麻疹はピンクではなく鮮やかな赤で、両のてのひらまで、体のあらゆる場所に出ている。

「痛い」枕の上で頭をおちつかなく動かしながら、ビニーが叫んだ。

「出かたがひどいな」とスチュアート医師はいった。およそ専門家の診断とは思えない。体温を測り（三十九度五分だった）、胸に聴診器を当てた。「はしかが肺にまわっている」

「肺に？」とアイリーン。「肺炎ってことですか？」

医師はうなずいた。「そう。糖蜜と粉マスタードと油紙で湿布をつくって、胸に当ててやってください」

「でも、病院に連れていったほうがよくないですか？」

「病院？」

アイリーンは唇を嚙んだ。この時代の人々は、肺炎では病院に行ったりしないものらしい。それも当然。病院に行ったところで、できることはなにもない――抗ウイルス薬も、ナノ療法もなく、サルファ薬とペニシリンを別にすれば抗生物質さえ存在しない。いや、ペニシリンもまだない。一般的に使われるようになるのは第二次世界大戦後のことだ。

「心配ないでしょう」と医師はアイリーンの腕を叩いた。「ビニーは若いし、体もじょうぶだ」

「でも、熱を下げるための処置はなにかないんですか？」

「甘草《かんぞう》の根のお茶を飲ませてもいいかもしれない」と医師。「それと、一日に三回、アルコールで体を拭いて」

お茶、湿布、ガラスの体温計——人類が二十世紀を生き延びたことのほうが驚きだ。アイリーンはむかむかしながら、医師が帰ったあと、ビニーの熱い手足をアルコールで拭いたが、清拭《せいしき》もお茶もまったく効果がなく、夜が近づくにつれてビニーはますます呼吸が速くなってきた。うめき声をあげ、苦しげに寝返りを打ちながら間欠的にまどろむ。真夜中を過ぎてから、ようやく眠りに落ちた。アイリーンは体に毛布をかけてやってから、他の子供たちのようすを見にいこうとした。

「行かないで！」ビニーが叫んだ。

「しーっ」アイリーンは急いでもどり、ビニーの寝台の横にひざまずいた。「いるわよ。どこにも行かないから。ちょっとほかの子のようすを見てこようと思っただけ」手を伸ばし、ビニーのひたいにあてた。

ビニーは怒ったように頭を振ってその手を逃れた。「ううん、違う。出ていこうとしてた。ロンドンへ。見たもん」

シオドアと駅へ行った日のことが頭の中で甦っているにちがいない。「ロンドンへ行ったりしない」アイリーンはなだめるようにいった。「いっしょにここにいるから」

ビニーは激しく首を振った。「見たもん。まともな娘は森の中で男と会ったりしないってミセス・バスコームがいってた」

譫妄《せんもう》状態だ。「体温計をとってくるわね、ビニー。すぐもどるから」

「ほんとに見たんだよ、アルフ」とビニー。

アイリーンは体温計をとり、アルコールで消毒してからビニーのもとにもどった。「これを舌の裏側に入れて、ビニー」

「行っちゃだめ」ビニーはまっすぐアイリーンを見つめた。「あたしたちによくしてくれるたったひとりの人なんだから」

「ビニー、いい子だから、体温を測らせてちょうだい」アイリーンはくりかえし、今度はその言葉が通じたようだった。ビニーは従順に口を開けて、アイリーンが体温計を抜きとるまで、長いあいだじっと動かずに横たわり、それから寝返りを打って目を閉じた。

部屋が暗くて体温計の目盛が読めない。アイリーンは忍び足でテーブルのランプのところへ行った。四十度。この高熱が長くつづけば、命にかかわる。

午前二時だったが、それにもかまわずアイリーンはスチュアート医師に電話した。医師は留守だった。家政婦の話では、いまさっきお産のためにムーディ家の農場に出かけたという。

ええ、往診先に電話はありません。ということは、自分でなんとかするしかない。だが、アイリーンにできることはなにひとつなかった。彼女の存在が出来事に影響を与えるとしたら、そもそもバックベリーでネットが開くことはなかったはず。

とはいえ、ネットが防止する改変とは、歴史の流れに影響を与えるようなものを意味する。ひとりの疎開児童がはしかで死ぬかどうかは問題じゃない。ビニーがDデイや戦争の帰趨《きすう》に影響することはありえない。万が一、影響したとしても、ビニーが死ぬのを手をこまねいて待つことなんかできない。すくなくとも、熱を下げる努力はしなければ。でも、どうやって？　アルコールで体を拭くことはまったくなんの効果もなかった。冷水を満たしたバスタブに入れる？　体力が落ちたいまの状態だと、それが命とりにもなりかねない。熱を下げる薬がいる。でも、一九四〇年にそんな薬は——

いや、ある。レイディ・キャロラインが出かけるときに持っていってなければ。忍び足で病室を出ると、レイディ・キャロラインの部屋へと廊下を走っていった。おねがい。おねがいだから、アスピリンの錠剤を持っていっていませんように。

持っていっていなかった。箱はレイディ・キャロラインの鏡台に置いてあった。しかも、ほとんど減っていない。錠剤がぎっしり詰まったアスピリンの箱をひっつかんでポケットに入れると、大急ぎで病室にとって返した。扉を開く音でビニーが目を覚まし、寝台に体を起こすと、激しく両手を振りまわした。「アイリーン！」とすすり泣く。

「ここにいるわ」といって、ビニーの両手をつかんだ。燃えるように熱い。「ここにいるから。薬をとりにいってただけよ。ほらほら、もうだいじょうぶ。ここにいるから」箱から錠剤を二個とりだし、水を入れたグラスに手を伸ばした。「どこへも行かないから。ほら、これを飲んで」ビニーの頭を支えてやって、錠剤を飲ませた。「いい子ね。さあ、横になって」

ビニーがアイリーンの体をつかんだ。「行っちゃだめ！　アイリーンがいなくなったら、だれがあたしたちをみてくれるの？」

「行かないわよ」アイリーンは、ビニーのかさかさになった熱い手を両手で握りしめた。

「誓って」とビニーが叫んだ。

「誓うわ」とアイリーンはいった。

「いまだ自由を手放していないすべての世界は、ロンドン市民が沈着冷静かつ不撓不屈《ふとうふくつ》の精神をもって大いなる試練に立ち向かい、それを乗り越えようとしていることに驚嘆していますが、いまはまだ、その試練の終わりも、その試練の厳しさも予見できません」

——ウィンストン・チャーチル、一九四〇年

19

ロンドン　一九四〇年九月十七日

火曜の夜になっても、ポリーの仕事はまだ見つからなかった。どの店も、〝当面のところ〟、もしくはウェアリング＆ジローの人事担当者の言葉を借りれば、〝この不確実な状況下では〟、新規採用を見合わせている。

〝不確実〟とはマイルドな表現だが、それをいうなら、ここの時代人は婉曲表現で名高い。ビルが爆撃されて人間がばらばらに吹き飛ばされることは〝事象《インシデント》〟、瓦礫が散乱して道路が通行不能になることは〝回り道〟、ポリーが二度にわたって職探しの中断を余儀なくされた日中の空襲は、〝ヒトラーのティー・ブレイク〟。きょう、ただひとり、ハーヴィー・ニコルズの若い女性店員だけがはっきりいってくれた。「店が

あしたの朝までここにあるかどうかもわからないんだから、その気になれないのよ。どこも新しく人は雇わない」

そのとおりだった。デブナムズもヤードウィックも面接に応じてくれず、ディキンズ&ジョーンズは書類さえ受けつけず、それ以外の店はすべてダンワージー先生の禁止リストに載っている。

そもそも、そのリストが不合理だ。ノッティング・ヒル・ゲート駅に近づく地下鉄の中でポリーは思った。どの店も爆撃の被害に遭ったのは夜間だし、犠牲者が出たのはパジェット一軒だけ。それも、ポリーの帰還予定日の三日後、十月二十五日だ。

でも、ダンワージー先生は、わたしがまだ報告に来ないことで怒っているだろう。これ以上、先生を怒らせるようなことはしないに越したことがない。ということは、タウンゼンド・ブラザーズかピーター・ロビンソンか、どちらかに雇ってもらう必要がある。それも早急に。もしあした出頭しなければ、ダンワージー先生はわたしの身になにかあったのだと判断して、回収チームを送り出す可能性が高い。

駅の階段の上に立っている新聞売りからイクスプレス紙とデイリー・ヘラルド紙を買って、ミセス・リケットの下宿屋に足早に帰宅した。今夜の夕食は、昨夜の献立――コンビーフ・ハッシュに水っぽいマッシュ・ポテト、筋っぽい赤いかけらがいくつか混じるキャベツ煮――よりましだといいんだけど。

ましではなかった。今夜のかけらは、灰色でゴムっぽく――ミセス・リケットによれば、カラスガレイだという——ポテトとキャベツは判別不能の段階まで煮込まれている。さいわい、夕食の最中に空襲警報のサイレンが鳴り、ポリーはぜんぶ食べずに済んだ。

セント・ジョージ教会に着くと、すぐさまヘラルド紙を開き、引っ越し先を求めて〈貸間〉欄を調べたが、どの部屋も禁止リストの住所だった。

ポリーは〈求人〉欄を開いた。募集があるのは、住み込みの付き添い、小間使い、運転手。使用人がみんな屋敷を離れ、戦争へ行くか、軍需工場で働くかしているせいだ。乳母、メイド一般。女性店員の求人は一件もない。イクスプレス紙も同様だった。

「まだ見つからない？」アップにしたヴィヴの髪をヘアピンで留めながら、ライラがいった。

「ええ、あいにく」

「なにかあるわよ」ライラがヴィヴの髪のひと房を自分の人差し指にくるくる巻きつける。

ヴィヴが励ますように、「爆撃が終わったら、採用が再開されるだろうし」

そんなに長くは待てないのよ、とポリーは心の中でいった。〝爆撃〟があと八カ月つづき、大空襲が終わったあとも、さらに三年にわたって間欠的に空襲があり、そのあとはV1とV2が競うように襲ってくる。

「ジョン・ルイスは行ってみた？」ライラが歯を使ってヘアピンを開きながら、「人手がいるって、知らない女の子が帰り道に話してるのをたまたま聞いたけど」

「婦人服売り場でね」とヴィヴ。「でも、急いだほうがいいわよ。あしたの朝、開店と同時に行かないと」

それでも遅すぎる、とポリーは思った。ジョン・ルイスが爆撃を受けるのは今夜だ。だが、ヴィヴのアドバイスには返事をせずに済んだ。老紳士がこちらにやってきて、あれ以来、毎晩してくれているのと同様、読み終えたタイムズをさしだしたのだ。ポリーはお礼をいってから、〈求人〉欄を開いたが、やはり目当ての求人はなかった。

ライラはヴィヴの髪を結い終え、いっしょに映画雑誌を見ながら、ケーリー・グラントとローレンス・オリビエはどっちがいい男なのかという議論をはじめた。ポリーはもともと地下鉄駅のシェルターを観察する予定だったが、このセント・ジョージ教会地下室のほうがさらに理想的だった。時代人の多様なグループのメンバー——さまざまな年齢、さまざまな階層——が集まっているが、全員を観察できる程度にせまい。そしてなによりも、話し声が聞きとれる。日曜日、セント・ポール大聖堂からの帰り道に、バンク駅を通ったときは、湾曲した天井や音の響くトンネルに拡大されて、信じられないほどの喧騒だった。

ここでは、ドカンドカンという爆撃の騒音ごしでさえ、全員の声が聞こえる。三人の幼い娘たちにおとぎ話を読んでやる母親の声——今夜は『ラプンツェル』だ——から、教会の収穫祭について話し合う主任牧師《レクター》とミセス・ワイヴァーンの声まで。そして、毎晩、おなじ顔ぶれがやってくる。

母親はミセス・ブライトフォード、娘たちは上から順にベス、アイリーン、トロット。

「洗礼名はデボラだけど、すごく足が速いから速足《トロット》と呼んでるの」ミセス・ブライトフォードは、いつも編みものをしている白髪のミス・ヒバードにそう説明した。中年のほうの未婚女性はミス・ラバーナム。彼女とミセス・ワイヴァーンは、セント・ジョージ教会の婦人ギルドに参加している。祭壇の花や収穫祭に関する議論はそれで説明がつく。気難しい太った男はミスター・ドーミング。ミスター・シムズの犬の名前はネルソン。

まだ名前が判明していない唯一の人物は、いつもタイムズをくれる例の老紳士だった。退職した事務員だと踏んでいるが、物腰とアクセントは上流階級っぽい。貴族の一員？　可能性はある。大空襲は階級間の障壁を壊し、防空壕の中では公爵と使用人が並んですわっていた。しかし、貴族なら、当然、ここよりもっと快適な避難場所があるはずだ。きっと、この防空壕を選ぶ特別な理由があるにちがいない。地下鉄構内は犬を連れていくことが許されないためここに来ているミスター・シムズのように。それとも、日曜の夜、下宿屋からここに歩いてくる道々、話し相手がほしくてここに来るのだと打ち明けたミス・ヒバードのように（彼女とミスター・ドーミングとミス・ラバーナムは、三人ともミセス・リケットの下宿に住んでいる）。「どうなるんだろうと思いながら自分の部屋でひとりですわってるよりずっと楽しいわ」とミス・ヒバードはいった。「恥ずかしいけど、空襲が待ち遠しいくらいよ」

老紳士の目的は、どう見ても、話し相手ではない。ポリーにタイムズを渡してくれるのを別にすれば、他の避難者とはほとんどまったく没交渉だ。定位置になっている隅にすわって、おしゃべりに興じる人々を黙って眺めたり、本を読んだり。本のタイトルは読みとれないが、学術書っぽく見えた。もっとも、外見はあてにならない。主任牧師が読んでいる、いかにも教会関連書のような装幀の本は、アガサ・クリスティーの『牧師館の殺人』だと判明した。

ミス・ラバーナムは、ミセス・リケットとミス・ヒバードを相手に、バッキンガム宮殿に落ちた爆弾の話をしている。「両陛下の居間のすぐ外にある中庭で爆発したの。おふたりが亡くなっていたかもしれなかったのよ！」

「あらまあ」とミス・ヒバードが編みものをしながらいった。「お怪我はなかったのかしら」

「ええ、でも、たいへんなショックだったみたい。さいわい、王女おふたりは郊外へ行っていてご無事だったけれど」

「ラプンツェルも王女さまだったのよ」母親のひざの上で、読んでもらっていたおとぎ話の本から顔を上げて、トロットがいった。

「ううん、違うってば」とアイリーン。「王女さまだったのは眠れる森の美女」

「王妃陛下の犬たちは？」とミスター・シムズ。「爆発したとき、やっぱりバッキンガム宮殿にいたのかい？」

「タイムズには書いてありませんでしたね」とミス・ラバーナム。

「もちろんだな。だれも犬のことなんか気にしない」

「先週のデイリー・グラフィックに、犬用ガスマスクの広告が載ってましたよ」と主任牧師。

「ベイジル・ラスボーンってハンサムだと思うけど。ねえ？」とヴィヴ。

ライラが顔をしかめて、「おじさん過ぎるでしょ。あたしはレスリー・ハワードがハンサムだと思う」

対空砲火がはじまった。「ストランドだな」ミスター・ドーミングがいった。爆弾のズシーンという重い音が東のほうから響き、またべつの爆発音がそれにつづく。「イースト・エンドがまた標的になってる」

「宮殿が爆撃されたとき、王妃がなんていったか知ってる？」とミス・ラバーナム。「『これでイースト・エンドをじかに見られるようになったわ』ですって」

「妃殿下は、わたしたちみんなの模範ね」とミセス・ワイヴァーン。

「すばらしく勇敢なお方だって」とミス・ラバーナム。「爆弾をすこしも恐れないそうよ」

あなたたちだって恐れてないじゃないの、と心の中でつぶやく。ポリーは人々がしだいにロンドン大空襲に適応していく過程を観察したいと思っていた。恐怖に怯える段階から、決して屈しないという決意へ、そして、大空襲の最中にロンドンへやってきたアメリカ人特派員があまりの無頓着ぶりに感嘆したという、ノンシャランな勇気の段階まで。しかし、彼らはすでにこれらの段階を通過し、空襲を完全に無視する段階にまで到達している。わずか十一日間で。

頭上のズシンドシンバリバリの音さえ聞こえていないかのようだった。ときたま、特別に大きな音がすると天井を見上げるが、すぐまたそれまでのおしゃべりを再開する。話題の多くは戦争に関することだった。ミスター・シムズは毎晩、ドイツ軍と英国空軍の撃墜機数を発表する。ミス・ラバーナムはロイヤル・ファミリーの動向をまめにチェックし、〝親愛なる王妃さま〟が爆撃された住宅街や病院や防空監視団《ARP》支部を慰問した話をその都度報告し、ミス・ヒバードは〝兵隊さん《アワ・ボーイズ》〟のために靴下を編んでいた。映画スターとダンスの話ばかりしているライラとヴィヴでさえ、海軍婦人部隊に入ろうかと語り合っている。そして、ライラがものすごくハンサムだと主張するレスリー・ハワードは、現在、英国情報部にいる。彼は一九四三年、乗っていた飛行機が撃墜されて死亡する。

ミセス・ブライトフォードの夫は陸軍だし、主任牧師の息子はダンケルクで負傷してオーピントンの病院にいる。全員、親戚なり友人なりが召集されたり空襲で焼け出されたりしているが、そのいきさつを噂話に興じるように楽しげに語り、近づいたり遠のいたりする空襲の波には頓着していない。犬の聴覚は高音域の騒音に敏感なはずなのに、ミスター・シムズのテリアのネルソンまで、爆撃を意に介していないようだった。

「莫迦なことといわないで」とライラ。「クラーク・ゲーブルなんかよりレスリー・ハワードのほうがずっとずっとハンサムよ」

「……そして魔女は、『ラプンツェルをよこしてもらおう』といって、こどもをさらってゆきました」とミセス・ブライトフォードが朗読した。

彼女は娘たちと離ればなれになることを拒んだんだろうか、それとも、娘たちはいったん疎開して、またロンドンにもどってきたんだろうか。メロピーの話では、疎開児童の七十五パーセント以上が、大空襲がはじまるまでにロンドンにもどっていたという。

「音が遠のいてる。北へ移ってるみたいだ」とミスター・シムズ。

たしかに遠ざかっているようだ。最寄りの高射砲は静かになり、爆撃機の咆哮も低いハム音にまで小さくなっている。

「そしてれいこくな魔女は、とびらのない高い塔にラプンツェルを閉じこめました」母親の朗読を聞きながら、トロットはほとんど眠りかけている。「そしてラプンツェルは──」

とつぜん、ドアに鋭いノックの音がした。トロットははっと体を起こした。だれかが、おもてを歩いているところを防空監視員につかまったんだ、とポリーは思った。ドアに目をやり、それから主任牧師に視線を移した。きっと牧師が扉を開けて、入れてやるだろう。

だが、牧師は動かなかった。だれも動かない。息もしない。幼いトロットまで含めて、地下室の全員がドアを見つめている。蒼白な顔で、目を大きく見開き、衝撃に備えるように堅く身がまえている。あの最初の夜、わたしがドアの外に立ってノックしたときの表情だ。ドアが開き、わたしの姿を見る直前、彼らの顔に浮かんでいた表情。

彼らが空襲に適応したというのはまちがいだった。この恐怖は、最初からずっと、水面のすぐ下に潜っていた。ポリーはだしぬけに、セント・ポール大聖堂で見た『世の光』の絵を思い出した。扉の向こう側にいる人が扉を開けようとしないのは、それが理由なんだろうか。怖いから？

さらにノックの音。もっと強く。トロットは母親にしがみつき、首のあたりに顔を埋めた。ミセス・ブライトフォードは他の娘たちを自分のそばに引き寄せた。ミス・ラバーナムは片手を自分の胸に押し当て、貴族的な老紳士は傘に手を伸ばし、ミスター・ドーミングといっしょに立ち上がった。

「ドイツ人なの？」ベスがかん高い声でたずねた。

「いいえ、もちろん違うわ」とミセス・ブライトフォードはいったが、全員の頭にその考えがよぎったことは明らかだった。

主任牧師が深く息を吸ってから、戸口に歩み寄り、かんぬきをはずしてドアを開けた。ヘルメットとガスマスクを手にしたARPの作業服姿の若い女性ふたりが飛び込んできた。

「扉を閉めて！」とミセス・リケットがいい、ミセス・ワイヴァーンが「灯火管制中ですよ」と、ポリーのときとまったくおなじ台詞をくりかえした。

ふたりがドアを閉めると、ミス・ラバーナムは歓迎の笑みを浮かべた。トロットはしがみついていた母親から離れ、アイリーンは口から親指を出して新入りを品さだめし、ヴィヴはライラのほうに寄って、彼らのすわる場所を空けた。ミセス・リケットはあいかわらずうさんくさげににらみつけていたが、ポリーのときもそうだった。

若い女性ふたりは部屋にいる全員の顔を見渡した。「ああ、もう、ここも違った」と片方ががっかりした口調でいった。

「所属支部へ行くところなんですが、灯火管制で道に迷ってしまったらしくて」ともうひとりがいった。「こちらに借りられる電話はありませんか？」

「あいにくですが」と主任牧師が詫びるようにいった。

「じゃあ、グロスター・テラスへはどう行けばいいか教えていただけますか？」

「グロスター・テラス？」とミスター・ドーミング。「ずいぶん迷ったもんだね」

そのとおりだ。グロスター・テラスは、遠くメリルボンにある。

「今夜がはじめての当直なんです」と最初の女性が説明した。主任牧師が地図を描きはじめた。

「あの人たち、ドイツ人?」とトロットが母親にたずねた。

ミセス・ブライトフォードが笑って、「いいえ。あの人たちは味方よ」

主任牧師が地図を手渡し、「この空襲が終わるまでここにいたほうがいいのでは?」とたずねたが、彼らは首を振った。

「いまでさえいいかげん遅れてるから、きっと監視員はかんかんです」と最初の女性が騒音に負けじと声を大きくした。

「でも、ほんとにありがとうございました」ともうひとりも大声で礼をいい、扉を開けて飛び出した。

英雄を観察したいのなら、マイクル・デイヴィーズは、ダンケルクなんかじゃなくてここに来るべきだ。彼らの姿を見ながら。ポリーはそう思った。ポリーはいましがた、彼らが行動するところを見た。若い娘たちが空襲の真っ最中のおもてにみずから進んで出ていったことだけではない。ドイツ兵かもしれないと知りながら、主任牧師が地下室を横切ってドアを開けるのに、どれほどの勇気がいったことだろう。あるいは、彼ら全員、来る夜も来る夜も、爆弾の直撃や差し迫った侵攻を待ちながら、じっとここですわっていることに、どれほどの勇気が必要だろう。次の空襲警報解除サイレンまで自分たちが生きているかどうかもわからないのに。

彼らはこの先どうなるかを知らない。それは、航時史学生にとって、けっして理解できないことのひとつだ。時代人を観察し、時代人とともに生き、時代人の立場に身を置いてみることはできる。しかし、彼らが経験していることをほんとうの意味で経験することはできない。なぜなら、わたしはこれからどうなるかを知っているからだ。ヒトラーが英国を侵略しなかったこと、毒ガスを使わなかったこと、セント・ポール大聖堂を破壊しなかったことを知っている。ロンドンも世界も破壊されなかったこと、ヒトラーが戦争に敗北したことを知っている。でも、彼らは知らない。彼らは、ロンドン大空襲とDデイとV1とV2の日々を、ハッピーエンドの保証もなく生き抜かなければならない。

「じゃあ、ラプンツェルはどうなったの？」なにごともなかったようにトロットがたずねた。

「お話のつづきを教えて」ベスとアイリーンが声を合わせたが、ふたりとも、母親が一ページ読み終える前に眠りに落ち、トロットひとりが必死に目を開けておこうとがんばっている。子供たちは幼すぎて、いまなにが起きているのか、どうなる可能性があるのか理解できない。それがせめてもの救いだった。

そして、他の避難者たちも、子供たちに対して、ポリーとおなじ保護本能を抱いているはずだ。ミセス・ワイヴァーンとミス・ラバーナムは声を潜め、ミスター・シムズは手を伸ばして、ベスの肩の上まで毛布をひっぱりあげてやった。母親は笑顔でそれに応え、朗読をつづけた。「……そして何年も何年もさがしつづけたあと、王子はラプンツェルの声を聞きました……」

「ママ」トロットは体を起こし、母親の袖をひっぱりながら、「もしドイツがじょーりくしてきてたら？」

「しないわ」とミセス・ブライトフォード。「ミスター・チャーチルがそんなことさせないから。『そしてラプンツェルの涙が王子の目に落ちると、王子はまた目が見えるようになりました。それからふたりはすえながくしあわせにくらしました』」

「でも、もしそうなったら？」

「いいえ」母親はきっぱり答えた。「お母さんが守ってあげるから安心よ。知ってるでしょ、ね」

トロットはうなずいた。「うん。ママがころされなかったらね」

「同時に、敵の利益となるような情報をいっさい与えないことが重要だ。敵ミサイルの着弾地点を明らかにすれば、敵が正確な狙いをつけるのに役立つことになる」

――ハーバート・モリスン内務大臣、

一九四四年六月十六日

20　サリー州ダリッジ

一九四四年六月十四日

水曜の朝になっても、ベスナル・グリーンの鉄橋崩落や十二日の夜に飛来した他のV1に関する話がまったく出ず、メアリはだんだん不安になってきた。もしV1の最初の四基がインプラントされた情報どおりに落下したのなら、当然もうニュースを耳にしているはずだ。しかし、最後のふたりの応急看護部隊隊員《FANY》――パリッシュとサトクリフ‐ハイス――がプラット（最初のV1着弾地点から六キロしか離れていない）から絆創膏《ばんそうこう》一ケースを調達してもどってきたときも、タルボットがベスナル・グリーンに電話をかけて、サイズの合うダンス用のパンプスがあったらとっておいてほしいと頼んだときも、爆発とか、黄色い炎を噴き出して飛ぶ妙なかっこうの飛行機とかに関する話はまったく出なかった。

新聞にもなにひとつ載っていないが、それは予想どおりだった。英国政府は、当初、V1

の件を秘密にしていた。公式に認めるのは、十五日に百基が飛来し、隠しておくのが不可能になってからのこと。とはいえ、ガス爆発が起きたが無事に消し止めたとか、それに類するニュースはあるかもしれないと思っていた。

しかし、ロンドンの新聞各紙にはそういう記事はひとつも見当たらず、サウス・ロンドン・ガゼット紙のトップ記事は、ミス・ベティ・バンティンがニューヨーク市ブルックリン出身のジョゼフ・モレッリ二等兵と婚約したというニュースだった。そして、FANYの唯一の話題は、だれが最初に例のピンクのドレスを着るかだった。もしメアリが予習なしにこの支部に降下していたら、敵国の攻撃にさらされていることはおろか、いまが戦争中だと推論することもできなかっただろう。次のロケットが発射されるのはあしたの夜だから、こちらからその話題を持ち出すこともできない。

ともかく、試してみよう。「ほんとは月曜に来るはずだったんだけど」と切り出した。

「なにか見逃した？」

「ノルマンディー上陸」とリードが爪を磨きながら答える。

「それと、古着交換会《アップルカート・アップセット》」キャンバリーがピンクのドレスを試着しながら、「あなたが来ると知ってたら、あの生成りのレースをとっておいたんだけど」グレンヴィルのほうを向いて、「ねえ、これ着ると、食べるのも息を吸うのも無理なんだけど。また仕立て直して、ウエストをゆるめてもらわないと」メアリに向き直り、「ねえ、ケント、あなた、イヴニングドレスを持ってたりしないわよね」

「貸すつもりがないんなら、イエスといわないほうがいいわよ」とフェアチャイルド。

「でも、あなたが自分のを貸してくれたら、かわりにわたしたちのを貸してあげるわよ」とキャンバリー。

パリッシュは目玉をくるりと回して、「きっとイエロー・ペリルを着たくてうずうずしてるでしょうね」

「彼女なら、ほんとにイエロー・ペリルが似合うかもしれないじゃない。髪はブロンドだし」とキャンバリー。

「イエロー・ペリルが似合う人なんてだれもいないよ」とメイトランドがいったが、キャンバリーはそれを無視して、

「ドレス持ってる、ケント？」

「ええ」といって、メアリはまだ荷ほどきするチャンスがなかったダッフルバッグを開けた。

「じつは二着持ってきてるの。喜んで貸してあげる」メアリは二着を持ち上げて見せた。

その瞬間、あやまちをさとった。FANY隊員たちはあんぐり口を開けてドレスを見つめている。衣裳部から借り出したときは、あんまり目立たないように、わざとくたびれた外見のドレスを選んだつもりだったが、へりがほつれ、見るからに縫い目が広がったピンクの網目ドレスの横に並べると、ライトグリーンのシルクとブルーのオーガンジーは新品のように見えた。

「こんな極上ドレスをいったいどこで手に入れたの？」フェアチャイルドがライトグリーン

のシルクにさわりながらたずねた。

「大金持ちの米軍大将の愛人がいるとか」とリード。

「ううん。エジプトに赴任する従姉妹にもらったの――衛生科の」だれかが、エジプトでしじゅうダンス・パーティに通っている看護婦の知り合いがいるんだけど、といいだされないことを祈った。「いままで一度も着る機会がなくて」とほんとうのことをつけ加える。

「見ればわかるわ」とパリッシュ。

キャンバリーはいまにも泣き出しそうな顔で、「ほんとに貸してくれるの？」とうやうやしい口調でたずねた。戦争が、こうした若い女性たちの生活をどんなに大きく変えてしまったのかの証拠。裕福な家庭で育ち、社交界にデビューし、宮中で国王陛下の拝謁《はいえつ》を賜《たま》わったのに、いまは流行遅れの中古のドレスを着られるかもしれないと有頂天になっている。

「こんなシルクを見たの、戦争がはじまってからはじめてよ！」サトクリフ－ハイスが布地にさわりながらいった。「これを着るチャンスがあるまで、戦争が終わらなきゃいいけど」

終わらないわ、とメアリは思った。戦争の最悪の局面はまだまだこれから。でも、FANYの隊員たちは全員、秋までには戦争が終わると思っている。何日に終わるかの賭けまでしている。

「ああ、戦争が終わるといえば」とフェアチャイルド。「どの日に賭けるのか、まだ聞いてなかったわ、ケント」

一九四五年五月八日、と心の中でいった。しかし、彼らが賭けに使っているカレンダーは今年の十月まで。すでにだれかが賭けている日付のほとんどは六月後半から七月前半に集中していた。ノルマンディー侵攻から、まだ二週間もたっていないにもかかわらず。「十八日が空いてるわよ」とフェアチャイルドがカレンダーを見ながらいった。

十八日は、礼拝の最中、ガーズ・チャペルにV1が飛来し、百二十一人の時代人が死亡した。この日付と場所もまちがっている可能性がないとはいえないけれど。

「それとも八月五日」

キャンバーウェルの生協ストアにV1が命中した日だ。でも、どれか選ばなければ。

「八月三十日にする」とメアリはいい、フェアチャイルドがカレンダーの升目《ますめ》に彼女の名前を書き込んだ。「きのう、ここに来る途中、小耳にはさんだんだけど、爆発がどうとか——」

「ケント」パリッシュが戸口から顔を出して、「少佐が部屋に来てくれって」

「賭けの話はしないで。それに、戦争がもうすぐ終わるっていう話もね。少佐はその件に関しては冗談通じないから」といって、フェアチャイルドはカレンダーを引き出しに突っ込んだ。

パリッシュに先導されて、少佐の執務室へ向かった。「少佐は、いまもまだ、戦争に負ける可能性があると思ってるの。どうすればそんなことになるのか、想像するのもむずかしいけどね。だって、こっちはもう海岸線とフランス沿岸の半分を押さえてて、ドイツ軍は敗走中なんだから」

でも、少佐のほうが正しい。連合国軍はまもなくフランスの生け垣にはまってうごけなくなる。もしバルジの戦いでドイツ軍を止められなかったとしたら――

「そんなにびくびくしなくてもだいじょうぶだって」とパリッシュは少佐の執務室の前で足を止めていった。「じっさい、少佐は、こっちが騙そうとしないかぎり、悪い相手じゃないよ」ノックし、ドアを開いて、「ケント少尉を連れてきました、少佐」

「通しなさい、少尉」と少佐はいった。「毛布は見つかった？」

「いいえ、少佐」とパリッシュ。「クロイドンもニュー・クロスも、余分はないそうです。ストレサムにリクエストを出してあります」

「よし。緊急事態だと伝えて。それと、グレンヴィルを呼びなさい」

少佐はV1のことをまちがいなく知っている、とメアリは思った。だから、備品を可能なかぎりストックしておこうという決意なんだ。

パリッシュが部屋を出ていくと、少佐がメアリにたずねた。「どんな医療訓練を受けてるの、少尉？」

「応急手当てと救急看護の資格を持っています」

「すばらしい」少佐はメアリの転任書類を手にとった。「オックスフォード支部にいたのか。救急車ユニット？」

「はい、少佐」

「だったらきっと会ったことがあると思うんだが――なんだ、パリッシュ？」

「司令部からお電話です、少佐」とパリッシュが戸口から身を乗り出していった。

少佐はうなずき、受話器に手を伸ばした。「ちょっと失礼……」といってから、送話口に向かって、「デネウェル少佐です」しばし間を置いて、「その点は重々承知しています。しかし、こちらでは毛布が必要なんですよ。きょうの午後から、傷病者の搬送を開始しますから」電話を切り、メアリに笑みを向けた。「どこまで話したかな？　ああ、そう、前任地での任務の話だ」とメアリの書類を見ながら、「大空襲のさなかのロンドンで救急車を運転したと。ロンドンのどこ？」

「サザークです、少佐」

「おや、だったらきっと知ってるはずだが——」

ノックの音がした。「入りなさい」少佐がいうと、グレンヴィルが頭を突き出した。

「お呼びですか、少佐？」

「ええ。手持ちの医療用備品すべてのリストがほしい」

グレンヴィルがうなずき、きびすを返した。

「さて、どこまで話したかな」少佐はまた転任書類をとりあげた。

大空襲下のロンドンでわたしが知り合ったはずの人物についてたずねるところでした、とメアリは心の中で答え、質問を覚悟したが、少佐はいった。「転任の日付は六月七日になっているね」

「はい、少佐。交通手段の確保に手間どりまして。侵攻後の——」

少佐はうなずいた。「ふむ。ともあれ、だいじなのは、いまここにいるということだ。これから二、三日、うちは猫の手も借りたい状態になる。いずれはベスナル・グリーンとクロイドンもドーヴァーの病院からオーピントンに患者を運ぶ任務に就くことになるが、さしあたって、搬送任務を与えられているのはうちの班だけ。きみには、きょうの午後から、タルボット、フェアチャイルド両名といっしょにドーヴァーへ行ってもらう。ルートはふたりに確認するように。スケジュールと勤務表はフェアチャイルドに聞いた?」

「はい、少佐」

「われわれの仕事はきわめて重要だ、少尉。まだ戦争に勝ったわけではない。ひとりひとりがみずからの分を尽くさないかぎり、負ける可能性はある。きみにもきみの分を尽くしてほしい」

「はい、少佐。そうします」

「行ってよろしい、少尉」

メアリはきびきびと敬礼し、逃げ出そうとしていると見えないように最大限の努力をしながら、戸口に向かった。ドアノブに手をかけたところで、少佐が呼び止めた。「ちょっと待って、少尉。オックスフォード支部にいたそうだけど——」

メアリは息をつめた。

「向こうに余分な毛布はなかっただろうね」

「あいにくですが。いつも不足していました」

「やっぱり。余分がないか、ドーヴァーにも聞いてみて。それと、フェアチャイルド少尉に伝言だ。賭けのことは知っているし、わたしの支部では、早すぎる勝利宣言を許すつもりはないと」

「はい、少佐」と答えて、伝言を伝えるべく、フェアチャイルドをさがしにいった。少佐にバレていたことを知っても、フェアチャイルドはまるで気にしなかった。

「禁止されたわけじゃないからね」と肩をすくめ、「さあ。出発するよ」

車は南に向かい、クロイドンを抜けてから東に折れた。このあたりは、二日後には爆弾地《ボム・アレ》帯《イ》になる。ロンドン南東部に落ちたものだけじゃなく、すべてのロケット弾の着弾時刻と場所をインプラントしておくべきだった。もっとも、やろうとしても不可能だったかもしれない。あまりにも数が多すぎるから——V１一万基とV２千百基——ダリッジ周辺と、車を運転して将校を送っていく可能性が高い場所と、その途中にある地域に落ちたものだけに絞ったのだった。しかしその中に、ダリッジとドーヴァーのあいだのエリアは含まれていない。

こんな場所にいたことを知ったらダンワージー先生はかんかんになるだろう。でも、この任務はV１が飛来しはじめるまでのこと。それ以降は、管轄地域内の事象に対処するだけで手いっぱいになる。

ドーヴァーまでのルートは、曲がりくねったせまい裏道をいくつも抜け、やはり小さな村々をいくつも通ってゆくものだった。けんめいに道順を覚えようとしたが、標識はどこにもなかった。

帰り道では、搬送することになった患者に全神経を集中しなければならなかった。

「脚の手術が必要なの」救急車に患者を運び込むとき、担当看護婦がいった。患者に聞こえないように声を潜めて、「切断することになるかもしれない。壊疽《えそ》が進んでるから」患者といっしょに後部に乗ったメアリは、甘ったるいいやなにおいを嗅いだ。「鎮静剤を投与してある」と看護婦はいっていたが、ドーヴァーを離れて十キロも行かないうちに患者は目を開け、「切断したりしないよね？」とたずねた。一九四四年の看護婦はこういう質問になんと答えるんだろう。いつの時代のどんな人間だろうと、答えるすべがあるんだろうか。

「いまはそんなこと考えちゃだめ」とメアリがいった。「休まなきゃ」

「いいんだ。答えは知ってるから。妙な話だよな。ぼくはダンケルクとエルアラメインとノルマンディー侵攻を傷ひとつなくくぐりぬけた。なのに、くそトラックがひっくりかえりやがって、その下敷きになった」

「しゃべっちゃだめ。疲れちゃうから」

患者はうなずいた。「ノルマンディーのソード・ビーチではそこらじゅうで兵隊がばたばた死んでいったのに、おれはかすり傷ひとつなかった。ずっと運がよかった。ダンケルクの話はしたかな、シスター？」メアリのことをドーヴァーの病院の担当看護婦だと思っているのだろう。

「ええ」と囁いた。「眠ったほうがいいわ」

「脱出は無理だと思った。ビーチにとり残されると思ったが――ドイツ軍は急速に迫っていた——まだ運が残っていた。おれを乗せてくれたやつは、二日前にダンケルクを離れて、残ってる連中の脱出に手を貸すためにもどってきたんだ。もう三回も海峡を横断していて、最後の一回はあやうく魚雷の餌食になるところだった」

患者がまだしゃべっているうちに救急車はオーピントンの戦時救急病院に到着した。「溺れかけていたおれを海に飛び込んで助けると、船の上にひっぱりあげてくれた。もしあいつがいなかったら——」

タルボットがドアを開け、ふたりのスタッフがストレッチャーを下ろすために病院から出てきた。メアリは、血漿《けっしょう》の瓶を高く持ったまま救急車を降りた。病院スタッフが瓶を受けとる。「幸運を祈ってるわ、兵隊さん」と、病院に入っていくストレッチャーに声をかけた。

「ありがとう」と兵士はいった。「もしあいつがいなかったら、それにあんたが話を聞いてくれていなかったら——」

「待って！」フェアチャイルドがメアリの脇をかすめて病院に駆け込んだ。「その毛布を持ってっちゃだめ。うちのよ」

「わ、失敗した」とメアリはタルボットにいった。「余分の毛布があるかどうか、ドーヴァーで訊くのをすっかり忘れてた」

「訊いたわ。ないって」

フェアチャイルドが毛布を抱えて意気揚々ともどってきた。「余分の毛布がないか訊いた？」とタルボットがたずねる。

「ないって。これをとりかえすだけでも、もうちょっとでとっくみあいになるところだった」

「ベスナル・グリーンは？」とメアリ。「帰る途中であっちに寄って、毛布がないか――」

「もう訊いた。古着交換会の日に」とタルボット。

ということは、ベスナル・グリーンへV1攻撃を確認しにいくために、なにかべつの手を考えなければならない。非番になってから、自転車を借りられるかもしれないと思ったが、絆創膏と清拭アルコールを調達したあとは、リードといっしょにブロムリーに行くように命じられ、翌朝早くにはまたドーヴァーへ派遣された。

「橋のところで左折」とフェアチャイルドが道を教えた。「それから、あの樹を過ぎたら右折」前方の、二台の戦車が牧草地にとまっているところを指さした。「妙ね。こっちの戦車はみんなフランスに行っていると思ったのに」

戦車は本物だろうか。英国情報部は空気を入れてふくらませるゴムの戦車を使ってドイツ軍を欺き、侵略がイングランド南東部から始まると思わせようとしていた。もしかしたら、その名残《なご》りの戦車かもしれない。

おそろしい考えが頭に浮かんだ。英国情報部は、V1の着弾地点についても、同様にドイツ軍を欺こうとしていた。着弾時刻と場所を偽った記事や写真を新聞に載せることで、ドイツがロケットの射程を変更し、ロンドンまで届かなくなるようにした。だから、ダリッジやクロイドンや爆弾地帯に被害が集中した。

もし調査部のミスで、実際の時刻と場所のかわりにそうした捏造《ねつぞう》データがインプラントされていたら？　そう考えれば、だれもベスナル・グリーンに言及しない謎に説明がつく。じっさいにはV1がベスナル・グリーンに落ちていないからだ。もしそれが真相だとすると、困ったことになる。メアリの安全は、V1とV2すべてがいつどこに落ちるかを正確に知っていることで保証されているからだ。

支部にもどりしだい、鉄道が被害に遭っているかどうかをたしかめよう。そう思っていたけれど、支部に到着するなり、少佐がついに確保に成功した毛布をフェアチャイルドといっしょにウリッジまでとりにいくよう命じられ、もどったときには暗くなっていた。ということは、ベスナル・グリーンに行くのはあしたまで待たなければならない。もっとも、今夜、インプラントの情報どおりの時刻にV1が着弾すれば、データは正しく、メアリの心配は杞《き》憂《ゆう》だったことになる。ただしもちろん、V1の一発がこの支部に命中しなければの話。とにかく、待つしかない。

最初のV1が着弾するはずの午後十一時四十三分までメアリはそわそわしながら夜を過ごした。サイレンは十一時三十一分に鳴るはず。だれが最初に緑のシルクを着るかをめぐってFANY隊員たちが議論するのをじりじりする思いで聞き、五分おきに腕時計を見たくなる衝動と戦う。

午後十一時の消灯時刻になると、心からほっとした。腕時計を見るための懐中電灯と談話室から拝借した雑誌を持って、毛布の下にひっこんだ。もしだれかに光を見られても、雑誌を読むためだと弁解できる。

光を遮るために雑誌を懐中電灯の上に立てて、時間が来るのを待った。十一時十分。十一時十五分。隊員たちは真っ暗な部屋で議論をつづけている。「でも、イエロー・ペリルを着てドナルドと会ったことは一回もないじゃない」とサトクリフ＝ハイスの声。「あたしなんか、あれ着てるところを二回もエドウィンに見られてるのよ」「ええ」とメイトランド。「でもあたし、ドナルドにプロポーズさせたいのよ」十一時二十分。二十五分。さらに六分が過ぎ、メアリはサイレンのむせび泣きとV1のうなりを聞いたような気がした。ボドレアン図書館で録音を聞いておけば、どんな音なのかはっきりわかったのに。車のエンジンのバックファイアみたいだというV1の特徴的なガラガラ音は非常に大きく、それを聞いてから近くの側溝に飛び込んでも命が助かるくらいだったという。

二十九分。十一時半。十一時三十一分。この腕時計はきっと進んでるんだ。そう思って、耳もとにかざしてみる。おねがい、来て。サイレンを鳴らして。オックスフォードにもどらなきゃいけないようなことにはなってほしくない。少佐になんていおう？　それに、ダンワージー先生。まちがった情報をインプラントされた状態で爆弾地帯を走っていたことがばれたら、二度とここにもどしてくれないだろう。

十一時三十二分。十一時三十三分……。

「絶好の標的になりそうですな」

――ショート将軍（真珠湾に並ぶ戦艦群を評して）、一九四一年十二月六日

21 英仏海峡 一九四〇年五月二十九日

「どういう意味だ、海峡を半分渡ってるって？」マイクは船尾のほうへよろよろと進みながら怒鳴った。見渡すかぎり陸地はなく、三百六十度、水と闇ばかり。舵をとるコマンダーのほうへ手探りでもどった。「いますぐ引き返せ！」

「戦争特派員なんだろ、カンザス」コマンダーが怒鳴り返した。声が強風にくぐもっている。「沿岸防備なんかじゃなくて、戦争そのものの記事を書くチャンスだろうが。まぬけな英国派遣軍がまるごとダンケルクで立往生している。わしらは連中を救出に行くのさ！」

でも、ダンケルクへ行けるわけがない。不可能だ。ダンケルクは分岐点なのだから。それに、撤退はこんなやりかたで実施されたわけじゃない。民間の小型船舶がそれぞれ勝手に救出に赴くことはあまりにも危険すぎると見なされ、種々雑多な船の群れは、海軍の駆逐艦の先導で船団を組んで出発した。

「ドーヴァーにもどらなきゃ」エンジンの騒音としぶき混じりの潮風に負けじとマイクは声を張り上げた。「海軍が――」

「海軍？」コマンダーは鼻を鳴らした。「あんな小役人風情にゃ、水たまりを渡る先導もまかせられん。船いっぱいの兵隊を連れて帰りゃ、連中も、このレイディ・ジェーン号がどのぐらい航海に適しているか思い知るだろうよ！」

「でも、この船には海図もないし、海峡には機雷が――」

「わしは小型船舶プールのあの小僧どもが生まれる前から推測航法でこの海峡の水先案内をしてきたんだ。機雷の二つや三つでわしらを止められるもんか。なあ、ジョナサン？」

「ジョナサン？」ジョナサンを連れてきたのか？　まだ十四歳なのに！」

船首の闇の中から、ジョナサンが姿をあらわした。巨大なとぐろを巻いたロープを半分ひきずるようにして運んでいる。「わくわくしない？」とジョナサンはいった。「英国海外派遣軍をドイツ軍から助け出すんだよ。ぼくらは英雄になるんだ！」

「でも、海軍の認可を得てない」マイクは引き返すように説得するための理屈を必死に考えた。「武装もないし――」

「武装？」コマンダーは舵から片手を離して、ピーコートの内側に手を入れ、骨董もののピストルをとりだした。「もちろん武装しているとも。必要なものはなんでもそろっている」

船首のほうに手を振って、「予備のロープ、予備の油《ペトロル》――」

マイクはコマンダーが指さす闇に目を凝らした。四角い金属缶が舷縁にくりつけてあるのがかろうじて見分けられる。ああ、なんてことだ。「ガソ——ペトロルはどのぐらい積んでる？」

「二十缶だ」とジョナサンは得意げにいった。「船倉にはもっとあるよ」

魚雷が命中したら、船ごと空高く吹っ飛ぶ量だ。

「ジョナサン」とコマンダーがなった。「そのロープを船尾にしまって、ビルジポンプを見てこい」

「アイ・アイ・コマンダー」ジョナサンがハッチのほうに歩き出した。

マイクはそのあとを追った。「ジョナサン、いいかい、引き返すよう、ひいじいさんを説得してくれ。コマンダーがやってることは——」自殺行為だといいかけて思い直し、「——海軍の規則に反している」といいかえた。「こんなことをしたら、海軍に復帰するチャンスが——」

「復帰？」ジョナサンがぽかんとした口調で、「じいちゃんは海軍にいたことなんか一度もないよ」

ああ、神さま。もしかしたら英仏海峡を横断したことも一度もないかもしれない。

「ジョナサン！」とコマンダーの声。「ビルジポンプを見てこいといっただろう。それとカンザス、おまえは下へ行って靴を履いてこい。ついでに一杯飲め。死神みたいな顔だぞ」

それはもうすぐ死ぬからだよ、と心の中で返事をしながら、方向転換してソルトラム・オン・シーへ引き返すようにコマンダーを説得する方法を考えた。だが、ひとつも見つからない。残る手は、コマンダーの頭をあのピストルの銃床でぶん殴って気絶させ、かわりに自分で舵をとることぐらいだろう。でも、そのあとどうする？　船の操縦にかけてはコマンダー以上に素人だし、この船には海図もない。あったところで解読できるとも思えない。「自分で晩飯を用意して食べておけ」とコマンダーが命令した。「まだこれから、長い夜になる」

コマンダーとそのひ孫は、自分たちがどんな運命に挑もうとしているのかをまるで知らない。ダンケルクに向かった小型船舶のうち六十隻以上が沈み、乗員たちは負傷もしくは死亡した。マイクははしごを降りはじめた。「あのサーディンのシチューがまだ残ってるぞ」とコマンダーが上から声をかけた。

船倉に降りていくと、水の深さは三十センチに達していた。食べる必要なんかない。でも、考える必要はある。どうしてダンケルクへ行くことが可能になったのか？　ありえない。タイムトラベルの法則は時間旅行者が分岐点に近づくことを許さない。

ただし、ダンケルクが分岐点でないとすれば、話はべつだ。マイクは、寝棚の上の靴とソックスを回収すべく、水の中をじゃぶじゃぶ歩き出した。

靴とソックスは寝棚のいちばん奥の隅に置いてあった。マイクは寝棚によじのぼって目的のものをとると、靴の片方を手に持ったままそこにすわり、靴を見つめながら、考えうる可能性を検討した。ダンケルクは、第二次世界大戦の大きなターニングポイントのひとつだった。もし英国の兵士たちが独軍に捕まっていれば、ドイツの本土上陸と英国の降伏は不可避だった。しかしそれは、単一の独立した出来事ではない。リンカーン暗殺やタイタニック号沈没と違って、タイムトラベラーがジョン・ウィルクス・ブースの拳銃をつかんだり、「前方に氷山！」と叫んだりすることで、出来事全体の結果を変えられるわけではない。なにをしようが、英国派遣軍の救出を止めるのは不可能だ。船の数も、関係する人間の数も多すぎるし、エリアも広すぎる。たとえ時間旅行者がダンケルク撤退の結果を変えようと望んだところで、そうすることは不可能だ。

しかし、個々の出来事なら変えられる。ダンケルク撤退には間一髪の脱出劇や九死に一生を得た例が山ほどある。上陸が五分遅れただけで、船がシュトゥーカの爆撃の犠牲になったり、至近弾が直撃弾になったりする。舵の向きが角度にして五度変わるだけで、船が座礁するか、無事に港を出るかの分かれ目になりうる。

ぼくのちょっとした行動がレイディ・ジェーン号沈没の原因になりかねないんだ。そう考えて、マイクはぞっとした。ということは、なにもしないほうがいい。つつがなくダンケルクを離れるまで、ここでじっとしていよう。たぶん、船酔いか臆病者のふりができるだろう。

しかし、ただここにいるだけでも、出来事が変わってしまうかもしれない。分岐点では、歴史はナイフの刃の上であやういバランスをとっている。マイクがこの船に乗っていることだけで、バランスが崩れ、どちらか一方に傾く可能性はゼロではない。ダンケルクからもどってきた小型船船群は、どの船も定員いっぱいまで兵士を詰め込んでいた。マイクがいることで、そうでなければ救われたはずの兵士の居場所がなくなる——トブルクかノルマンディーかバルジの戦いで決定的に重要な役割を果たすことになるはずの兵士がそのために命を落としたとしたら……。

しかし、マイクがダンケルクにいることが出来事のなりゆきを変えてパラドックスを引き起こすのだとしたら、ネットが開いて彼を通すことはなかったはずだ。ドーヴァーやラムズゲートや、バードリが試した他のすべての場所のように、ネットが開かなかったはずだ。ネットが開いて、マイクがソルトラム・オン・シーへと赴くことを許したという事実が意味するのは、彼がダンケルクで歴史的な出来事を変えるようなことをなにもしなかったか、もしくは彼がしたことが歴史の流れになんの影響も与えなかったか、ふたつにひとつだ。

もしくは、彼がダンケルクまでたどりつかなかったか……。その場合は、レイディ・ジェーン号が機雷にぶつかるか、Uボートに攻撃されるかして——もしくは船倉の水位上昇によって——海峡に沈んでしまったことを意味している。そういう悲運に見舞われた船はレイディ・ジェーン号だけではない。

やっぱりあのアステリスクつきの小型船舶リストを暗記しておかなきゃいけなかった。それに、時空連続体にとって、時間旅行者が歴史の針路を変えることを防止する手段がずれだけではないということも覚えていてしかるべきだった。

だしぬけに頭上からドンドンと足音が響き、ジョナサンがハッチから顔を出した。「じいちゃんが呼んでる」と息を切らせていう。

「そのバカたれをとっとと連れてこい！」ジョナサンの声にかぶさって、コマンダーの怒鳴り声が聞こえる。

Uボートの船影が見えたんだ。この船は撃沈される。マイクは靴をひっつかむと、じゃぶじゃぶ歩いていった。そういうことか。レイディ・ジェーン号はダンケルクにたどりつかなかったんだ。マイクははしごを登りはじめた。

ジョナサンが興奮した顔でハッチから身を乗り出し、「じいちゃんが、ナビゲートしてほしいって」

「海図はないんじゃなかったのか」とマイク。

「ないよ」とジョナサン。「じいちゃんは――」

「いますぐ！」コマンダーが吠えた。

「着いたんだ」とジョナサン。「港を航行するのを、ぼくらにナビゲートしてほしいんだって」

「どういう意味だ、着いたって？」マイクははしごからデッキに這い上がった。「そんなわけが――」

だが、着いていた。目の前に港が見えた。照明のピンクがかったオレンジ色の輝きに照らされて、二隻の駆逐艦と数十の小型船舶が浮かび上がっていた。そしてその向こう、炎と黒い煙の柱に半分隠されているのは、ダンケルクだった。

〈空襲上演中〉

——ロンドンの劇場に掲げられた上演作品告知、一九四〇年

22

ロンドン　一九四〇年九月十七日

真夜中になってもまだ目を覚ましているのは、ポリーをべつにすると、いつもタイムズをくれるあの貴族的な老紳士だけだった。紳士はコートを羽織り、本を読んでいる。他の人たちはみんな眠りこんでしまった。もっとも、横になっているのはライラとヴィヴ、それにミセス・ブライトフォードの幼い娘たちだけだった。ベストトロットは、母親のひざに頭を載せている。それ以外の面々は、ベンチや床の上にすわり、壁にもたれてこっくりこっくりしていた。ミス・ヒバードは編みものを脇に置き、頭をがっくり垂れている。主任牧師とミス・ラバーナムはどちらもいびきをかいている。

ポリーは驚いた。史料によれば、大空襲の大きな問題のひとつは、睡眠不足だったという。しかし、ここのグループは、空襲がまた激しさを増しているにもかかわらず、快適といいがたい就寝環境や騒音をものともしていないようだ。ケンジントン・ガーデンの高射砲が砲撃

を開始し、敵機の新たな一団が頭上でうなりをあげる。

あの中に、ジョン・ルイス百貨店に直撃弾を落とすことになる爆撃機が含まれているんだろうか。いや、音からするともっと近い——メイフェア？　メイフェアとブルームズベリは、ロンドン中心部ともども、爆撃の被害に遭った。独軍機はオックスフォード・ストリートに爆弾を落としたあと、リージェント・ストリートとBBCのスタジオも爆撃した。眠れるうちに眠っておいたほうがいい。あしたの朝は早いうちに出かける必要がある。もっとも、はたして百貨店が営業しているかどうかさえ怪しいけれど。

ロンドンの流通業界は、大空襲の最中もずっと店を開けて営業をつづけたことを自慢にしている。パジェットとジョン・ルイスは、両者とも、爆撃の二、三週間後には新たな場所で営業を再開した。でも、爆撃の翌日は？　被害のなかったところは店を開けたんだろうか。それとも、セント・ポール大聖堂周辺の一画のように、通り全体が立入禁止になった？　だとしたら何日間？　もしあしたの夜までに仕事が見つからなかったら——

もちろん、店は開いているはずだ。ロンドン大空襲当時の写真で有名な、ショー・ウィンドウの掲示板を思い出してみればいい。〈窓はヒトラーに割られましたが、お値段では負けません〉とか、〈オックスフォード・ストリート、今週の爆安商品《ボム・マルシェ》〉とか。そして、割れたウィンドウの隙間から手を入れて、ドレスの布地の手ざわりをたしかめている女性を写したあの写真。もしかしたら、むしろ職探しにはうってつけの日かもしれない。空襲におびえていないことを身をもって証明できるし、爆撃でバスが運休して出勤できない店員がいれば、欠員を埋めるために雇ってもらえるかもしれない。

でも、その一方、とつぜん職場を失ったジョン・ルイス百貨店の売り子と競争しなければならない。彼女たちのほうが同情されて採用を勝ちとる可能性が高そうだ。わたしもジョン・ルイスに勤めていたと嘘をつくほうがいいだろうか。

コートを畳んで枕にして、床に横たわったが、眠れなかった。飛行機の騒音が大きすぎる。巨大なスズメバチの群れがぶんぶんうなっているように聞こえる。しかも、その音が刻一刻大きく――近く――なってくる。ポリーは体を起こした。主任牧師も騒音で目を覚ましたらしく、床に腰を下ろしたまま、天井に神経質な視線を投げている。ヒューッという音につづき、すさまじい爆発音が轟いた。

ミスター・ドーミングがはっと起き上がり、「ああくそ《ブラディ・ヘル》、いったいぜんたい――」といいかけて、「すまんね、牧師さん」

「この状況では無理もありません」と主任牧師。「またはじまったようですね」これは、時代人にしても控え目にすぎる発言だった。バタシー・パークの高射砲は限度いっぱいの連射を開始し、その騒音に呑まれないためには大声で怒鳴る必要があった。「あのお嬢さんたちが無事ならいいんですが。グロスター・テラスへ行く途中で道に迷った人たち」

ケンジントン・ガーデンの高射砲も迎撃を再開した。目をこすりながら起き上がったアイリーンに、「いいのよ、寝てなさい」と母親が囁き、天井を見つめているミスター・ドーミングのほうを見やった。空襲は、部屋の真上で進行しているように聞こえた。ズシン、ドシン、ドカン、そして大地を揺るがす長いドドーンの音に、ネルソンとミスター・シムズ、残りの女性たちが目を覚ました。ミセス・リケットは不興げだが、他はみんな警戒するような表情で、やがてそれが不安そうな顔に変わった。
「あの子たちを行かせないほうがよかったかもしれないわね」とミス・ラバーナム。

トロットが母親のひざの上に這い寄ってきた。「よしよし」とミセス・ブライトフォードが娘の体を叩く。「だいじょうぶよ」

でも、だいじょうぶじゃない。ポリーは人々の顔を見ながら思った。ドアがノックされたときとおなじ表情を浮かべている。もし空襲がもうすぐやまなければ……。

ロンドンじゅうの高射砲が迎撃している――ドドド、ドドド、ドドドという耳を聾する射撃音のコーラスに、ドカーン、ズシーンという爆弾の轟きが交じる。騒音はますます大きくなってくる。いまにも崩れ落ちるんじゃないかと思っているように、全員の視線が天井をさまよう。金属を引き裂くようなギーッという音と、耳をつんざく轟音。ミス・ヒバードがびくっとして編みものをとりおとし、ベスが泣き出した。

「今夜の爆撃はいつもよりかなり激しいようですね」と主任牧師がいった。

いつもよりかなり激しい。まるで飛行機と高射砲が教会の内陣でボクシングの試合でもしているような口ぶりだ。ケンジントンは爆撃されなかったのよ、とポリーは自分にいい聞かせた。

「歌を歌うほうがいいかもしれません」主任牧師は不協和音に負けじと声を張り上げた。

「すばらしい考えですわ」とミセス・ワイヴァーンがいい、「神よ我らが気高《けだか》き国王を守りたまえ」と国歌を歌いはじめた。ミス・ラバーナムとミスター・シムズが陽気に加わる。だが、外から響きわたる轟音に呑まれて歌声はほとんど聞こえず、主任牧師は二番を歌おうとしなかった。

高性能爆弾が近くで爆発し、ひとりまたひとりと歌うのをやめ、不安な目で天井を見つめた。すぐにもう一発、さらに近くで爆発し、高射砲の音をかき消したが、地下室の天井の梁《はり》が揺れた。上空から響く爆撃機の不快きわまるうなりは際限なくつづいている。「どうしてやまないの?」とヴィヴ。声にパニックの響きが混じっている。

「この音、だいきらい!」とトロットが小さな手で両耳をふさいで泣き叫んだ。「うるさい!」

「まさしく」老紳士が部屋の隅から声をあげ、「この島は音でいっぱいだ」ポリーははっとしてそちらを見やった。上品で物静かな、いつもの紳士らしい口調とは一変して、有無《うむ》をいわさぬ深い声になり、幼い少女たちさえ泣きやんで彼のほうを見ている。

老紳士は読んでいた本を床に置いた。「いくつもの奇妙な物音」と朗唱しながら立ち上がり、マントを投げ捨てて真の姿をあらわす魔術師か国王のように、肩に掛けていたコートを揺すり落とした。「うなり声、金切り声、叫び声、いずれもおそろしい、多種多様な物音で、われらは目を覚まし……(『テンペスト』5幕1場)」

いきなり、地下室の中央に歩いていくと、「おそろしく轟く雷にわしは火を放ち」と叫ぶ。ポリーの目にはその身長が二倍も高くなったように見えた。「どっしり根づいた岬をも揺り動かした！」朗々たる声が地下室の隅々にまで響きわたる。「時にはいくつもの体に分かれて、一度にたくさんの場所で燃やしてやった」といいながら、芝居がかったしぐさで天井を、床を、扉を順ぐりに指さす。「中檣《トップマスト》に、帆桁に、船首斜檣《バウスプリット》に火をつけては」両腕を大きく広げて、「また集まってひとつになる（『テンペスト』1幕2場）」

頭上の至近距離で爆弾が爆発し、その振動でティーポットとティーカップがカタカタ音をたてたが、だれもそちらに目を向けなかった。全員が恐怖を忘れて、老紳士をじっと見つめている。おそろしい騒音はすこしも小さくなっていないし、老紳士の台詞は、騒音から気をそらせるのではなく、むしろ全員の注意をそれに引きつけ、騒音を言葉で描写しているのに、それはもう、恐れるべきものではなくなっていた。たんなる音響効果、主演男優の台詞を引き立たせるためにシンバルやブリキの波板を使って鳴らす効果音でしかない。「いまいましいわめき声め！　このあらしよりも甲板よりもやかましい（『テンペスト』1幕1場）」と大音声《だいおんじょう》をあげ、そこから一気にプロスペロの納め口上まで飛んでから、『リア王』の狂乱の場を演じ、最後に『ヘンリー五世』へとたどりついた。そのあいだじゅう、聴衆は魅入られたようにじっと聞き入っていた。

いつしか外の不協和音は小さくなり、北東の方角からくぐもったポンポンポンという高射砲の音が聞こえるだけになったが、地下室の人々はだれひとり気がついていなかった。もちろん、それが目的だった。ポリーは畏敬の目で老紳士を見つめた。

「この物語は、きょうから世界の終わる日まで、父から息子へと語りつがれていくだろう」

その声は地下室全体に鳴り響いた。「そこに登場するわれわれは、そのたびに思い出されるだろう――数少ないわれわれ、数少ない、しあわせなわれわれ、兄弟の一団は（『ヘンリー五世』4幕3場）」こだましながら静まってゆく鐘の音のように、台詞の最後に近づくにつれて彼の声がしだいに小さくなってゆく。

「真夜中の鐘が十二時を告げた」と囁くようにいう。「愛《いと》しき友たちよ、さあベッドへ（『夏の夜の夢』5幕1場）」そして片手を心臓の上に置き、優雅に一礼した。

魅入られたような沈黙がしばし流れ、ミス・ヒバードが「まあ、なんて！」と叫び、そして全員が拍手しはじめた。トロットが元気いっぱいに手を叩き、ミスター・ドーミングまで拍手に加わった。紳士は深くお辞儀をして、床からコートを拾い上げると、いつもの隅にもどって腰を下ろし、本を手にとった。ミセス・ブライトフォードは娘たちを呼び集め、ネルソンとライラとヴィヴは、寝る前のお話を聞かされた子供のようにすっかりおちついて、ひとりずつ眠りに落ちた。

ポリーはミス・ラバーナムと主任牧師のとなりに腰を下ろし、「あの人はいったいだれなんです？」と声をひそめてたずねた。

「まさか、知らなかったの？」とミス・ラバーナム。

知らずにいたことが疑惑を招くほど有名な人物ではないことを祈った。

「ゴドフリー・キングズマンですよ」と主任牧師が説明した。「シェイクスピア俳優の」

「イングランド一の俳優よ」とミス・ラバーナムがいった。

ミセス・リケットは鼻を鳴らし、「そんなにすごい俳優なら、どうしてこんなシェルターにすわってるのかしらねえ。どうして舞台に立ってないの？」

「空襲のせいでどこの劇場も閉まってるのはよくご存じでしょう」とミス・ラバーナムが怒ったようにいった。「政府が再開許可を出さないかぎり――」

「わたしが知っているのは、役者に部屋は貸すなってことだけ」とミセス・リケット。「家賃をきちんと払ってくれると信用できないからね」

ミス・ラバーナムは顔を真っ赤にして、「サー・ゴドフリーは――」

「じゃあ、ナイト爵に叙任されてるんですか？」とポリーはあわててたずねた。

「エドワード王からね」とミス・ラバーナム。「彼のことを聞いたことがないなんて信じられないわ」ミス・セバスチャン。リア王役は有名なのに！　娘時代に彼のハムレットを見たけど、とにかくすばらしかったわ！」

いまもすばらしい、とポリーは思った。

「ヨーロッパのあらゆる王族の前で舞台に立ってきたのよ」とミス・ラバーナム。「それを思うと、今夜、サー・ゴドフリーの演技を目の前で見られたのはたいへんな名誉ね」

ミセス・リケットがまた鼻を鳴らし、ミス・ラバーナムはなにかとりかえしのつかない言葉を投げつけるところだったが、間一髪のタイミングで空襲警報解除のサイレンが鳴り響いた。眠っていた人たちが起き上がって伸びをし、全員が持ち物を集めはじめた。サー・ゴドフリーは読みかけのページにしおりをはさんで本を閉じ、立ち上がった。ミス・ラバーナムとミス・ヒバードが小走りに歩み寄って、さきほどのパフォーマンスがいかにすばらしかったかを伝えた。「とても元気づけられました」とミス・ラバーナム。「とりわけ『ハムレット』の、兄弟の一団についての台詞が」

ポリーは笑みを噛み殺した。サー・ゴドフリーはふたりのレイディに、物静かで洗練されたいつもの声で重々しく礼を述べた。コートを着込み、傘をとるところを見ていると、いましがた魅惑的な演技を披露したとは信じがたい。

ライラとヴィヴは毛布を畳んで、持ちこんだ雑誌を集め、ミスター・ドーミングは魔法瓶を手にとり、ミセス・ブライトフォードはトロットを抱き上げ、全員が扉の前に集まった。主任牧師がかんぬきをはずし、ドアを開けた。そのときポリーは、みんなの顔に、サー・ゴドフリーが介入する前に浮かべていたのとおなじ、緊張した、不安げな表情のこだまを見てとった。今回は、扉を開けて階段を昇っていったとき、いったいなにを目にするかに不安を抱いている。自分の家がなくなり、廃墟と化したロンドン。それとも、ランプドン・ロードを走ってゆくドイツ軍の戦車。

主任牧師が開いたドアの前から一歩下がり、ほかの人たちを先に通そうとしたが、だれも動かなかった。真夜中前からずっと閉じこめられていたネルソンまで含めて。

「疾《と》く行け、さあ早く！（『ロミオとジュリエット』3幕3場）大至急だ、急いでやらせろ（『じゃじゃ馬ならし』序幕1）」サー・ゴドフリーのクラリオンのような声が響きわたり、ネルソンは戸口を抜けて突進していった。

全員が笑った。

「ネルソン、もどってこい!」ミスター・シムズが叫び、あとを追って階段を駆け上った。階段のてっぺんからふりかえって、「見たところ、被害はないみたいだ」と叫び、残りの人々もぞろぞろと階段を上がって、あたりを見まわした。通りは、夜明け前の薄暗い灰色の光にのどかに包まれている。建物はどれも無傷だった。ただし、空中には煙の幕が広がり、コルダイト爆薬の刺激臭と木材が燃えるにおいがする。

「ランベスがやられた」南東の方角から立ち昇る黒い煙を指さして、ミスター・ドーミングがいった。

「それに、どうやらピカデリー・サーカスも」ネルソンを連れてもどってきたミスター・シムズが指をさしたが、じっさいに被害に遭ったのはオックスフォード・ストリートで、煙の源はジョン・ルイスだ。ミスター・ドーミングもまちがっている。空襲の第一陣の矢面《やおもて》に立ったのは、ランベスではなくショアディッチとホワイトチャペルだ。しかし、煙のようすからして、イースト・エンドはどこも無事では済まなかったようだ。

「さっぱりわからない」とライラが周囲の平和な光景を見まわしながらいった。「真上に爆弾が落ちたみたいな音だったのに」

「ほんとに真上に爆弾が落ちてきたら、どんな音がするのかしらね」とヴィヴ。

「ものすごく大きな、ものすごくかん高い、キーンという音がするらしいよ」とミスター・シムズがいったが、ミスター・ドーミングが首を振り、

「聞こえるもんか。なにが落ちてきたのかさえわからない」といって、大股に歩いていった。

「元気が出る情報ね」とうしろ姿を見送りながらヴィヴがいった。

ライラはまだオックスフォード・ストリートの煙のほうを見ている。「きっと地下鉄は動かないわよね」とむっつりした口調でいう。「出勤するのに死ぬほど時間がかかりそう」

「で、やっと着いたと思ったら、またウィンドウが吹っ飛ばされて、一日、ガラス掃除をする羽目になるのよ」とヴィヴ。

「どうしたことだ、従者たちよ？」サー・ゴドフリーが吠えた。「恐怖と敗北の話をしておるのか？　筋肉に力を込めよ！　血を沸き立たせよ！」

ライラとヴィヴがくすくす笑った。

サー・ゴドフリーは傘を剣のように抜き放つと、高々とかざし、「いま一度、突破口へ攻め入れ、諸君、いま一度だ！　英国のために！」

「ああ、わたし、『リチャード三世』大好き！」とミス・ラバーナム（実際は『ヘンリー五世』からの引用）。

サー・ゴドフリーは傘の柄を乱暴につかんだ。一瞬、その切っ先でミス・ラバーナムの体を貫くつもりかと思ったが、自分の腕に傘の柄をかけると、「もしわれらが天国までふたたびあいまみえぬならば、では、ごきげんよう、気高き卿《けい》ら、わが血族、戦士たちよ、さらば！（『ヘンリー五世』4幕3場）」といって、戦いに身を投じるかのごとく歩み去った。

ほんとうにそうなんだ。それを見送りながらポリーは思った。だれもが戦いに身を投じている。

「なんてすばらしいんでしょう」とミス・ラバーナムがいった。「ねえ、もしおねがいしたら、あしたもまたやってくれるかしら。『テンペスト』か、『ヘンリー五世』を？」

〈開店中。平常より大きく開いております〉

――ショー・ウィンドウが吹き飛んだ
ロンドンの百貨店の案内

23

ロンドン　一九四〇年九月十八日

オックスフォード・ストリートまでたどりつくのに二時間かかった。オックスフォード・ストリートの爆撃により、オックスフォード・サーカス駅とボンド・ストリート駅はどちらも閉鎖されているはずなので、地下鉄でピカデリー・サーカスまで行こうと思ったが、サークル線は全線運休。ディストリクト線からピカデリー線に乗り換えようと思ったら、グロスター・ロードまでの折り返し運転になっていたので、駅を出てバスに乗るしかなく、そのバスも、巨大な瓦礫の山に通りをふさがれて、ボンド・ストリートまでしか行かず、そこから先は、バリケードやロープで封鎖された〈危険――ガス漏れ〉の警告表示エリアを迂回しながらてくてく歩いた。

オックスフォード・ストリートは、消防車の放水と砕けたガラスに洗われていた。変わり果てたジョン・ルイス百貨店まで歩くのにさらに十五分。目の前で見ると、写真から想像していたよりはるかにひどかった。壮麗な煉瓦のアーチの向こうには、焼け焦げた梁《はり》や桁の黒ずんだ山が水を滴らせながらむなしく広がっている。見た感じ、火災現場というより、難破した巨大な遠洋定期船のようだ。そこここに水浸しになった漂着物が打ち上げられている。半分燃え残った〈売り出し中〉の看板や、ぐっしょり濡れた手袋の片方、焼け焦げた洋服ハンガー。

百貨店の裏手のほうで、消防士がひとり、とっくに火は消えているというのに、焦げた木材に放水しているのが見えた。他のふたりの消防士は、木製のリールに重いホースを巻きつけている。もうひとりが、通りの真ん中にまだとまったままのポンプ車のほうへと歩いてゆく。ARPのヘルメットをかぶったズボン姿の中年女性が立入禁止のロープをあたりに張り巡らしていた。ガラスの破片と煉瓦の粉塵がいたるところを覆っている。目を上げて、オックスフォード・ストリートを見わたすと、鼻をつく濃い煙に包まれていた。

ホースや水たまりをまたぎ、割れたガラスのあいだを縫うようにして歩いていった。こんな努力をしてもどうせ無駄ね。この状況では、採用はもちろん、そもそも店を開けるわけがない。

しかし、ピーター・ロビンソン百貨店の正面では、ふたりの作業員が、まるで改装工事のときみたいに、〈営業中。散らかっておりますがご容赦ください〉という横断幕を出しているところだったし、その向こうではタウンゼンド・ブラザーズの店内に入っていく女性客の姿も見えた。ポリーはガラスの破片をじゃりじゃり踏みしだいてそのあとを追い、入口の前で立ち止まってジャケットの襟を正すと、靴の裏に刺さっていたガラス片を抜いてから、店内に入った。

そんな手間をかける必要はなかった。ふたりの女子店員がガラスの破片を掃いているところで、もうひとりがさっきの女性客に口紅を見せている。このフロアにいるのは、ポリーを除けばその四人だけで、エレベーターも、エレベーター・ガール以外は無人だった。「ジョン・ルイスが空襲されたの、見ました？」といいながらエレベーター・ガールはゲートを開けた。

六階にも買い物客の姿はなかった。どう見ても、新しい店員は必要なさそうだ。ところが、タウンゼンド・ブラザーズの人事担当者は、ポリーがオフィスに入っていくなり、婦人用肌着売り場の見習い販売員の職を提示し、みずから先導して四階に降りていくと、茶色い髪をしたきれいな若い女性店員のもとに歩み寄り、「ミス・スネルグローヴは？」とたずねた。

「遅れると電話がありました、ミスター・ウィザリル」女性店員はポリーに笑顔を向けて、「エッジウェア・ロードに不発弾が落ちて、付近一帯が立入禁止になったので、ハイド・パークを徒歩で抜けて——」

「こちらはミス・セバスチャンだ」とミスター・ウィザリルが口をはさんだ。「手袋とストッキングのカウンターを担当してもらうことになる」それから、ポリーに向かって、「ミス・ヘイズが仕事の段取りと内容を教えてくれるからね。ミス・スネルグローヴが出勤したら、すぐにわたしのところへ来るように伝えてくれ」

「あの人のことは気にしないで」ミスター・ウィザリルがもどっていったあと、ミス・ヘイズがいった。「ちょっと神経質になってるのよ。けさ、女の子が三人辞めたもんだから、ミス・スネルグローヴも逃げ出したんじゃないかと心配してるわけ。彼女は逃げてないわ、残念ながら。この階のフロア主任で、ものすごいやかまし屋なの」内緒話をするように声をひそめ、「ベティが辞めたのは彼女のせいじゃないかしら。もっとも本人は、ジョン・ルイスが爆撃されたせいだっていってたけど。ミス・スネルグローヴはなんだかんだとしじゅうベティに文句をつけてたのよ。デパート勤めの経験はあるの、ミス・セバスチャン？」

「ええ、ミス・ヘイズ」

「よかった。だったら在庫やなんかのこともわかってるわね」といいながらカウンターのうしろにまわり、「それと、あたしたちだけのときはミス・ヘイズって呼ばなくていいわ。マージョリーって呼んで。あなたは……」

「ポリー」

「どこに勤めてたの、ポリー？」

「デブナムズのマンチェスター店に」マンチェスターを選んだのは、ロンドンから遠く離れているのと、向こうにデブナムズの支店があるのを知っていたからだ。十二月に空襲で破壊されたデブナムズの写真を見たことがある。しかし、マージョリーが「ほんとに？　あたし、マンチェスター出身なのよ」と食いつかずにいてくれるかどうかは運しだいだ。

食いつかなかった。かわりに、マージョリーはいった。「売り上げ伝票の書きかたは知ってる？」

知っていた。それに加えて、合計金額の出しかた、カーボン紙の使いかた、レジの操作、鉛筆の削りかた、その他、デパートの売り子が知っておく必要があるかもしれないと調査部およびダンワージー先生（航時史学生はあらゆる不測の事態に備えておくべきだと信じている）が考える、ありとあらゆる仕事に通じていた。

覚えるのがいちばんたいへんだったのはお金だった。じっさい、ここの通貨制度は常軌を逸している。仕事でいちばん苦労するのは現金のやりとりだろうと覚悟していたが、マージョリーによれば、タウンゼンド・ブラザーズの現金業務はすべて階上の経理部が処理するという。売り子は、現金と勘定書を真鍮《しんちゅう》のチューブに入れてエア・シューターで送るだけでいい。数十秒後には、正確なお釣りを入れたチューブがもどってくる。ギニーや半クラウンやファージングをあんなに必死になって覚えなくてもよかったんだ、とポリーは思った。

マージョリーは、請求書に売り上げ金額を記入するやりかた、配送依頼書の書きかた、さまざまなサイズの手袋と、シルクや木綿のレースやウールのストッキングがそれぞれどの引き出しに入っているか、商品をどうやって包装するかを教えてくれた。薄葉紙一枚でストッキングの箱に仕切りをつくり、その中にストッキングを並べてから、箱を褐色紙でくるみ、紙のへりを内側に折り込むようにして畳んだあと、大きなロールに巻いてある紐を使って縛る。

最後の仕事は、調査部もダンワージー先生も思いつかなかった業務だったが、そうむずかしそうには見えなかった。しかし、はじめて商品が売れたとき――マージョリーのいうとおり、客足は上向きで、売り場を訪れた買い物客は十一時の時点で六人おり、その中のある老婦人いわく、「ヒトラーがオックスフォード・ストリートになにをしたのか見て、新しいガーターを買おうって決心したの。ヒトラーに見せつけてやるために！」――ラッピングで大失敗をやらかした。端は揃わず、折り目は歪み、紐をかけようとしたら、包装紙がぜんぶとれてしまった。

「申し訳ありません、奥さま。きょうが初日なもので」と謝罪して、もう一度トライした。今回はなんとか箱を包むことには成功したものの、結び目がゆるすぎて、紐の片端が抜けてしまった。

マージョリーが助けにきてくれた。からまった紐を捨て、新しい紐を必要な長さだけロールから切りとると、鮮やかな手つきで包みに巻きつけた。客が帰ったあと、やさしい口調で、「コツを覚えるまで、ラッピングは代わってあげるから」といってくれた。しかし、商品の包装はデパート店員の経験者ならできて当然のことだから、ポリーは客足が途絶えた隙に、空き箱を使って練習したが、たいした成果は上がらなかった。

正午に、〝大のやかまし屋〟のミス・スネルグローヴがあらわれた。ポリーは練習に使っていた紐をあわててポケットに突っ込み、ブラウスの襟を直した。マージョリーの人物評は誇張ではなかった。

「わたしの下で働く従業員には、最高の水準を求めます。礼儀正しい接客と、きちんとした仕事と身なり」ポリーのネイビー・ブルーのスカートを冷たい目で見ながら、ミス・スネルグローヴはいった。「当百貨店の販売員の服装規定は、白のブラウスに無地の黒いスカート――」

だから衣裳部にそういったのよ、とポリーは心の中でぼやいた。

「――黒のローヒールです。黒いスカートは持っていますか、ミス・セバスチャン？」

「はい、持っています」とポリーは答えた。というか、今夜、仕事が見つかったことをダンワージー先生に報告しだい、向こうで調達します。

「ロンドンにはいつから？」

「先週来ました」

「では、もう空襲は経験した？」

「はい」

「神経質だったり、すぐにおびえたりする人を採用する余裕はありませんからね」とミス・スネルグローヴはきびしくいった。「タウンゼンド・ブラザーズの従業員は、つねに沈着冷静で勇気のある態度を示さなければなりません」

百貨店女性販売員募集。ただし、きちんとした身なりで、礼儀正しく、火災時も冷静な人に限る。

「売り上げ帳を見せて」とミス・スネルグローヴが命じ、そのあと、商品の包装まで含めて、マージョリーがすでに教えてくれたことすべてをもう一度最初からレッスンした。包装に関してはマージョリー以上の達人で、マージョリー以上にきびしかった。「紐を無駄にしてはいけません」ぎゅっと結んでから、「では、あなたがやってみせて」

マージョリーが下着カウンターの向こうから恐怖のまなこでこちらを見ている。衣裳部に黒のスカートを調達してもらう必要はなさそうね。これで職を失うから。と思った瞬間、空襲警報のサイレンが鳴り出した。

生まれてこのかた、なにかを耳にしてこんなにうれしかったことはない。もっとも、タウンゼンド・ブラザーズの従業員用シェルターは、壁の配管がむきだしで、すわる場所がどこにもない、息苦しい地下室だった。「椅子や寝台はお客さま用なの」とマージョリーがいい、ミス・スネルグローヴはいかめしい口調で、「壁にもたれてはいけません。背筋を伸ばして、まっすぐ立って」

空襲が長くつづくことを祈ったが、ものの三十分で警報解除のサイレンが鳴った。しかし、そのときにはもうポリーのシフトが昼休みの時刻になっていたし、そのあとはミス・スネルグローヴが昼休みに入り、その後まもなくミスター・ウィザリルが「きょうからスカーフとハンカチのカウンターを担当する、ミス・ドリーン・ティモンズ」を連れてきたので、ミス・スネルグローヴは彼女に仕事の段取りを教えなければならなくなった。午後のポリーの客は、全員、購入商品の配達を希望したので、それ以上ラッピングに挑戦せずに済んだ。しかし、あしたも新入りの店員や空襲頼みというわけにはいかない。オックスフォードで包装術をマスターしなければ。

タイムトラベルの利点はここにある。仕事を終えて店を出ながら思った。もしマスターするのに一週間かかっても、あしたの出勤時刻にはちゃんと間に合わせられるんだから。店からまっすぐ降下点に行くことを考えたが、路地に入るところを見られて、あとをつけられる危険はおかせない。サイレンが鳴り、防空監視員が見まわりを終えて、時代人がみんな地下室や防空壕に入るまで待たなければならない。今夜の空襲は八時四十五分にはじまる。ということは、空襲警報は八時十五分まで鳴らない。つまり、夕食のあとまで出かけられないわけだ。

残念。下宿の玄関ドアを開けた瞬間、ポリーの鼻はひどいにおいに迎えられた。「今夜は牛の腎臓《キドニー・シチュー》よ」ミス・ラバーナムは声を潜めて、「爆撃機の音をこんなに待ち遠しく思う日が来るなんてね」ポリーの横から外に顔を出して空を見上げ、「今夜は早く来たりしないかしら」

あいにくだけど、それはないわ。心の中でそう返事をしたが、コートと帽子を脱いでこようと階段を上がりはじめたとたん、サイレンが鳴った。「ああ、よかった」とミス・ラバーナム。「わたしも要るものをとってくるから、そしたらいっしょに行きましょう。途中でサー・ゴドフリーのことをくわしく教えてあげる」

「いえ……わたし……」サイレンがこんなに早く鳴り出したことに当惑して、ポリーは口ごもった。「ええっと……行く前にしなきゃいけないことがあるの。ストッキングを洗ったり——」

「あら、だめよ、そんなの」とミス・ラバーナム。「危険すぎるわ。スタンダード紙で読んだけど、猫を出してやろうとして家に残っていた女性が死んじゃったんですって」

「でも、ほんの二、三分だから。用事が済んだらすぐ――」

「たったの一分でも大違いになるの。ねえ?」ミス・ラバーナムは、バッグに編みものをしまいながら階段を足早に降りてきたミス・ヒバードに同意を求めた。

「ええ、もちろんですよ」

「でも、ミスター・ドーミングがいないわ。ふたりは先に行ってて。わたしは彼といっしょに――」

「もう出かけましたよ」とミス・ヒバード。「夕食がキドニー・シチューだと聞いたとたん出ていったから。さあ」そういわれては、いっしょに行くほかなかった。セント・ジョージ教会に着いてから、忘れものをしたのでとりに帰るということにしよう。そのときにまだ空襲がはじまっていなければ。

どうして時刻をまちがえたりしたんだろう。そう思いながら、サー・ゴドフリーがどんなにすばらしかったかを語るミス・ラバーナムの無駄話を聞くともなく聞いていた。「でも、ほんというと、シェイクスピア劇よりバリのお芝居のほうが好き。ずっと素敵なのよ」十八日の空襲がはじまったのは午後八時四十五分。しかし、ハイド・パークのサイレンも鳴っているし、通りを渡っている途中でケンジントン・ガーデンのサイレンも鳴りはじめた。きっと、コリンが日付をまちがえたんだろう。

教会のすぐそばまで来たところで、「ああ、しまった。カーディガンを忘れてきちゃった」とポリーはいった。「とってこなきゃ」

「ショールがあるから、貸してあげますよ」とミス・ヒバードがいい、うまい返事を思いつく前にライラとヴィヴが駆けてきて、ジョン・ルイスが爆撃されたと教えてくれた。

「欠員があるって話を知ったのがきのうのことでほんとによかった」とライラが息を切らしていった。「あなたがジョン・ルイスに就職して、勤務中に被害に遭ったりしたら、ものすごく後悔するところだった」

「まあ、たいへん。飛行機の音がしたみたいよ」ミス・ヒバードがいって、全員を急《せ》きたてるようにして地下室への階段を降りた。

逃げ出そうかと考えたが、とても無理だ。ミセス・ブライトフォードと娘たち、ミスター・シムズと飼い犬がぞろぞろと階段を降りてくる。最後にやってきた主任牧師がすばやく頭数を数えて、かんぬきを下ろした。

さあ、黒のスカートをどうしよう？　それに包装技術をどうやって習得しよう？　スカートの件は、途中で空襲警報につかまって、とりに帰れなかったんです――ほんとにそのとおりだ、とポリーは皮肉っぽく思った――と言い訳できるにしても、ラッピングひとつ満足にできないことは申し開きできない。こうなったら、ここで練習するしかない。ポケットに手を入れて、まだ紐が入ったままになっていることをたしかめた。サー・ゴドフリー（前夜の荘重な演技の名残りはあとかたもなく、すっかりいつもの老紳士の役柄にもどっていた）がさしだしたタイムズを受けとり、全員が眠りについてから——空襲警報にもかかわらず、じっさいに爆撃がはじまったのは、やはり八時四十七分だった——忍び足で本棚に歩み寄ると、賛美歌集を一冊とって、それを新聞紙で包装する練習をはじめた。

百貨店の厚手の褐色紙より新聞のほうがずっと折り畳みやすかったし、お客（またはミス・スネルグローヴ）に見られているプレッシャーもなかったが、それでもやはり失敗した。もう一度トライする。折り目のある側を体に押しつけて、紙が開かないようにしてから、紐をかけた。このやりかたはうまくいったが、新聞紙のインクが白のブラウスに長く黒いすじを残した。

「きちんとした身なりを求めます」とミス・スネルグローヴはいった。つまり、空襲警報が解除されたあと、ブラウスを洗濯してから乾かしてアイロンをかけなければならないということだ。空襲は午前四時に終わるはずだが、今夜学んだことから考えると、警報解除のサイレンがその時刻に鳴るとはかぎらない。

もらったタイムズからもう一枚、新聞紙をとって練習した。さらにもう一回。いうことをきかない紐に、心の中で悪態をつく。タウンゼンド・ブラザーズはどうして紐のかわりにセロテープを使わないんだろう。セロテープがもう発明されているのは知っていた。前にセロテープを使って——

近くで爆弾が爆発し、とつぜんの轟音が地下室を揺るがした。ネルソンが跳び上がり、激しく吠えた。ポリーはびくっとした拍子に新聞紙を破ってしまった。

「いまのなに？」ミス・ラバーナムが眠そうにたずねた。

「五百ポンド爆弾の誤爆だ」と飼い犬の頭を撫でながらミスター・シムズがいった。

ミスター・ドーミングが聞き耳をたて、それからうなずいた。「敵さん、もう引き上げるところだな」といって横になったが、数分の沈黙のあと、唐突にまた空襲がはじまった。高射砲がポンポンと鳴り、上空で爆撃機の群れがうなりをあげる。

ミスター・ドーミングがまた起き上がり、主任牧師とライラがそれにつづいた。ライラはうんざりしたように、「ああ、もういいかげんにしてよ！」といった。他の人々も、ひとりずつ目を覚まし、天井に神経質な視線を投げた。ポリーは、朝までにコツをつかもうという不退転の決意でラッピングの練習をつづけた。バラバラと、上の通りに雹《ひょう》でも降ってきたような音がした。「焼夷弾だ」とミスター・シムズ。

バリバリバリという重低音が響き、それにつづいてシューッという長くかん高い音、それから爆発音が二度。前夜のような耳を聾する轟音ではなかったが、主任牧師は、いつもの場所で手紙を読んでいたサー・ゴドフリーに歩み寄り、静かにいった。「空襲は今夜も激しそうです。おそれいりますが、サー・ゴドフリー、また演技を披露してはいただけませんでしょうか」

「光栄です」サー・ゴドフリーは手紙を畳んでコートのポケットにしまうと立ち上がった。「なにをお目にかけましょう？　『から騒ぎ』？　それとも悲劇のどれか？」

『眠れる森の美女』」と、母親のひざに抱かれたトロットがいった。

『眠れる森の美女』となサー・ゴドフリーが朗々といった。「話にならぬ。われはサー・ゴドフリー・キングズマンなるぞ。児童劇《パントマイム》などやるものか」

トロットがわっと泣き出してもおかしくないところだが、そうはならなかった。

「じゃあ、雷のお話をまたやって」とトロットはいった。

『テンペスト』。すばらしい選択だ」とサー・ゴドフリーがいい、トロットは満面の笑顔になった。

ほんとにすばらしい役者だ、とポリーは思った。包装の練習なんかせずに、じっくり見物する余裕があればいいのに。

「ああ、いえ、『マクベス』をやってください、サー・ゴドフリー」とミス・ラバーナム。「昔からずっと、あなたが――」

サー・ゴドフリーは背すじをまっすぐにのばして、高々とそびえていた。「そのスコットランド劇を名前で呼ぶことが悪運をもたらすと知らぬのか？」と声高に叱りつけてから、天井を見上げて、天罰が下るのを待ち受けるように、爆弾のズシンドシンガラガラにしばし耳を傾けたのち、さっきよりおだやかな口調で、「いや、お嬢さん。この二週間というもの、行き過ぎた野心と暴力をわれわれはたっぷり経験してきた。今宵《こよい》、霧と汚れた空気は、もうじゅうぶんに広がっている」トロットに向かって大げさに一礼して、「それでは、〝雷のお話〟にいたしましょう、『いろんな物音やいい音色がするけれど、楽しいばかりで害はない』。しかし、わたしがプロスペロなら、ミランダが必要だ」ポリーのほうに歩いてくると、片手をさしのべた。「わたしのタイムズをずたずたにした罰として」と破れた新聞紙を見ながら、「ミス……」

「セバスチャンです」とポリー。「でも、あいにくわたしは――」

「かまいません」サー・ゴドフリーはみなまで聞かずにそういうと、考え込むようにポリーを見つめながら、「いや、セバスチャンではない。セバスチャンの双子の妹、ヴァイオラだ」

「名前はミランダじゃなかったの？」とトロット。

「そのとおり」とポリーに囁くと、サー・ゴドフリー。それから声をひそめて、『十二夜』はまたの機会にしましょう」とポリーに囁くと、手をひっぱって立たせた。「さあ、おいで、娘よ。よく聞け、これより物語るは、奇妙な風に襲われてわれらがこの島にやってきたいきさつ」胸ポケットから本をとりだし、ポリーに手渡した。「八ページ」と耳打ちする。「二場。もし父上の力によって――」

その台詞なら知っていたが、一九四〇年の女店員は知らないだろうから、本をとって自分の台詞を読むふりをした。「もし父上の力によってこの荒海が吠え猛っているのなら、お父上、どうか静めてください。空はいまにも黒々とした滝の雨を降らせようと――」

「そなたは思い出せるか、われらがこの岩屋に来る前のことを？」とサー・ゴドフリーがたずねた。

「はるか以前のことで」といいながら、オックスフォードのことを思った。「記憶にしかと刻まれたものというより、むしろ夢のようではありますが」

「ほかになにが見える？」とサー・ゴドフリーがまっすぐポリーの目を見る。「暗い過去と時の深淵の中に？」

わたしが未来から来たことを知ってるんだ。一瞬そう思った。いえ、彼は台詞をいっているだけ。わかるわけない。そんなことを考えているうち、台詞のきっかけを見失ってしまった。

「いかなる奸計に」とサー・ゴドフリーが囁く。

ページのどの箇所かもわからなくなっていた。「いかなる奸計によって、わたしたちはそこからこの島にたどりついたのでしょう？　それとも、それはさいわいだったのでしょうか？」

「両方だ、その両方だ、わが娘よ！　そなたのいうとおり、奸計によってわれらは国を追われた。しかしさいわいにもここにたどりついた」そういってサー・ゴドフリーは、本を持ったままのポリーの両手を握り、いかにしてこの島にやってきたか説明するプロスペロの長台詞を滔々《とうとう》としゃべってから、一瞬の間もおかずに、エリアルへの攻撃を開始した。

ポリーは本を忘れ、自分が演じている一九四〇年代の女店員の役柄を忘れ、まわりで見守っている人々のことも、頭上でうなりをあげる飛行機のことも忘れた。なにもかも忘れて、頭の中にあるのは自分の手をつかまえている彼の手だけ。そして彼の声。ポリーはサー・ゴドフリーの前にうっとりと――まるで彼が本物の魔法使いであるかのように、呪文で金縛りにされて——立ちつくし、いつまでもつづけてほしいと願った。

「わしはこの杖を折り」のくだりにさしかかると、サー・ゴドフリーはポリーの手を離し、自分の手を頭上にかざして、すばやく振り下ろした。想像上の杖を折るしぐさ。夜ごとの攻撃と破壊に平然と接してきた観客が、そのしぐさに思わずたじろいだ。三人の少女たちはあんぐり口を開け、目を大きく見開き、縮こまって母親にしがみついている。

「この本を海に沈めよう」サー・ゴドフリーの豊かな声には、力と愛と後悔が入り交じっていた。「これらの役者たちは、前もって述べたとおり、すべてが精霊、あとかたもなく消えてしまった」

ああ、やめて。ポリーは思った。プロスペロのもっとも美しい台詞。だがそれは、宮殿と塔と「この大いなる地球そのもの」が壊れゆく物語だ。サー・ゴドフリーは、ポリーの声に出さない訴えを感じとったにちがいない。というのも、かわりに彼は、「われらは、いま消えゆくこの実体のない仮装行列とおなじく、ちぎれ雲ひとつ残さず去りゆかん」といい、ポリーは自分の目に涙があふれるのを感じた。

「ずいぶん意気消沈した顔に見えるな」サー・ゴドフリーはやさしくいって、またポリーの手をとった。「元気を出せ、娘よ。われらの祭りは終わったのだ」そして、空襲警報解除《オール・クリア》のサイレンが鳴った。

全員がそくざに天井を見上げ、ミセス・リケットは立ち上がってコートに袖を通しはじめた。「終幕のベルが鳴ったようだ」サー・ゴドフリーは渋面をつくってポリーにつぶやき、彼女の手を放そうとした。

ポリーは首を振った。「あれは小夜《さよ》鳴鳥《なきどり》。朝はまだ近づいておりません（『ロミオとジュリエット』3幕5場）」

サー・ゴドフリーは畏敬の表情でポリーを見つめ、それから笑みを浮かべて首を振り、「あれは雲雀《ひばり》だった（同上）」と残念そうにいう。「それとも、なお悪い真夜中の鐘」といって、手を放した。

「ああ、もう、サー・ゴドフリー、心を揺さぶられましたわ」ミス・ラバーナムがミス・ヒバード、ミセス・ワイヴァーンといっしょに押し寄せてきた。

「わたくしどもはお粗末な役者にすぎませぬ」とサー・ゴドフリーはポリーを共演者に含めるしぐさをしたが、観客は彼女を無視した。

「ほんとにすばらしかったです、サー・ゴドフリー」とライラ。

「レスリー・ハワードよりよかったわ」とヴィヴ。

「魔法にかけられたみたいでした」とミセス・ワイヴァーン。

たしかに魔法だ。そう思いながらコートを着て、ハンドバッグと、新聞にくるまれた賛美歌集を手にとった。おかげでラッピングの練習をすっかり忘れていた。警報解除のサイレンが早く鳴ったことを祈って腕時計に目をやったが、時刻は六時半。やっぱり雲雀だった。そう思って、シンデレラの気分になる。下宿に帰って、ブラウスを洗濯しなければ。

「あしたの夜は、ぜひまた新しいお芝居を見せてください、サー・ゴドフリー」とミス・ラバーナムが懇願している。

「ミス・セバスチャン！」サー・ゴドフリーは賛美者の群れから脱出し、急ぎ足でこちらにやってきた。「台詞をすっかり諳《そら》んじていてくださったことにお礼を——いつも共演している女優たちにはめったに期待できないことだ。教えてほしい、舞台に立つ仕事を考えたことはおありかな」

「とんでもありません、サー。わたしはただの売り子ですから」

「とんでもない。『そなたはこの曲が捧げられている女神、至高のダイヤモンド、この世の不思議だ』」

『不思議などではありません。まちがいなくただの娘』（『テンペスト』1幕2場）」とポリーが引用すると、サー・ゴドフリーは首を振った。

「たしかに娘だ。そして、もしわたしが四十歳若かったら、あなたの相手役になるのに」耳もとに顔を近づけて、「その場合には、あなたの身も安全でなかったでしょう」

そうでしょうとも。三十歳のときの彼は、ほんとに危険な男だったにちがいない。そのときとつぜん、コリンの言葉を思い出した。〝何歳でも、希望に合わせるよ。七十歳とかいわれても困るけど、でも、年上が好きなら、喜んで三十歳になるよ〟

「ああ、サー・ゴドフリー」ミス・ラバーナムがやってきた。「この次は、サー・ジェイムズ・バリの劇をやっていただけません？」

「バリ？」サー・ゴドフリーは憎々しげな口調でいった。「『ピーター・パン』をやれと？」

ポリーは笑みを押し殺した。ドアを開け、階段を昇りはじめる。

「ヴァイオラ、待って！」

階段の中ほどでサー・ゴドフリーが追いついた。また手をとられるかと思ったけれど、そうではなかった。息のつまるような長い一瞬、サー・ゴドフリーはただじっとポリーを見つめた。

三十歳じゃなくても関係ない。彼はいまも危険な男だ。

「サー・ゴドフリー！」ミス・ラバーナムが戸口の内側から呼んだ。

彼はうしろをふりかえり、それからポリーに視線をもどして、「わたしたちは出逢うのが遅すぎた。時の関節がはずれてしまった（『ハムレット』1幕5場）」といい、それから階段を降りていった。

「本物の飛行機、本物の爆弾。こいつは演習なんかじゃない」
——戦艦オクラホマのスピーカーの声
真珠湾、一九四一年十二月七日

24 ダンケルク 一九四〇年五月二十九日

マイクは眼前の光景を茫然と見つめた。東に一マイルもない距離で、ダンケルクの街が炎上している。オレンジがかった赤い炎と黒い雲。石油タンクから立ち昇るいがらっぽい煙が桟橋の上を漂い、桟橋にも、浜辺にも、海上にも炎が広がっている。右手に見える一隻の巡洋艦は船尾が海面から斜めに突き出し、その脇についたタグボートが兵士たちを救出中。その南には駆逐艦が浮かび、その向こうには海峡連絡船。その船も炎上していた。

水平線上では光が閃き——大砲の砲火？——駆逐艦の砲門が耳を聾する咆哮で応戦する。岸辺で爆発があり、炎が渦を巻き——炎上しているのはガスタンクだ——遠くで機関銃の発射音がしている。

「信じられない！」騒音のなか、ジョナサンが興奮にうわずった声で叫んだ。「ほんとに来たんだ！」

マイクは、炎に照らされた港を麻痺したように見つめた。手すりから手を離すことはおろか、身じろぎするのもこわかった。ほんのちょっとした行動が——あるいは発言が——歴史上の事件にとりかえしのつかない影響を与えてしまうかもしれない。

「すごいや！　ドイツ兵も見られると思う？」

「見ずに済むことを祈りたいね」マイクは空を見上げ、それから水平線に目を凝らして、空中に漂う煙を通して、夜明けが近いかどうかを見極めようとした。

ダンケルクの港は、半分沈みかけた船の残骸で水路のあちこちがふさがれていた。視界が利かない状態ではとても通り抜けられそうにない。かといって、昼の光のもとでは、上空からシュトゥーカに狙い撃ちされる可能性が高い。それに、あいにく、三十日の天気は晴れだった。沖に向かう風が港から煙を吹き飛ばして、兵士を乗り込ませている最中の小型船舶群は絶好の標的になった。まだ風は吹いていない。でも、凪《なぎ》はいつまで？

「カンザス、ぼやぼやするな！」とコマンダーが叫んだ。「レイディ・ジェーン号がなにかに衝突するのを防ぐ役目だぞ！」

はたしてそうなのか？　それとも、トロール漁船だか釣り船だかに衝突して、乗組員もろとも海の藻屑《もくず》となるのが本来の運命？　なにをすべきか、なにをしてはならないかを知るのは不可能だ——次の一歩でなにもかも吹き飛ぶかもしれないと知りつつ、目隠しをして地雷原を歩くようなものだ。ただし、こちらのほうが分が悪い。地雷原ならじっと動かずに立ち止まっているという選択肢がある。歴史の流れを変えるかもしれない警告を叫ぶべきか、それとも黙っているべきか。

「面舵《おもかじ》！」ジョナサンが舳先《へさき》の反対側から叫び、コマンダーは舵輪をまわした。船は迫りくる掃海艇の横をかすめ、ダッダッダッダッと港に入った。

暗くて見えないんじゃないかという心配は杞憂だった。燃える街の炎が港全体を照らしている。ほとんど昼間のように明るい。願ってもない幸運だった。というのも、近づくにつれて、ますます障害物が増えてきたからだ。波間に漂う木箱、その向こう、まっすぐ前方には沈没したヨット。マストだけが海面から突き出している。「左へ！」とマイクは必死に腕を左の方向へ振りながら叫んだ。

「左？」コマンダーが怒鳴る。「ここは船の上だぞ、カンザス。取り舵《ポート》だ！」

「わかったよ！　取り舵！　いまだ！」

コマンダーが舵輪を回し、数センチの差でマストをかわしたが、今度は、半分沈みかけた連絡船と衝突するコースにある。「右だ！」とマイクは叫んだ。「ええと、つまり面舵！

面舵！」

今回は数センチの余裕もなく、マイクロメートルの差ですれ違った。もともとギリギリで衝突を避けられるはずだったのか、それとも本来は土手っ腹に穴が空くはずだったのか？　判断のしようがないし、考えている時間もない。前方、海面下には巨大な外輪が沈んでいる。その向こう、左手には、一部が水没した手漕ぎボート。その船首は破城槌のようにレイディ・ジェーン号のほうを向いている。「面舵いっぱい！」マイクが口を開く間もなくジョナサンがそう叫び、船は間一髪、ボートをかすめた。

泡立つ海面に浮かぶものはどんどん増えてくる。オール、ドラム缶、ガソリン缶。軍用ジャケット、焼け焦げた船の外板、救命胴衣が船の横を流れてゆく。

「救命胴衣は――救命具は――積んでるのか？」とコマンダーにたずねた。

「救命具？　泳げるといったじゃないか、カンザス」

「泳げるよ」むっとして答える。「でもジョナサンは泳げないし、もしレイディ・ジェーン号がなにかに衝突したら――」

「だからおまえにナビゲートさせてるんだ」とコマンダー。「さあ、仕事にもどれ。命令だ」

マイクはそれを無視して、鉤竿をひっつかみ、救命胴衣を拾い上げようと手すりに駆けもどったが、すでに後方へ去っていた。ほかにも浮いているかもしれないと思って、舷側から身を乗り出して海面に目を凝らしたが、ひとつも見つからない。両裾を結んで間に合わせの救命胴衣にしたズボン、靴下片方、からまったロープ。それに死体――十字架のように両手をまっすぐ真横に伸ばしている。

「あそこ！」ジョナサンが舳先の反対側から叫んだ。「あれ、死体？」

ああ、そうだといいかけたとき、死体だと思ったのが軍用の外套だったことに気づいた。空っぽの袖とベルトの端が左右に漂っている。海を泳いで船に乗るとき、将校が脱ぎ捨てたものだろう。残りの服や靴もたぶんいっしょに脱いだだろうが、他にはなにも浮かんでいなかった。

いや、違う。軍靴の片方が浮いている。それにはしごと、驚いたことにライフルが一挺。レイディ・ジェーン号は港の入口付近にさしかかっていた。コマンダーは舵輪を操り、救命ボートと、空気を孕《はら》んで風船のように膨らんでいる沈没ヨットの帆のあいだを通り過ぎた。いや、ヨットの帆じゃない。埠頭から転落したトラックの、帆布《はんぷ》製の幌だ。ということは、船は浅瀬に入り込んでいる。願わくは、ぶつかる前に、沈んでいる残骸が目視できますように。

「どう思う、カンザス？」コマンダーが港を見渡しながらいった。「どのコースに賭ける？」

百八十度方向転換して帰るコースだよ、とマイクは心の中で答えた。内港は、沈みかけた船や、英軍が敵の手に渡さないために海中投棄した装備類で地雷原のようになっている。万が一、首尾よく入港できたとしても、もどるのはぜったい無理だ。水路はせますぎて、手漕ぎのボート一艘でふさがってしまう。かといって、海岸をめざした場合には、救出を待って集まっている数万人の兵士に船が呑み込まれてしまうだろう。それとも、浅瀬で立往生して、つぎの高潮を待つ羽目になるか。

「なんといった、カンザス？」コマンダーが耳に手をあてて叫んだ。「どっちに向かう？」

大きな汽笛が鳴り響き、煙の中から一隻のモーターボートがあらわれ、まっすぐこちらに進んでくる。海軍の軍服を着た若者が舳先に立っている。「アホイ！」と両手をメガホンがわりにして叫び、「その船は空荷、それとも満員？」

「空だ！」とマイクは怒鳴り返した。

「あっちに行ってくれ！」と、若者は片手で東のほうを指した。「突堤の兵隊を収容している」

うわ、なんてことだ、東突堤じゃないか。港のもっとも危険な地点のひとつ。くりかえし何度も攻撃され、幅のせまい防波堤から兵隊を積み込もうとした船が何隻も沈んでいる。

「あいつ、なんといった？」コマンダーがマイクに叫んだ。

「あっちへ行けって！」とジョナサンが割り込み、東を指さした。コマンダーはうなずき、さっと敬礼すると、ジョナサンが指さす方向へ船を向けた。モーターボートはぐるっとまわって方向転換すると、波を蹴立てて、レイディ・ジェーン号を先導しはじめた。

防波堤は内港の先まで延びていた。まあ、すくなくとも座礁の心配はないわけだ。そう思ったが、近づいてみると、突堤は爆撃を受けていた。セメントのかたまりが突堤からごそっと欠け落ち、亀裂の上に戸板や外板が渡してある。モーターボートの海軍将校は突堤を指さし、コマンダーがレイディ・ジェーン号の針路をそちらに向けるのを見ると、いちはやく手を振って去っていった。

コマンダーは、半分水没したタグボートと突き出した二本のマストを慎重に迂回し、船を防波堤に近づけていった。海面はドラム缶やオールやまだ燃えている板きれでいっぱいだ。一枚の板には、船名がペイントされていた。ロザベル号――英軍兵士を救出するためにここまでやってきて木っ端《こっぱ》みじんに吹き飛ばされた船の名前にちがいない。「係留できる場所を見つけろ」とコマンダーに命じられて、マイクはレイディ・ジェーン号が碇泊《ていはく》できそうなスペースを海面にさがしたが、防波堤は端から端まで、投棄された軍用装備と船の残骸にふさがれているように見えた。乗り捨てられた軍用車の後部が海上に露出している。

その向こうに、レイディ・ジェーン号が碇泊できるかもしれない広さの、なにもない海面が見えた。「あそこ!」と叫んで指をさすと、コマンダーがうなずき、そちらに舵を切った。

「速度を落として」と指示し、マイクは舷側から半分身を乗り出して、海中の障害物に目を光らせた。どうせまた海事語を使えと叱られるだろうと思ったが、どうやらコマンダーのほうも、マイクとおなじぐらい、船底をこするのが心配だったらしい。エンジンの出力を絞って速度を四分の一に落とすと、ゆっくりゆっくり突堤に近づいていった。

「見て、また死体!」ジョナサンが叫んだ。今度は本物だった。うつぶせになって海面を漂い、レイディ・ジェーン号の波にゆったりと揺られている。その向こう、突堤のすぐそばにももう一体。こちらは直立した姿勢で、ヘルメットをかぶった頭と肩とが水面に出ている。

いや、そっちは死体じゃない。この船に向かって水をかきわけて歩いてくる兵士だ。そのうしろにもふたり。片方はライフルを頭上に掲げている。レイディ・ジェーン号が接岸して道板を渡すまで待てないらしい。ばしゃんと水が跳ね、つづけてまたばしゃんと音がした。

マイクが防波堤に目をやると、薄汚れた犬ころを連れた兵士が海に飛び込んだところだった。犬は兵士の横を泳いでいる。その上の防波堤には十数人の兵士が立っていた。防波堤の向こうから、こちらめがけてさらに十数人が走ってくる。

「飛び込まないで！」ジョナサンが彼らに向かって叫んだ。「いま、そっちに行くから」コマンダーはレイディ・ジェーン号をゆっくりと防波堤に近づけた。

ジョナサンが兵士たちに向かってロープを投げた。「舫《もや》って！」とコマンダーが呼びかける。「カンザス、海の中の連中にもロープを投げてやれ」

マイクはロープの端を舷側に結びつけてから海に投げ込み、兵士たちをひっぱりあげはじめた。こうすることで、救出されないはずだった人間の命を救っているんじゃないことを祈ったが、心配するまでもなさそうだ。兵士のうちふたりは、マイクがロープを結んでいるうちに自力で上がってきたし、ロープを投げてやった兵士は、それを犬の胴体に縛りつけている。犬の命を救うことが歴史の流れを変えるとは思えないし、どのみち自力では船に上がれない。マイクがロープをひっぱって犬をデッキに上げると、犬は全身をぶるぶる振って、マイク以下そばにいた全員にしぶきを撒き散らした。あとから上がってきた飼い主もそのシャワーを浴びた。

飼い主は将校だったらしく、ただちにロープの引き上げ係を引き継いだ。

「カンザス、ジョナサンに手を貸して、突堤に道板を渡せ」とコマンダーが命令し、マイクはそれにしたがおうとしたが、船のデッキの高さより、突堤のほうがはるか上にある。それにどのみち、兵士たちはすでに自分たちで問題を解決していた。突堤の側面にはしごを縛りつけ、それを使って海中に降りると、こちらに泳いでくる。

「もう一本ロープを降ろしてやれ」とコマンダーがジョナサンに命じ、舷側にガソリン缶を縛りつけていたロープをほどきはじめた。

「貸して。ぼくがやるよ」マイクはそういって、重い缶を船尾へ運んだ。レイディ・ジェーン号の燃料タンクにガソリンを補充することは、兵士をひっぱりあげるのとくらべて、歴史に影響を与える可能性が低い。兵士の中には、自力では上がってこられない者がいるかもしれない。

「手を貸して！」舷側から身を乗り出したジョナサンが叫んだ。ヘルメットに背嚢《はいのう》その他をフル装備した兵士を引き上げようとしている。「死んでると思ったよ！」といいながら、背嚢のストラップをひっぱって、兵士の体に舷側を乗り越えさせた。

「おれもそう思った！」兵士はデッキに背嚢を投げ出すと、すぐさまジョナサンに手を貸して次の兵士を引き上げ、また次の兵士を引き上げた。マイクはガソリンをタンクに注ぎ、空き缶を海中に放り込んだ。缶は板きれや服や死体のあいだをぷかぷか漂っていく。デッキでへたばる兵士たちのあいだを縫って、マイクはさらに二個の燃料缶をとってきた。

兵士はあとからあとから船によじのぼってくる。「やれやれ、待ちかねたよ」兵士のひとりが舷側をまたぎながらいった。「いままでなにやってたんだ？」

しかし、ほとんどの兵士はなにもいわなかった。うちひしがれ、途方に暮れたようすで、デッキにくずおれるか、その場にすわりこんでいる。生気のない顔は油で汚れ、目は血走っていた。船尾や船の反対側に移動しようとする者はなく、彼らの体重で甲板が左舷に傾きはじめた。

「連中を右舷に移せ」とコマンダーがマイクに叫んだ。「さもないと転覆するぞ。あと何人だ、ジョナサン？」

「ひとりだけ」ジョナサンはそういって、片腕に包帯をした兵士が甲板に上がるのに手を貸し、「これで全員」

さしあたってはね、とマイクは突堤を見ながら心の中でつけ加えた。陸のあらゆる方角から防波堤めがけて兵士たちが集まってくる。あれがみんな乗ってきたら、船は沈んでしまう。しかし、コマンダーはすでにエンジンを始動させていた。「索を切れ」とジョナサンに命じ、スロットルを引く。スクリューがまわりはじめたが、がくんと止まった。

「なにかからんでる」とコマンダー。「たぶんロープだ」

「どうするの？」とジョナサン。

「だれかが海に入って、はずすしかない」

でも、ジョナサンは泳げない。マイクはすがる思いで兵士たちに目を向けた。それと、海から兵士をひっぱりあげる役割を引き継いだ将校。だれか志願してくれるんじゃないかと思ったが、みんな精根つきはてたようすで、甲板にすわりこむか、ぐったり手すりにもたれている。海の中にもどることはおろか、いかなる助力も期待できる状態ではない。

マイクはジョナサンに目をやった。救命胴衣を着た兵士にかがみこんで紐をほどいてやっている。兵士は無抵抗で、ジョナサンがそこにいることにも気づいていないようだ。ジョナサンは十四歳。スクリューがからんだままだと、命を落とすかもしれない。念願かなって、戦争の英雄になるわけだ。ぼくの念願もかなったんだ、とマイクはふと思った。英雄を観察するのが夢だったが、ここには英雄たちがいる。

ジョナサンは救命胴衣の紐をなんとかほどき終えた。「ぼくが行くよ、じいちゃん」といって、兵士から脱がせた救命胴衣を身につける。

「いや、ぼくが行く」といって、マイクはコートを脱いだ。

「靴を脱げ」とコマンダーが命じた。「それと、水中の漂流物に気をつけろよ」

ジョナサンがコルク製の救命胴衣をマイクの手に押しつけた。マイクはそれを着込むと、靴下の足で船尾へ歩いていった。コマンダーがロープを舷側に結びつけた。「よし行け、カンザス。頼りにしてるぞ」

「エンジンはちゃんと切ってあるだろうね。いきなりスクリューが回りはじめるのは勘弁してよ」といって、マイクは舷側を乗り越えた。

海に飛び込むと、氷で殴られたような感触だった。あえいだ拍子に水を飲み、咳き込みながら海面に顔を出してロープをつかんだ。

「だいじょうぶ?」上からジョナサンが呼びかける。

「ああ」咳の合間にどうにか答えた。

「じいちゃんが、エンジンは切ったって」

マイクはうなずき、スクリュー・シャフトのほうに泳いでいった。大きく息を吸って海中に潜る。そして、すぐまた顔を出した。

「どうしたの？」とジョナサン。

「救命胴衣が」マイクは濡れた結び目と格闘しながら、「着たままだと潜れない」結び目をほどいて救命胴衣を脱ぐのに永遠の時間がかかったような気がした。ようやく脱いだ胴衣は海面にぷかぷか浮いている。もしこれがスクリューにからまったら？　そう思って胴衣を追いかけ、かじかんだ手でロープに結びつけてから、また海に潜った。海中は真っ暗闇だった。スクリューを手探りするうち、船腹から手が離れ、方向感覚を失った。浮上しようとすると、頭がなにかにぶつかった。船の下に入っちゃったんだ。どうしよう。パニックにかられかけたとき、水面に頭が出た。

頭にぶつかったのは船底ではなく、浮かんでいる板だった。船腹のすぐ横、潜ったときとまったくおなじ場所にいた。「なんにも見えない」とジョナサンに叫んだ。「明かりがいる」

「懐中電灯をとってくる」といってジョナサンが姿を消した。

マイクは立ち泳ぎしながら待った。ジョナサンがもどってきて、電灯で海面を照らした。「まっすぐスクリューを照らしてくれ」といって指さす。ジョナサンが指示にしたがい、マイクは大きく息を吸ってまた潜った。

やはりなにも見えない。懐中電灯の光は、海面の十センチほど下でぼんやりした輪をつくっているだけ。漆黒の海水にはとても太刀打《たちう》ちできない。水を蹴って浮かび上がる。

るくなった。

「もっと明るいのがいる」とジョナサンに向かって叫んだとき、とつぜんまわりがぱっと明るくなった。

ジョナサンが信号灯を持ってきてくれたのかと思ったが、すぐに気がついた。そうじゃない、ドイツ軍が照明弾を落としている。ということは、五分後には爆弾が降ってくる。だが、それまでのあいだは、スクリューがはっきり見える。スクリューのまわりに、大きな布のかたまりがからみついているのがわかった。また軍用外套だ。ベルトの端が外套を離れて、ゆらゆら海中に漂っている。マイクはスクリューのブレードをつかみ、外套の袖をはずそうと手を伸ばした。

つかみそこねた。ああくそ、しかも、袖の中には腕がある。スクリューにつかえているのは外套じゃない。死体だった。外套を着た死体がブレードにからみつき、スクリューを抱きしめているように見える。おっかなびっくり、死体の腕をひっぱってみた。ベルトの反対の端がブレードと死体の手に巻きついている。それをほどいてから、バックルがついているほうの端をぐいとひっぱると、ベルトがはずれ、死んだ兵士の頭がこちらに垂れてきた。開いた口の中は黒い水でいっぱいになっている。

緑がかった光が薄れはじめた。あとどのぐらい息を止めていられるだろうと思いながら、死体の片腕をブレードから引き離した。もう片方の腕に手を伸ばす。はずれない。思いきりひっぱった。肺が破裂しそうだ。もう一度。

閃光と振動。死体が激しくぶつかってきて、肺の最後の空気が押し出された。吸っちゃだめだ。そういい聞かせて、必死に口を閉じる。水面に出るまで息をしちゃいけない。だが、水面に出られない。ベルトの端が、スクリューにからんでいたようにマイクの手首にからみつき、海中に縛りつけている。必死にベルトをつかんで、ゆるめようとした。

ほどけた。思いきり死体を押しやる。ベルトを海草のようにたなびかせて、死体はゆっくりと沈んでいった。海面に頭を出し、咳き込んだ。レイディ・ジェーン号が見えない。影もかたちもない。黒い海と燃える木材とぷかぷか浮かぶガソリン缶以外、なにも見えない。空がまた明るくなった。悪夢のような緑色の光に染まる。それでもやはり、船が見えない。見えるのは巡洋艦の黒々とした巨大なシルエットと、その向こうの駆逐艦だけ。

反対のほうを向いてるんだ。やっとそう気づいて、立ち泳ぎしながら体をぐるっと回転させると、燃える町を背景に黒く浮かぶレイディ・ジェーン号が見えた。シュルシュルと音を立ててまたひとつ照明弾が落ちてきて、船尾に立つジョナサンの姿を照らした。海面のあちこちに懐中電灯を向け、必死にマイクを捜している。

「ここだ!」大声で呼ぶと、ジョナサンがマイクのうしろの海面に光を向けた。「こっち!」と叫んで、船のほうに泳ぎはじめた。シュ—ッと音がして目の眩《くら》むしぶきが上がり、そして周囲の海面が炎の膜となって盛り上がった。

「飛行爆弾は、その性質、目的、効果のすべての面において、本質的に無差別な兵器だ」

——ウィンストン・チャーチル、一九四四年

25

サリー州ダリッジ
一九四四年六月十五日

十一時三十五分、本来鳴るべき時刻の四分後（もっとも、メアリにはずっと長く感じられた）、とうとう警報が鳴った。「なに？」フェアチャイルドがベッドに体を起こした。

「なんでもないわ」とタルボット。「あの悪ガキどもがまたサイレンをいたずらしたのよ。寝よう。どうせすぐ止まるから」

「だといいけど」グレンヴィルが頭を枕に埋めた。「少佐もそう思ってくれることを祈りたいわ。あの最低の地下室でひと晩過ごすなんて耐えられない」

しかし、サイレンのむせび泣きは高くなり低くなりしながらつづいた。

「もしいたずらじゃなかったら？」メイトランドがベッドの上で体を起こして、明かりをつけた。「ヒトラーが降伏して、戦争が終わったんだとしたら？」

「そうじゃないといいけど」タルボットが目を閉じたまままつぶやく。「あの賭けに勝たなき

「降伏したわけない」とフェアチャイルド。「戦争が終わったんなら、警報解除《オール・クリア》のサイレンが鳴るはずでしょ」

しいっ。メアリは心の中でそういいながら、V1の音に耳をすました。クリケット場近くのクロクステッド・ロードに十一時四十三分に着弾するはず。ここからすぐ西だから、落ちる前に音が聞こえるはず。

サイレンの音が小さくなってきた。「やっと」とタルボット。「あの悪ガキども、こんど見つけたら――」

メイトランドが明かりを消して横になった。メアリは毛布の下に潜り込んで、懐中電灯をつけ、腕時計をたしかめた。十一時四十一分。あと二分だ。V1のエンジン音に、じっと耳をすましたが、なにも聞こえない。あと一分。もうV1の音が聞こえていいはずだ。ダダダダというジェット・エンジンの音は、標的に到達する数分前から耳に届いたという。そしてV1はこの支部の真上を通過することになっている。

あと三十秒。やはりなにも聞こえない。ああ、そんなまさか。V1はクロクステッド・ロードに着弾しない。ということは、時刻と場所のリストがまちがっていたことになる。わたしの現地調査は危険度10だ。

そのとき、西のほうから、雷が轟くような衝突音が響き、それにつづくゴロゴロという音が部屋を揺さぶった。「うわ、いまのなに？」とメイトランドが明かりのスイッチを手探りする。

やれやれ、助かった。メアリは腕時計を見た。十一時四十三分。急いで懐中電灯を消し、毛布の下から顔を出した。

「いまの聞いた？」とリードがたずねる。

「聞いた」といって、メイトランドがまた明かりをつけた。「飛行機みたいだった。きっと、こっちの飛行機が不時着したんだよ」

「飛行機が落とされたんなら、警報は鳴らない」とリード。「あたしは不発弾に賭ける」

「不発弾のわけないじゃない」とタルボットが侮蔑するようにいう。「どうして前もって不発だってわかるのよ」

「まあとにかく、あれがなんだったとしても、うちの管轄区ね」とメイトランドがいったとき、通信司令室の電話が鳴った。

数秒後、キャンバリーが戸口から顔を出して、「ウェスト・ダリッジに飛行機が落ちた」

「飛行機だっていったでしょ」といいながらメイトランドがブーツに足を突っ込む。「民防が燃えてる飛行機を見て、警報を鳴らしたんだ」

「ウェスト・ダリッジのどこ？」メアリはキャンバリーにたずねた。

「クリケット場のそば。クロクステッド・ロード。犠牲者がいるって」

やれやれ。メアリは肩の荷が下りた気分だった。キャンバリーが姿を消した。メイトランドとリードはヘルメットをかぶり、そそくさと出ていった。キャンバリーがまた戸口に顔を出し、「少佐の命令で、非番の人間は全員、シェルターに降りろって」

「今晩、飛行機があと何機落ちると思ってるんだろ」とタルボットが愚痴った。

百二十。メアリはローブを着ながら心の中で答えた。非番のクルーはぶつぶつ文句をいいながらぞろぞろと地下室に降り、五分後、警報解除のサイレンが鳴ると、また部屋にもどり、ローブを脱いでベッドに入った。メアリもそれにならったが、あと――腕時計に目をやり――六分でまたサイレンが鳴るのはわかっていた。

サイレンが鳴った。「ああ、もう勘弁して」フェアチャイルドがいらいらした口調でいった。「今度はなに？」

「睡眠を奪おうっていうナチの計略よ」サトクリフ－ハイスがベッドカバーをはねのけていった。そのとき、南東のほうでバリバリバリと音がした。クロイドンだ。そう思って、メアリはうれしくなった。時間もぴったり。

次のV1も、その次のも時間どおりに飛来したが、どれひとつとして、エンジン音が聞こえるほど近くを飛んだものはなかった。録音記録を聞いておくんだったと、あらためて思った。爆弾地帯にいるときは、V1が近づいてくる音を聞いたらすぐにそれと識別できる必要がある。しかしすくなくとも、爆発音がどういうものなのかはわかった。FANYの面々は、だれひとり状況を把握していないようだった。メイトランドとリードが事象現場《インシデント》からもどってきて、ぺちゃんこになった家々と広範囲にわたる破壊のニュースを伝えたあとも、事情は変わらなかった。

「きっと、爆弾を積んだまま墜落したんだね」とリードはいった。このときにはもう、ほかに四度も爆発音を聞いていたのに。

「こっちの飛行機、それとも向こうの？」とサトクリフ＝ハイスがたずねた。

「ばらばらに吹っ飛んでたからよくわからないけど」とメイトランド。「でも、きっとドイツ軍機でしょ。こっちの爆撃機が帰ってくる途中で墜落したんだとしたら、爆弾はもう投下してるはずだもの。事象処理担当将校は、飛んでくる音を聞いたけど、エンジン・トラブルを起こしているみたいだったって」

「たぶんヒトラーはガソリンが足りなくなって、燃料タンクにケロシンを入れてるのよ」とリード。「もどる途中で、べつのが飛んでく音を聞いたけど、ダダダダダって咳き込むみたいな音だった」

東のほうでまたゴロゴロという音が轟いた。「この調子だと、あしたにはヒトラーの空軍は飛行機がなくなっちゃいそう」とタルボット。

飛行機じゃなくて、無人ロケットなのよ、とメアリは心の中でいった。到着が遅れたせいでV1以前の日常を観察できないんじゃないかという心配は杞憂だった——彼らはいまだに〝V1以前〟を生きている。

隊員は、次の次の土曜にタルボットが行く予定のダンスの話をすぐさま再開した。「だれかいっしょに行ってくれる人を探してるの」とタルボットがいった。「行かない、リード？アメリカ兵が山ほど来るわ」

「だったら行かない。ぜったいいや。アメリカ人なんか大嫌い。みんなすごく気取ってるし、しじゅう他人の足を踏みつけるし」といって、リードは400クラブで出会ったおぞましいアメリカ人大尉の話をはじめた。キャンバリーが地下室の階段の上から、また事象が発生したと怒鳴り、メイトランドとリードがあわてて出かけたあとも、おしゃべりは止まらなかった。

「どうしてそんなにおおぜいのアメリカ人とダンスしたいの、タルボット？」とパリッシュがたずねた。

「だれかが彼女に恋をして、ナイロン・ストッキングをプレゼントしてくれるのを期待してるのよ」とフェアチャイルド。

「そんなの不純だわ」とグレンヴィル。彼女の婚約者はイタリア戦線に行っている。「愛はどうなるの？」

「あたしが愛する相手は新しいストッキングをくれる人なのよ」とタルボット。

「いっしょに行ってあげる」とパリッシュ。「ただし、今度わたしがディッキーに会うとき、あの水玉モスリンのブラウスを貸してくれるって約束するならね」

ロケット攻撃がはじまったあとも、FANY隊員が状況を把握できないなんてことは、想像もしなかった。歴史記録によれば、ヒトラーが秘密兵器を開発しているという噂は、一九四二年以降、広く囁かれていたというのだから、なおさらだ。しかしそれをいうなら、歴史記録によれば、空襲警報のサイレンは十一時三十一分に鳴ったはずだ。

それに、彼らもほどなく理解するだろう。今週末には、一日二百五十基のV1が飛来し、八百人近くの死者が出る。いまのうちに、男の噂話やドレス談議を存分に楽しんでいればいい。どうせそう長くはつづかないのだから。それまでのあいだ、メアリはサイレンと爆発にじっと耳を傾け、スケジュールどおりかどうかを確認できるわけだ。いままでのところは、ほぼ予定どおりだった。例外は、二時九分に着弾するはずのV1が落ちなかったのと、最後の警報解除サイレンが五時十五分ではなく五時四十分になったことだけ。

「ベッドに行く意味はほとんどないわね」とぼとぼ階段を昇りながら、フェアチャイルドがメアリに向かっていった。「六時から当直なのよ」

でも、サイレンは九時半まで鳴らない。それに十一時三十九分まで、うちの管轄区にV1は落ちない。願わくは。

二時九分に落ちなかったV1のことが心配の種だった。本来の着弾地点はウェアリング・レーンで、ここからの距離は、クリケット場よりさらに近い。当然、音が聞こえたはずだ。ということは、どこかべつの場所に落ちたことになる。英国情報部の偽装計画の成果だと考えられなくもない。その一方、着弾時刻と場所が違っていたのは二時九分のものだけだから、ただのまちがいだという可能性もある。とはいえ、リストにひとつでもまちがいがあれば、それだけを理由にメアリの現地調査にとつぜん終止符が打たれることもありうる。それも永遠に。

九時三十分のサイレンと十一時三十九分のV1がどちらも本来のスケジュールどおりだっ

たのでメアリはほっとした。とりわけ、命中するはずの建物に命中したことに安堵したが、破壊のあとを目《ま》のあたりにして罪悪感を覚えた。さいわい、犠牲者は出なかった。

「ちょうど家を出たところだったんですよ。妻と三人の娘たちといっしょに、叔母の家を訪ねる予定で」と一家の主《あるじ》がいった。

「主人の叔母の誕生日なんです」とその妻。「運がよかったと思いません？」

彼らの家は完全にばらばらで、木造か煉瓦造りかもわからないくらいだが、メアリは、え
え、信じられないほど幸運でしたねとうなずいた。

「爆撃機の墜落がもう五分早かったら、みんな死んでたところだ」と夫がいう。「あれ、なんだったんです？　ドルニエ？」

ということは、彼らはまだ、この爆発が飛行機の墜落のせいだと思っている。しかし、隊員が支部に帰還すると、出迎えたリードがいった。「けさ、ビギン・ヒルへ送っていった将軍の話だと、ドイツ軍が新兵器を開発したんだって。爆弾を搭載したグライダーで、着陸するとその爆弾が自動的に爆発するって」

「でも、グライダーなら音はしないはずよ」通信司令室の当直についているパリッシュがいった。「クロイドンの話では、けさ、二機飛んでくるのを聞いたけど、どちらもメイトランドとリードが聞いたのとおなじ、ダダダダダっていうエンジン音がしてたって」

「まあ、あれがなんだったとしても」とタルボット。「ヒトラーがそんなにたくさん用意してないことを祈りたいね」

たった五万機だけね、とメアリは心の中でいった。

「先週わたしが送った海軍少佐の話では、ドイツ軍が――」とリードがいいかけたときサイレンが鳴り、みんなそろって地下室に降りてから、「――新兵器を開発してるって」と、中断したところから話を再開した。「見えない飛行機。こっちの防衛網が探知できない特殊な塗料を発明したらしいわ」

「防衛網が探知できないんなら、どうして警報が鳴るの？」とグレンヴィルがたずね、フェアチャイルドがいった。「見えない飛行機がつくれるくらいなら、音が出ないのだってつくれるんじゃないかと思うわよね。そうすれば、近づいてもわからない」

もうつくってる、とメアリは思った。その新型は、V2と呼ばれる。九月になれば、ドイツはV2を発射しはじめる。そのころにはもちろん、あなたたちだって、あれがロケットだと気がついてるでしょうね。グライダーでも、見えない飛行機でも、あるいは、巨大カタパルトから発射される爆弾でもなく。最後の説は、警報解除サイレンが鳴るまでの三十分間に出たものだった。

「よかった」フェアチャイルドは音程が一定したサイレンに耳を傾けながらいった。「今夜はあれが最後になることを祈りたいわ」

最後じゃない。いまから――腕時計に目をやり――十一分後にまた警報サイレンが鳴り出す。もしスケジュールどおりならの話だが、たぶん狂いはないだろう。メアリはだんだん自信を持ちはじめていた。着弾は一日じゅうずっとリストの時刻どおりだったし、通信司令室のログを見ると、午前二時二十分にウェアリング・レーンへの救急車コールが入っていた。残るはベスナル・グリーンだけ。

　夕刊紙が出ると、メアリはさらに自信を深めた。イヴニング・スタンダードの一面が、ボドレアン図書館で閲覧したのとまったくおなじだったばかりか、デイリー・イクスプレスも火曜の夜に四基のＶ１が飛来したと報じていた。もっとも、着弾地点は記載されていない。

　新聞は、同時に、Ｖ１がなにではないかという議論にも決着をつけた。イヴニング・スタンダードは見出しに〈無人操縦機、英国に襲来〉と打ち、どの新聞もＶ１の仕組みをくわしく報じていた。デイリー・メイルにいたっては、推進システムの図解入り。シェルターでの会話は、Ｖ１をよける最上の方法についてだった。

〈エンジン音が停止したら、ただちに遮蔽物の陰に隠れる。なるべく頑丈なものを選び、ガラスのドアや窓からはじゅうぶん離れること〉とタイムズはアドバイスしている。デイリー・イクスプレスはもっと単刀直入だった。〈最寄りの側溝にうつぶせで横たわれ〉〈尾部の炎に注意してください〉とイヴニング・スタンダードは提案していた。〈炎が消えてから着弾まで、およそ十五秒間の余裕があるので、その間に遮蔽物をさがしましょう〉それにしたがうと、最寄りの防空壕に入れというモーニング・ヘラルドの助言はまったく実行不可能になるが、新聞記事の記述はおおむね正確だった。もっとも、Ｖ１がどんな音をたてるかについては意見が一致していない。自動車のバックファイアに似ていると書いた新聞は一紙もなかった。音の形容は、〈洗濯機〉や〈バイクのエンジン音〉から〈ミツバチの羽音〉まで千差万別だった。

「ミツバチ？」救急車の乗務中にＶ１の音を聞いたことがあるパリッシュがいった。「わたしが知ってるどんなミツバチの羽音とも似てないよ。強《し》いていえばスズメバチかな。ものすごくでっかい、ものすごく怒ってるスズメバチ」メアリとしては、その話を額面どおり受けとるしかなかった。Ｖ１攻撃の最初の一週間が終わるころになっても、まだ近くで実物の音を聞いたことが一度もなかった。救急車の運転手という任務の難点がそこにある。Ｖ１が向かっている場所ではなく、すでにＶ１が落ちた場所へ行くのが仕事なのだ。

しかし、問題なのは音ではない。とつぜんの沈黙、エンジンが唐突に止まることだ。それだったら簡単に識別できるだろう。いずれにしても、近いうちに耳にすることになるはずだ。いま、Ｖ１は一時間に十基の割合で飛んできているし、ＦＡＮＹのほうは二交替勤務になっていた。事象の現場から現場へと救急車を運転し、怪我人に応急手当てをほどこしてストレッチャーに乗せ、病院に搬送する。それに加えて、民防より先に現場に到着した場合には――そういうケースは頻繁にあった――瓦礫の下から、生死を問わず、犠牲者を掘り出す。それに、患者をドーヴァーからオーピントンへ運ぶ仕事もまだつづけていた。

支部で処理できる仕事量をはるかに越えていたから、少佐はＦＡＮＹの増員と追加の救急車を司令部に要請していた。「救急車はぜったい無理ね」とタルボットがいった。

そのとおりだ。調達できる救急車はすべてフランスへ送られている。

「かならずしもそうとはいえない。忘れたの？　じっさいにケントを調達したじゃない。それに、少佐のことなんだから」とリードがいい、キャンバリーはただちに、少佐が救急車を調達するのにどのぐらい時間がかかるかを対象にした賭けをはじめた。

FANYは、ドレスについて議論する日々から、止血帯をほどこしたりグロテスクな光景に対処したりする日々へとすんなり移行した。

「手より小さいものは放っといていいから」とフェアチャイルドがメアリにいった。FANYがストレッチャーの横で待機するあいだ、泣きじゃくる女性を助け出そうと、救出チームが瓦礫に立坑を掘っているときのことだった。パリッシュが冷静な口調でいった。「とても間に合わない。ガスが漏れてる。ねえ、土曜日、タルボットとダンスに行く？」

「行くのは自分でしょ」メアリは、ガスのことを考えないようにしながら、どうにかそう口にした。ガスのにおいがどんどん強くなってくる。それに応じて、女性の泣き声が小さくなってゆくような気がした。

「その予定だったけど、ディッキーが電話してきたの。週末の上陸許可証をもらったっていうから、もしかしてあなたのブルーのオーガンジーを借りられないかと思って。もし着ていく予定がなければ――あ、助け出したみたい」とパリッシュがいって、医療キットを持って瓦礫の上を駆け出したが、搬出されたのは女性ではなく、犬だった。ガスを吸って息絶えている。そして、瓦礫の下から掘り出されたときには、女性のほうも事切れていた。

「遺体の運搬車を電話で手配してくる」とパリッシュ。「今週末、オーガンジーを着るかどうかまだ聞いてないけど」

「わたしのほうは予定ないから」パリッシュが人間の死に無感覚でいることにメアリは辟易《へきえき》したが、それをいうなら、自分もロンドン大空襲のさなかに救急車を運転していたことになっている。「もちろん、着てっていいわよ」

現場を離れると、隊員たちはそこで起きたことについていっさい口にしなかった。戦争前の生活についても話さない。その点では、航時史学生に似ている。現在の仕事、現在の身分にだけ集中する。そのため、同僚の生い立ちや家庭環境は、会話の中で断片的に漏れ聞いた手がかりと、談話室で見つけた貴族名鑑《デブレット》の情報を継ぎ合わせて推測するしかなかった。

サトクリフ＝ハイスの父親は伯爵で、メイトランドの母親は王位継承順位十六位、リードは、公式にはレイディ・ダイアナ・ブレンフェル・リードだった。キャンバリーのファーストネームはシンシアで、タルボットはルイーズ。もっとも、隊員は苗字でしか呼び合わない。もしくは仇名《あだな》。〝ジルバ〟パリッシュと同様、クロイドンのFANYには〝マン＝マッド〟と呼ばれる隊員がいたし、何人かがデートしたことのある某将校のことは〝NST〟と呼んでいた。キャンバリーが「タクシー同乗時は要注意《ノット・セーフ・イン・タクシーズ》」の意味だと教えてくれた。

メイトランドには航空輸送部隊で軍務についている双子の妹がいる。パリッシュは、兄がシンガポールで日本軍の捕虜になり、弟が軍艦《HMS》フッド乗艦中に戦死した。グレンヴィルの父親はトブルクで戦死。しかし、会話に耳を傾けていても、そういうことはけっしてわからない。彼女たちはいつも噂話に興じ、エンジンがかかりにくいベラ・ルゴシや地下室の湿気や非番のときでも当たり前のように備品の調達に行かせる少佐について文句をいう。「ゆうべは灯火管制中にクロイドンへ行かされたのよ。ヨード瓶三本のために」グレンヴィルが憤然といった。

「次のときはいってよ。わたしが行くから」とサトクリフ‐ハイスが寝棚から答えた。「このいまいましい警報が十分おきに鳴るんじゃ、とても寝られやしない」

「だったら、あたしと土曜日のダンスに行けばいいじゃない」とタルボット。

「パリッシュと行くんじゃなかったの？」とリード。

「デートだって」

「ダンスにいっても、ずっとあくびしてるだけになりそう」とサトクリフ‐ハイス。寝返りを打ち、頭の上まで毛布をひっぱりあげた。「グレンヴィルを連れていきなさいよ」

「あの子は行かないわよ」とリード。「とうとうイタリアのトムから手紙が来たの。あしたは一日かけて返事を書く予定だって」

「日曜にのばせないの？」とタルボット。

リードがげんなりした顔で、「恋をしたことがないのね、タルボット。それにあの子は、トムに転属命令が出ないうちに手紙が届くようにしたいのよ」

「そうなんだ。だったらいっしょに来るのはあんたで決まりね、ケント」といってタルボットがメアリの寝棚の端に腰を下ろした。

「無理。土曜は当直だもの」断る言い訳があってよかった。もしダンスの会場が爆弾地帯か、インプラントに入っていない地域だったら——

「フェアチャイルドが勤務を代わってくれるって」とタルボット。「ねえ、フェアチャイルド?」

「まあねえ」フェアチャイルドが目を閉じたまま答えた。

「でも、それじゃ悪いわ」とメアリはいった。「ダンスに行きたいかもしれないし」

「ううん。彼女、昔よくお下げをひっぱられた男の子に心を捧げてるから。でしょ、フェアチャイルド?」

「ええ、そうよ」フェアチャイルドは身がまえるような口調で答えた。

「パイロットなのよ」とパリッシュが解説する。「タングメア駐留で、スピットファイアに乗ってる」

「幼なじみでね」とリードが口をはさんだ。「彼と結婚するって心に決めてるから、ほかの男には興味がないんだって」

フェアチャイルドは憤然とした顔で寝棚に体を起こした。「彼と結婚するなんていってない。彼を愛してるっていったのよ。はじめて恋に落ちたのはわたしが――」

「あなたが六歳で、彼が十二歳のとき」とタルボット。「みんな知ってるから。そしてある日、すっかり大人になったあなたを彼がひとめ見たら、たちまち激しい恋に落ちる。でも、もしそうならなかったら?」

「それに、再会したとき、まだ彼のことを愛してるってどうしてわかる?」とリード。「もう三年近く会ってないんでしょ。女学生が恋に恋してるだけだったのかも」

「違うもん」とフェアチャイルドがきっぱりいった。

タルボットは懐疑的な顔で、「ほかの男とデートしてみないうちは、確信できないはずよ。だからわたしとダンスにいく必要があるわけ。あんたのためを思って――」

「ううん、違うね。ケント、喜んで勤務を代わってあげるから」枕を叩いてかたちを整え、横になって目を閉じた。「おやすみ、みんな」

「じゃあ、話は決まりね。いっしょに行くのよ、ケント」

「えっ、でもわたし――」

「行くのは義務。けっきょく、わたしが賭けに負けてストッキングを手に入れ損ねたのは、あなたのせいなんだから」

サイレンが鳴り、おしゃべりが不可能になった。よかった、これで言い訳を考える時間ができる。サイレンがやむと、メアリはいった。「着ていく服がないのよ。ダンス・パーティ用のドレスはどっちもパリッシュとメイトランドに貸しちゃったし、イエロー・ペリルを着ると黄疸《おうだん》にかかったみたいに見えるから」

「イエロー・ペリルはだれが着たって黄疸みたいに見えるって」とタルボット。「ダンス用のドレスなんか必要ない。軍のダンスなんだから。制服で行けばいいの」

「会場はどこ？」もし爆弾地帯だったら、土曜日は仮病を使おう。

「ベスナル・グリーンの米軍慰問協会《USO》」

ベスナル・グリーン。それなら、鉄道橋の状況を確認して、インプラントが信用できるか否かの問題にやっと終止符を打つことができる。ダンスからこっそり脱け出すのは簡単だろうし——タルボットはアメリカ兵からナイロン・ストッキングを巻き上げる任務に忙しいはず——タイミングも絶好だ。この土曜日、ベスナル・グリーンにV1群が飛来するのは昼間だけだ。

「わかった。行くわ」わたしってなんて頭がいいんだろうと心の中で自賛しつつ、だれか兵隊を口説いて、ジープで鉄道橋のあるグローヴ・ロードまで送ってもらえるかもと虫のいいことを考えていた。しかし、土曜日の午後二時に、タルボットがいった。「まだ支度《したく》してないの、ケント？」

「支度？　ダンスは今晩でしょ」

「ううん。いわなかったっけ？　午後四時スタート。一番人気の米兵たちが売約済みになる前に着きたいのよ」

「でも——」

「言い訳は聞きません。約束したでしょ。さあ、急いで。でないとバスに乗り遅れちゃう」といって、メアリをバス停にひっぱっていった。

メアリは、ベスナル・グリーンまでの道中、洗濯機もしくは怒れるスズメバチの音がしないかと神経質に耳をそばだて、通りの名前を記した（存在しない）標識を探した。V1の一基は三時五十分にダーンリー・レーンに落ち、もう一基は五時二十八分にキング・エドワーズ・ロードに落ちた。「USOの酒保は何通りにあるの？」とタルボットにたずねた。

「覚えてない。でも、道は知ってる」それでは役に立たない。「このバス停で降りるのよ」ふたりは、両側に商店が並ぶ通りに降り立った。

よかった、すくなくともここは、ダーンリー・レーンではありえない。ダーンリー・レーンは住宅街だった。メアリは時計に目をやった。四時五分前。三時五十分のV1はすでに着弾している。

メアリは通りの左右を見渡した。鉄道橋らしきものはどこにも見当たらないから、どうやらグローヴ・ロードでもなさそうだ。あとは、ここがキング・エドワーズ・ロードじゃないことを祈ろう。それに、ダーンリー・レーンにまちがいなく一基落ちたことも。救急車の鐘も、警報解除のサイレンも聞こえなかった。

「ちょっと歩くけど」といいながら、タルボットが通りを歩き出した。メアリはまた空を見上げ、耳をそばだてた。南東の方角から、なにか聞こえるような気がした。

「どんなタイプの男が好み？」とタルボットがたずねた。

「なに？」ブーンという音がしだいに大きなむせび泣きになる。警報解除のサイレン。数秒後、消防車の音が聞こえた。

「どうしていちいち警報解除のサイレン鳴らすのかな」タルボットがうんざりしたようにいった。「どうせ五分後にはまた空襲警報を鳴らさなきゃいけないのに」

いいえ、次の警報は一時間十五分後。そのときにはもうダンス会場に着いているし、わたしはUSOのだれかに酒保のアドレスを聞いて、キング・エドワーズ・ロードじゃないことを確認しているはずだ。それに、グローヴ・ロードへ行く方法も判明していることだろう。

「ごめん。さっきなんていった？」

「どんな男がタイプかって訊いたのよ。着いたら、知ってる男を何人か紹介してあげるから。どういうのが好み？　身長は高いほうがいいのか低いほうがいいのか、年下か年上か――」

このダンス・パーティに来る男は全員、わたしにとって少なくとも百歳は年上すぎるわ。

「わたし、ほんとに男には興味が――」

「恋人がいるんじゃないでしょうね」

「いないわよ」

「よかった。戦時下の恋には反対なの。未来があるかどうかもわからないのに、どうして未来のことが思い描ける？　ボーンマスに駐留してたとき、女の子のひとりが船団を護衛する駆逐艦勤務の海軍将校と婚約したの。彼女、婚約者のことが心配で心配でたまらなくて、自由になる時間はぜんぶ、新聞を読んだり無線を聞いたりして過ごしてたんだけど、戦死したのは彼女のほうだったのよ。ダクストン軍用飛行場へ、ある将校を送っていく途中、爆撃に遭って。そして今度はこの飛行爆弾でしょ。わたしたちのうちだれがいつ死んでもおかしくない」

タルボットは板張りしたショー・ウィンドウが左右に並ぶせまい商店街を歩きながら、「チビで間抜けなフェアチャイルドにもそういって聞かせたんだけど。ほら、あの子、本気で恋してるわけじゃないのよ。わたしの口紅どこ？」歩きながらバッグの中を手探りして、

「コンパクトどこ行ったんだろう。貸してくれる？」

メアリは従順にバッグを探った。「もういい」タルボットはまだガラスがはまったままのショー・ウィンドウに歩み寄った。口紅のキャップをとって根本をくるくる回す。「うまくいきっこない。相手は何歳も年上だもの」身を乗り出し、口紅を塗ろうとガラスに顔を映して、「ほら、よくあるでしょ。年下の女の子が年上の男の子を崇拝する……」

「そうねえ」メアリは、ふたりがさっきまで歩いていた通りをこちらのほうに走ってくるバイクの耳障りなパタパタパタパタパタという エンジン音を聞きながらいった。

タルボットは音に気づいていないようだが、にもかかわらず、それに負けまいとするように声を大きくした。「すっかり大人になった制服姿の彼女を見たら、自分はずっとこの子のことを好きだったんだと気がついてくれるっていう、おとぎ話めいた夢を抱いてるのよ。いまでも十五歳にしか見えないくせに」バイクの音がうるさすぎて、タルボットはほとんど怒鳴り声になっている。道幅のせまい商店街のウィンドウにエンジン音がガタゴトと反響する。「失恋する運命なのよ」唇をぎゅっと結んで、クリムゾン・カレスの口紅を引いた。「けっきょく、彼は空軍勤務だしね。この世でいちばん安全な仕事ってわけじゃない」

バイクの音は耳を聾するほど大きくなり、それから唐突にやんだ。バイクじゃない。V1だ、とメアリは思った。でもありえない。まだ四時十五分なのに。でも、もしインプラントのデータがやっぱりまちがってたんだとしたら？ そして思った。ああ、どうしよう。あとたった十五秒しかない。

「それに、もし彼が予定どおりフェアチャイルドの腕に飛び込まなかったら？」タルボットはまたウィンドウに顔を近づけ、成果をたしかめている。「それとも、彼の飛行機が墜落したら？」

ああ、だめ、ガラスが！　ずたずたに切り裂かれてしまう。「タルボット！」メアリはそう叫ぶと彼女に向かってダッシュし、体ごとタックルして、縁石から突き飛ばした。口紅がタルボットの手から吹っ飛ぶ。

「うわ！　ケント、いったいなにを——」

「頭を下げて！」メアリはタルボットの頭を側溝に押し込み、彼女の体の上におおいかぶさると、ぎゅっと目を閉じ、閃光を待った。

「娘たちはわたしを残してここを離れようとしないし、わたしは国王を残しては離れません。そして国王はけっしてここを離れようとしないのです」

——エリザベス王妃が、なぜ王女たちをカナダに疎開させないのかという質問に答えて

26

ウォリックシャー州バックベリー
一九四〇年五月

アイリーンが飲ませたアスピリンのおかげで、ビニーの熱はいくぶん下がり、そのまま安定したが、それでもまだ病状は深刻だった。一時間ごとに呼吸は前より苦しげになり、朝が来るころには、すぐとなりにいるというのにアイリーンの名を大声で呼ぶようになっていた。アイリーンはスチュアート医師に電話した。やってきた医師は、ビニーを診察したあと、「母親に、すぐ来るようにと手紙を書いたほうがよさそうだ」といった。

おねがい、それだけは……。そう思いつつ、アイリーンはアルフに住所をたずねた。「じゃあ、ビニーは死にかけてるってこと?」とアルフ。

「もちろん違うわ」ときっぱりいった。「お母さんが来て、看病してあげたほうが早くよくなるっていうだけ」

アルフは鼻を鳴らした。「おふくろが？　きっと来ないよ」

「もちろん来るわ。お母さんなんだから」

でも、来なかった。返事さえよこさなかった。

「ひとでなし」ビニーにお茶を運んできたとき、ミセス・バスコームがいった。「子供たちがあんなふうに育つのも当然ね。息はちょっとでも楽になってきた？」

「いいえ」アイリーンはいった。

「このお茶には柳薄荷《ヒソップ》が煎じてあるの」とミセス・バスコーム。「胸が楽になるわ」

だが、ビニーは体が弱りすぎていて、苦いお茶を二口か三口することしかできなかった。なお悪いことに、飲みたくないと拒む力さえなかった。

ビニーの病状でいちばんこわいのがそれだった。すべての活力が失われてしまい、アイリーンのすることに文句もいわず抵抗もしない。具合が悪すぎて、アイリーンが体を拭いたり、寝巻を着替えさせたり、アスピリンを飲ませたりするあいだも、ただ苦しそうに横たわっているだけだった。

「死にかけてるんじゃないのはたしかなの？」とアルフがアイリーンにたずねた。

たしかなもんですか。ぜんぜんわからない。「ええ、たしかよ」とアイリーンはいった。

「お姉さんはもうすぐよくなるわ」

「もしほんとに死んだら、どうなんの？」

「自分がどうなるのかを心配しなさい、アルフ」パントリーからやってきたミセス・バスコームがいった。「天国へ行きたいなら、おこないをあらためること」

「うーんと、そのことじゃなくてさ」とアルフはうしろめたそうな顔で口ごもった。「バックベリーの教会墓地に埋められんの？」

「教会墓地になにをしたの？」とアイリーンは詰問した。

「なんもしてねえよ」アルフは憤然といった。「ビニーの話をしてたんだよ」といって足音も荒く出ていったが、翌日、教区牧師が郵便を持ってきたとき、アルフは二階から呼びかけて、「もしビニーが死んだら、ビニーもお墓を建てなきゃなんねえの？」

「そんな心配はしなくていいよ、アルフ」と教区牧師。「スチュアート医師《せんせい》とミス・オライリーがちゃんとビニーの看病をしてるから」

「知ってる。どうなの？」

「いったいどういうことだい、アルフ？」

「なんでもねえって」アルフはまた窓辺から走り去った。

「もどったら、教会墓地を調べてみたほうがよさそうだ」と教区牧師がアイリーンにいった。

「アルフは、ドイツ軍が上陸したときの道路封鎖に、墓石がうってつけだと考えたのかもしれない」

「いいえ、なにかべつのことよ」とアイリーン。「これがアルフじゃなかったら、ビニーが――」ちょっと口ごもり、「家からこんなに遠い場所に葬られることを心配してるんだと思うところだけど」

「よくなる兆《きざ》しは？」と教区牧師はやさしくたずねた。

「いいえ」もし二階分の高さに隔てられていなかったら、牧師の肩に顔を埋めて嗚咽《おえつ》するところだった。

教区牧師はなぐさめるような笑みを向けて、「ベストをつくしているのはわかってますよ」

でもたぶん、それじゃまだ足りない。そう思いながら、ビニーの熱い手足を濡らした布で拭い、なだめたりすかしたりしてさらにアスピリンを飲ませた。アスピリンのせいで病状がよくなるどころか悪化しているんじゃないかと不安だったが、次の晩、無理に起こして薬を飲ませるより眠らせておくほうがいいだろうと思ってそっとしておいたところ、たちまち熱が跳ね上がった。アイリーンはアスピリンの投与を再開した。でも、アスピリンが切れたらどうしよう。

教区牧師に打ち明けて、調達を頼み、スチュアート医師に黙っていてくれることを祈るしかない。それとも、シーツを縛って窓から脱出するか。だが、その必要はなかった。その日の午後、全身にびっしょり汗をかいたあと、ビニーの熱はとつぜん下がった。

「熱が下がった」とスチュアート医師。「ありがたい。最悪の事態を覚悟していたが、ときには天の助けが――それと献身的な看病が――」アイリーンの手を叩き、「患者を救ってくれる」

「よくなるんでしょうか」アイリーンはビニーの顔を見下ろしながらいった。痩せこけて青白い。

医師はうなずいた。「もう峠は越したよ」

たしかにそのようだった。もっとも、他の子供たちとくらべると、恢復は遅々とした歩みだった。息が楽になるまでに三日かかり、自分でスープをすすれるようになるには一週間かかった。加えて、ビニーはものすごく……おとなしくなった。以前は莫迦《ばか》にしていたようなおとぎ話を読んでやっても、いまは静かに聞いている。

「心配なの」アイリーンは教区牧師に相談した。「快方に向かってると先生はいうんだけど、ずっと寝たままで」

「アルフには会わせた？」

「いいえ。病気がぶり返すんじゃないかと思って」

「それとも、無気力状態に活を入れるか」

「もうちょっと体力がつくまで待つことにします」と答えたものの、その日の午後、寝棚にじっと横たわって天井を見上げているビニーの姿を見ているうちにたまらなくなり、ユーナに頼んでアルフを連れてこさせた。

「死体みたいだな」とアルフは姉に向かって言い放った。

いやはや、たいした名案だったこと。アイリーンがそう思いながら、アルフを連れ出そうとしたとき、ビニーが枕の上に体を起こした。

「そんなことない」とビニーはいった。

さ」

「死体そっくりだって。死にかけてたって、みんないってるよ。うわごととかいっちゃって

「いってねえよ」

いつもどおりのやりとり。アイリーンはビニーが病気になってからはじめて、胸を締めつけていた緊張が解けてゆくのを感じた。

「ビニーはもうちょっとで死ぬとこだったんだろ、アイリーン？」とアルフ。姉のほうを見て、「でも、もう死にそうにねえな」

その言葉にビニーは安心したようだった。しかしその夜、新しい寝巻に着替えさせているとき、ビニーはたずねた。「ほんとにもう死なない？」

「ぜったい安心」アイリーンはビニーの体に毛布をかけてやった。「日に日によくなってる」

「死んだ人はどうなるの、名前がない人の場合は？」

「つまり、死んだ人がだれなのか、だれも知らない場合はってこと？」アイリーンはけげんな思いで訊き返した。

「ううん。じゃなくて、お墓に刻む名前がない人の場合。それでも教会墓地に埋めてもらえるの？」

ビニーは非嫡出子なんだ。アイリーンはふと思い当たった。この時代の子供にとって、母親が結婚していないことは大きなきずになり、庶子のレッテルを貼られる。しかし、そのき

ずが墓石まで持ち越されることはない。

「ビニー、名前は名前よ。お母さんが結婚していようがいまいが……」

ビニーはもううんざりという声を出した。ベッドから出られる体力があれば、弟とおなじく、この部屋からとっとと出ていっただろう。だが、いまのビニーは寝返りを打ち、壁のほうを向いた。

教区牧師がいてくれたらいいのに。必死に脳みそを絞って、名前と墓が関係する一九四〇年代の慣習を思い出そうとしたが、なにも浮かばない。アルフだ。アルフならどういうことか知っているはず。汚れたリネンを急いで集めると、「これを下へ持っていってくるわ」とビニーにいった。「すぐもどるから」

返事はなかった。アイリーンはリネンを洗濯室に放り込み、舞踏室に行った。アルフはローズに包帯を巻いているところだった。「救急車用に練習してんだよ」とアルフ。

「アルフ、来なさい。いますぐ」といって、音楽室に連れていくと、ドアを閉めた。「ビニーが墓の名前のことで心配している理由が知りたいの。知らないなんていわせない」

語気の強さでアイリーンが本気だとさとったらしく、アルフはつぶやくようにいった。

「ないんだよ」

「墓石が？」

「じゃなくて、名前が」アイリーンのとまどった表情を見て、「ビニーはほんとの名前じゃない。ホドビンを縮めただけなんだ」

「信じられる？　アルフはビニーに向かって、おまえは名無しだっていったのよ」翌日やってきた教区牧師に、アイリーンはいった。「どうやらビニーはそれを信じたみたい」

「ビニーに訊いてみた？」

「どういうこと？　まさか本気で……だれだって名前はあるわ。いくら貧困家庭の――」

教区牧師は首を振った。「疎開委員会はこれまでに何人も、名前のないスラムの児童に行き会っている。疎開先割り当て担当者がその場で名前をつけなきゃいけなかった。知らないかもしれないけど、疎開児童の中には、ほんとにひどい家庭環境の子がいる。ここに来るまで一度もベッドで寝たことがなかった子もおおぜいいるし――」

それに、トイレを使ったことがなかった子も。アイリーンは予備調査で読んだことを思い出した。スラムの疎開児童の中には、疎開先の家の床に小便をしたり、部屋の隅でしゃがんだりする子がいた。ミセス・バスコームの話では、屋敷で引き受けた疎開児童にも、はじめて来たとき、ナイフとフォークの使いかたを教えてやらないといけない子がいたという。でも、名前がないなんて！

「アルフには名前があるわ」と反論したけれど、教区牧師は説得されなかった。

「たぶん、男の子はべつだと父親が思ってたんじゃないかな。それとも、父親が違うのかもしれない。あなただって認めるでしょう、ミセス・ホドビンが――ミセスだとして――母性本能をあんまり持ち合わせてないってことは」

「ええ。でもやっぱり――」とアイリーンはいい、それからビニーのところへ行って、安心させてやろうとした。「ビニーって名前は、ホドビンを縮めたものなんかじゃないわ。アルフにからかわれたのよ。ちゃんとした愛称で――」

「なんの愛称？」ビニーはけんか腰でいった。

「さあ。ベリンダ？　バーバラ？」

「バーバラにはnが一個もないよ」

「愛称は、いつもおんなじ字を使うとはかぎらないわ。たとえば、ペギーとか。ほんとの名前はマーガレットだけど、愛称はペギーでしょ。そういうニックネームはいっぱいある。メアリなら、マミーとかモリーとか――」

「もしビニーがなにかべつの名前の愛称だとしたら、どうしてだれももとの名前を呼ばないの？」その口調が異様に疑り深かったので、母親がなにかほのめかすようなことをいったんだろうかとアイリーンは思った。いずれにしても、ビニーの恢復には百害あって一利なしの心配だった。二週間たっても目のまわりの隈《くま》は消えず、病気のあいだに失った体重はぜんぜんもどっていない。アイリーンはぶっきらぼうにいった。「名前がないなら、自分でつければいいじゃない」

「自分でつける？」

「ええ。ルンペルシュティルツキンのお話みたいに」

「あれは名前をつけたんじゃない。当てたんだよ」

こんなやりかたがうまくいくなんて、どうして思ったんだろう。だが、しばらくしてから、ビニーがいった。「もし名前を選んだら、その名前で呼んでくれる？」

「ええ」とアイリーンはうなずき、そのとたんに後悔した。それから二、三日、ビニーは、グラディスとかプリンセス・エリザベスとかシンデレラとか、山ほど名前を考えては、いちいちアイリーンに感想を求めた。しかし、名前の羅列がどんなにいらつくものであっても、ビニーの健康状態には効果覿面《てきめん》だった。みるみる体調が恢復しはじめ、日ごとに体はふっくらし、頬はピンク色になってきた。

その一方、マグルーダー姉弟は、母親がどう思っていようと、はしかにかかったことがなかった事実が判明し、ペギーとユアンが発症した。ダンケルク撤退までに、アイリーンはさまざまな発疹／恢復段階にある十九人の患者の面倒をみることになった。

アルフは進行中の救出作戦に熱狂した。「釣り船や手漕ぎのボートで兵隊を運んでるって、牧師さんがいってた」とうれしそうに報告する。「おれも行けたらなあ」

わたしだって行きたい、とアイリーンは思った。ドーヴァーに行ってるマイクル・デイヴィーズが、いまもダンケルク撤退を観察しているだろう。

「機銃掃射されたり爆弾落とされたりとかしてんだぜ」とアルフ。現時点では、そっちのほうが、熱といらいらを溜め込んだ二十人近い子供たちの世話よりもはるかにましに思えた。発疹が消えたあとには茶色っぽいあとが残り、皮が剝《む》けてきた。「これでほんとに死体そっくりになったな」とアルフがビニーにいった。「ここがダンケルクだったら、死んだと思われて浜辺に捨てていかれるね。んで、ドイツ兵に殺されるんだ」

「んなわけない！」とビニーが叫ぶ。

「出ていけなさい」とアイリーンが命令した。

「出ていけないよ」とアルフが理屈をこねた。「隔離されてんだから」

アルフは文字どおりあっちこっちにぶつかっていた。壁の肖像画が何枚か斜めになり、レイディ・キャロラインと猟犬たちは床に落ち、舞踏室から出ていきなさいと命令したら、子供たちはレイディ・キャロラインのバスルームに立て籠もった。アイリーンがその事実を知ったのは、図書室の天井からぽたぽた水が漏れはじめてからだった。

「アルフたちとダンケルク撤退ごっこをしてたんだ」とずぶ濡れのシオドアが説明した。

教区牧師が次に訪ねてきて、なにか必要なものはないかと舞踏室の窓越しにたずねたとき、アイリーンはかなり切羽詰《せっぱつ》まった口調で答えた。「なにか、病気じゃない子たちが遊べるものを。ゲームとかパズルとか、なんでも」

「婦人会からなにか調達してみる」と教区牧師はいい、翌日、アイリーンがひっぱりあげた籠の中には、寄付された本（『小公子』や『児童版殉教者列伝』などなど）とジグソー・パズル（セント・ポール大聖堂と『コッツウォルズの春』）と、「カウボーイとインディアン」なる名称のヴィクトリア朝時代のボードゲームが入っていた。ゲーム盤を見たホドビン姉弟はたちまち子供たちにいくさ化粧を施し、ホーホーとときの声をあげながら廊下を走りまわる大騒ぎをはじめた。

「きのうは、アルフが火あぶりの刑ごっこをしてる現場を捕まえたの」と教区牧師の次の訪問のときにアイリーンはいった。「レイディ・キャロラインのルイ十五世時代の帽子掛けとマッチ箱を使って」

牧師は笑って、「わかった、もっと強力な手段が必要なんだね」

教区牧師はきっちり約束を果たしてくれた。翌日の籠の中身は、ARPの腕章と航空機観察日誌と地図帳、そして英国空軍《RAF》の公式リーフレットだった。冊子には、ハインケル、ハリケーン、ドルニエ17など各軍用機の特徴的なシルエットが記載されていた。アルフはたちまち一流の航空機監視員になり、全員にメッサーシュミットとスピットファイアの違いを講義し——「ほら、両翼に八つの機銃があるだろ」——舞踏室の窓辺に居座って、空に飛行機があらわれるたび、「三時の方向に敵機！」などと叫んで、すぐさま日誌に機体番号と種別と高度を記録した。ほとんどの日、上空を通過するのはバーミンガムへ郵便を運ぶ飛行機だけだったが、アルフはそれでへこたれることもなく、数日間は平和がつづいた。

とはいえもちろん、そんな幸運がいつまでも保《も》つはずはない。ほどなくアルフは台所と病室への空爆に出撃するようになり、ビニーを悩ませた。自分につける名前にビューティはどうかとビニーがいったときは——「ほら、眠れる森の美女《スリーピング・ビューティ》みたいに」——アルフは盛大に野次を飛ばした。「ビューティ？　野獣《ビースト》のほうがよっぽど合ってるよ！　さもなきゃベイビー。だって赤ん坊だもんな。病気のときはぎゃあぎゃあ泣きわめいて、アイリーンに行かないでってせがんでた。約束させたりとかしてさ」

「するもんか」ビニーは憤然といった。「好きでもないのに。いまこの瞬間、どっかへ行っちゃったってぜんぜんかまわない」

わたしだって、できればそうしたいわよ。だが、疎開児童の世話をしているあいだに、サミュエルズがすべての出入り口に板を打ちつけ、唯一残った勝手口の前は自分の椅子を据えてすわっている。いつも子供たちでいっぱいの舞踏室をのぞくすべての部屋の窓も、開けられないように釘を打ちつけた。それに、あと十日待てばいいだけ。もしほかにだれもはしかにかからなければ。

しかし、もしそうなったら、もちろんオックスフォードがアイリーンを回収しようとするだろう。まだそうしていないことのほうが驚きだ。子供たちのほとんどが恢復し、ビニーが危機を脱したいまなら、ユーナとミセス・バスコームだけで簡単に屋敷を切り回せる。なのに、回収チームがあらわれる気配も、彼らからのメッセージもない。「わたし宛ての手紙は来てないわよね」とサミュエルズにたずねた。

「ああ」とサミュエルズは答えた。ということは、他の子供たちはもうだれも発病せず、もうすぐ隔離が解けるということだ。アイリーンは残りの日にちを指折り数えはじめた。

隔離が終わるはずだった日の二日前、リリー・ラヴェルが重症で倒れた。十日後にはルース・スタインバーグ、その二週間後にはシオドア。「この調子だと、ミカエル祭（九月二十九日）もまだ隔離中だな」とサミュエルズがぼやいた。

アイリーンは、耐えられるかどうか自信がなかった。アルフは飛行機を特定しようとしてあやうく窓から転落しそうになり、ビニーは主階段のてっぺんに立って、空襲警報のサイレンの口まねをしながら、防空演習を実施するようになった。

「それは空襲警報のサイレンじゃねえだろ、まぬけ。警報解除のサイレンだ。空襲はこうだよ」とアルフがいって、血も凍るような悲痛な泣き声をあげ、アイリーンはレイディ・キャロラインのクリスタルにひびが入るんじゃないかと心配になった。

「とにかく屋外に出して、すこしでもエネルギーを使わせないと、屋敷がめちゃくちゃになっちゃう」アイリーンはミセス・バスコームにいった。「前庭の芝生から出なければ、隔離に背くことにはならないでしょう。もしだれか来たら、すぐに中に入ればいいし」

ミセス・バスコームは首を振った。「スチュアート医師がぜったい許さないわ」

階段のほうから、この世ならぬむせび泣きが聞こえてきた。「空襲だ！」シオドアがくすくす笑いながら叫び、子供たちがドドドとキッチンを駆け抜け、地下室の階段のほうへ向かった。途中でビスケットを山盛りにした皿にぶつかってテーブルから落とし、アルフがそれを踏んづけた。アルフはARPの腕章をつけ、頭にざるをかぶっている。

「隔離が終わるまであと何日なの？」アイリーンに手を貸してビスケットを拾いながら、ミセス・バスコームがいった。

「四日」アイリーンはむっつり答えて、小麦粉容器の向こうに転がったビスケットに手を伸ばした。

「空襲警報解除！」ビニーが地下室の戸口から叫び、子供たちは金切り声をあげながらまたキッチンを走り抜けて階段を上がった。

「走るの禁止！」ミセス・バスコームは子供たちの背中にむなしく怒鳴った。「ユーナはどこへ行ったの？　どうして見張ってないの？」

「さがしてくる」アイリーンはビスケットの最後の一個をパン焼き皿にもどし、階段を上がった。アルフとビニーのことだから、ユーナを椅子に縛りつけるか、クローゼットに閉じこめたかもしれない。

違った。ユーナは舞踏室のペギーの寝棚に横たわっていた。「はしかにかかったみたい」とユーナはいった。「体がすごく熱いの。それに、ひどい頭痛がする」

「はしかは済ませてるんじゃなかったの」

「ええ、そう思ってたんだけど。違ってたみたい」

「もしかしたらただの風邪かも」とアイリーン。「あなたがはしかだなんて、そんなわけない！」

だが、はしかだった。スチュアート医師が次の往診でそう診断し、翌日、ユーナは発症した。ミセス・バスコームは、次にアイリーンが感染して、隔離がまた一カ月のびるようなことがあってはならないと決意して、ユーナの看護を自分で引き受け、アイリーンがユーナに近寄ることを禁止したが、さいわいだった。でなければ、ユーナの首を絞めていたかもしれない。

ユーナの邪魔をしないように子供たちを静かにさせておかなければならなかったが、ほとんど不可能な任務だった。アイリーンは子供たちにおとぎ話を読み聞かせたが、アルフとビニーは物語の細部にいちいち質問をはさんでたえず邪魔をした。『眠れる森の美女』を読んでいるときは、「悪い魔法使いが誕生祝いに来たとき、どうしてお城に入れてやったわけ?」とか、「いい魔法使いは、百年も眠らせるかわりに、どうして呪いをとり消してやらなかったわけ?」とたずねた。

「手遅れだったからよ」とアイリーンは答えた。「もう呪いはかけられてしまった。それを解く力はなかったのよ」

「あんまり魔法が得意じゃなかったのかも」とアルフ。

「じゃあなんで、いい魔法使いなんだよ」とビニー。

『ラプンツェル』のときはさらにひどかった。ビニーは、ラプンツェルがなぜ自分の髪を切って、それをロープがわりにして塔から降りなかったのかとたずね、そくざにローズの三つ編みを使って実演しようとした。以前のビニーにもどってほしいなんて、どうして思ったんだろう。アイリーンは、かわりに授業をしますと宣言した。

「ありえない!」ビニーが抗議した。「夏休みなのに!」

「病気のあいだに受けられなかった授業のかわり」とアイリーンはいい、教区牧師に頼んで教科書を持ってきてもらった。彼女が限界ぎりぎりに達しているのを察したらしく、牧師はそれといっしょにいちごの籠とアガサ・クリスティーの『アクロイド殺し』を持ってきてくれた。

「これで『ホドビン姉弟殺し』を防げるかもしれないと思って」牧師は郵便も携えてきた。

それに、戦争のニュースも。「英空軍《RAF》はなんとか持ちこたえてるけど、ドイツ空軍《ルフトヴァッフェ》のほうが飛行機の数は五倍も多い。今度はドイツ軍がこっちの軍用飛行場や空港を攻撃しはじめてる」

アイリーンはその情報をアルフに伝え、まるまる一週間近くを平穏に過ごすことができた。それから、アルフが居間の窓辺でレイディ・キャロラインのオペラグラスを覗いている現場をつかまえた。アルフはあわててオペラグラスを背中に隠したが、その拍子に落としてしまった。「シュトゥーカかどうかたしかめようとしてただけだよ」アイリーンがオペラグラスを拾うと、床の上にガラスの不吉な輝きが見えた。「アイリーンのせいだよ。びっくりさせるから落っことしたんだ」

あと六日。それまでに屋敷が瓦礫の山になってなきゃいいけど。しかしついに、屋敷の全員がクリアになったとスチュアート医師が宣言し、サミュエルズは封鎖していた板を剥がして、隔離通知を撤去した。

五分後、アイリーンは降下点へ向かっていた。母の病状を知らせるノーサンバーランドからの手紙を残していくことさえしなかった。ミセス・バスコームは、彼女がただたんにもう我慢できなくなったんだと思うだろう。実際、それが真実に近い。

土砂降《どしゃぶ》りの雨だったが、気にもならなかった。オックスフォードで乾いた服に着替えればいい。どこか、子供がいない場所で。

足早に道路を歩き、森の中に入った。木々の葉は濃く茂り、足もとではひな菊やすみれが花を咲かせている。

青々とした葉ですっかり風景が変わり、一瞬、降下点を探しあてられないんじゃないかと心配になったが、やがて空き地とトネリコの木が見つかった。トネリコはいっぱいに葉を茂らせ、蔦《つた》と忍冬《すいかずら》がいたるところにからみついている。アイリーンは腕時計のガラスについた雨粒を拭って時刻をたしかめ、腰を下ろして待った。

一時間が過ぎ、また一時間が過ぎた。正午には、ネットが開かないことがはっきりしていた。それでも、けさ隔離が解除されたことをオックスフォードがまだ知らないのかもしれないと思って、雨の中、午後二時過ぎまで待ちつづけた。

二時十五分には滝のような大雨になり、アイリーンはとうとうあきらめて、とぼとぼと屋敷まで引き返した。ビニーが勝手口の中で出迎えた。「ずぶ濡れ」と親切に教えてくれる。

「ほんと？」とアイリーン。「気がつかなかった」

「前にアルフがつかまえた、溺れたネズミそっくり」ビニーはとがめるように、「きょうは半日休みの日じゃないのに」

半日休み。だから開かなかったんだ。月曜日までわたしが降下点に来ないと思っている。

しかし、月曜日になってもネットは開かなかった。尾行されないように、子供たち全員が屋敷にもどってきてお茶を飲む時間まで待ち、念には念を入れてまわり道までしたのに。

ラボはきっと、隔離が終わったことを知らないんだ。もっとも、その日付は保健局の記録に残っているはずだ。もしかしたら、派遣されてきた回収チームが、まだ貼ったままになっている隔離告知を見て、屋敷がまだ隔離されていると判断したのかもしれない。しかし、屋敷のまわりをたしかめてみると、すべての告知は撤去されていた。

それに、もし回収チームが屋敷に来たのなら、隔離が解けたことを示す、見違えようのない証拠を目にしたはずだ。屋外で遊ぶ子供たち、芝生の上で燻蒸消毒されている寝台、台所を出入りする食料品店の配達係。店にもどる配達係を途中で呼び止めて屋敷のようすを訊くことは簡単にできる。

それに、疎開児童の親たちはみんな、隔離が解けた瞬間にそれを知っていた。早くも翌日には、自分の子供を連れもどすために迎えをよこした親が何人かいた。バトル・オブ・ブリテンの真っ最中で、飛行場や石油貯蔵施設が爆撃され、ラジオではドイツ軍の上陸を警告しているというのに。

アルフとビニーも負けていなかった。「ヒトラーが侵攻に備えてパラシュート部隊を派遣してる」アルフは、アイリーンとリリー・ラヴェルを駅まで送っていくために車でやってきた教区牧師に向かって力説した。「電話線を切断したり橋を爆破したりとかするんだ。賭けてもいいけど、いまこの瞬間も森の中に隠れてるね」そして教区牧師さえ、すぐにも侵攻がはじまるのではないかと恐れていると打ち明けた。

しかし、侵攻にまつわる噂話は疎開児童の親にはなんの影響も与えなかった。彼らは自分の子供を〝家の中で安全に〟過ごさせようと決意していた。おそらく、遠く離れた土地へ疎開させたと思ったら、はしかに感染してしまったという事実が関係しているのだろう。そのままにしておくほうが安全だという説得に、彼らは耳を貸さなかった。ロンドンにもどった子供たちがどうなるのか、アイリーンはときおり心配になった。

子供たちのことを心配していないときは、回収チームはどうしたんだろうと心配していた。アイリーンにとって今回がはじめての実地調査なので、回収チームが派遣されるまでラボがどのぐらい待つものなのか、正確なところを知らなかった。十日？　十四日？　でも、これはタイムトラベルだ。帰還が遅れていることがわかれば、ただちにネットを抜けて、回収にやってくるはずだ。

きっとなにかあったんだ。故障とかのトラブルが起きたにちがいない。アルフとビニーが降下点を壊したとか。それとも毎回あとをつけてきて、ネットが開くのを妨げているとか。教区牧師に頼んでビニーの運転教習を再開してもらい、彼女に見られずに降下点へ行けるようにした。それでも、ネットは開かなかった。

見張っている可能性があるのはアルフとビニーだけじゃない。アルフのいうドイツの落下傘兵を警戒して国土防衛軍が森の中をパトロールしているのかもしれない。それとも、ユーナとしゃべっているところを目撃したとアルフとビニーが話していた例の兵士が、まだうろついているのかもしれない。

その場合、ラボはいずれ、あそこの降下点が開かないことを理解して、どこかべつの場所から回収チームを送り込んでくるだろう。それまでのあいだ、やることはありすぎるほどある。親元に旅立つ疎開児童の面倒をみるだけでなく、もうすぐ帰宅すると手紙をよこしたレイディ・キャロラインのために、屋敷を掃除し準備を整える仕事があった。それと、子供たちが屋敷に与えた損害を修復する仕事。「まあ、奥さまが図書室の天井を見たら！」とユーナはいった。

それに、ルイ十五世時代の帽子掛けとオペラグラス。アイリーンはレイディ・キャロラインの帰還よりも早く回収チームが来てくれることを祈った。だが、チームは来なかった。

手紙では、息子のアランを連れて帰ってくるということだったが、レイディ・キャロラインが屋敷にもどったとき、息子は同伴していなかった。いつお帰りでしょうかとミセス・バスコームがたずねると、アランは空軍に入隊してパイロットの訓練を受けていますとレイディ・キャロラインは誇らしげに答えた。

「この戦争に勝利するため、自分のつとめを果たしているのです。わたくしたちも見習わなければなりません」といって、使用人たちにセント・ジョン救急隊の手引き書を最初から最後まで読んで覚えるよう命じた。ということは、疎開児童をおとなしくさせておこうと無駄な努力をつづけるかたわら、アルフとビニーの最新の犯罪についてミスター・ラドマン、ミス・フラー、ミスター・ブラウンに謝罪したり、子供たちを列車に乗せたりすることの合間に、〈ショック状態とは：身体が生存のために末梢神経系の活動を停止すること〉を暗記する時間を捻出しなければならない。

ジョージー・コックスは、近所の空港が爆撃されたにもかかわらず、ハムステッドの自宅に帰り、エドウィナとスーザンの祖父は、マンチェスターから孫を迎えにやってきた。ジミーはブリストルに住む叔母が迎えをよこした。ホドビン姉弟についても、だれか親戚が（願わくは実際にふたりに会ったことのない親戚が）迎えをよこすんじゃないかと期待したが、それは実現しなかった。わたしはホドビン姉弟とずっといっしょにいる運命なんだ。アイリーンはあきらめの境地に達していた。

子供たちを送り返す仕事でアイリーンの時間はほとんどつぶれた。荷づくりを済ませ、駅までいっしょに歩き、列車が来るのをホームで待つ。何時間も待たされることもしばしばだった。「兵員輸送列車ばかりでね」とトゥーリー氏がいった。「そこへ持ってきて、今度は空襲だ。終わるまで列車を止めなきゃいかん」

時間があるときは、親切な教区牧師が駅まで車で送ってくれたが、いまはレイディ・キャロラインが組織した侵攻防備会議に出席するためになかなか時間がとれなかった。アイリーンとしては、それでもよかった。駅から歩いてもどる途中、降下点をチェックするチャンスができるからだ。もっともそれは、ホドビン姉弟の監視の目がないときだけで、そういう機会はさほど多くなかった。

でも、きょうは、パッツィ・フォスターを駅まで送ってから、アルフとビニーが待つのに飽きて引き上げた直後に列車が到着したので、アイリーンは空き地に立ち寄るだけでなく、午後の長い時間を降下点で過ごすことができた。一時間半おきとか二時間おきとかの間隔でネットが開いているのではないかというわずかなチャンスに一縷《いちる》の望みをつないでいた。

空振りだった。それに、回収チームが――あるいは、ユーナの兵隊やドイツの落下傘兵が

――やってきたようすもない。どうして来ないんだろう？　ふと、列車の遅れのことを考え、オックスフォードでなにかが起きてるんだろうかと思った。遅れの原因となるような、兵員輸送列車や空襲に相当するなにか。

もしそうだった場合には、チームがいつやってきてもおかしくないから、屋敷にいたほうがいい。森の中を急いで引き返した。小道に近づいたとき、道の向かいに立っているだれかの姿がちらっと見えた。アイリーンはあわてて木のうしろに身を隠し、用心深く顔だけ出して、だれなのかをたしかめた。

アルフだった。やっぱり。あの子たち、わたしをスパイしてたんだ。だからネットが開かないんだ。しかし、アルフは森のほうを見ていなかった。だれかを待つように、小道の先、屋敷のほうを見上げている。アイリーンが小道に足を踏み出すと、アルフは文字どおり飛び上がった。「ここでなにをやってるの、アルフ？」

「なんにも」といって、両手を背中に回した。

「じゃあ、その手になにを持ってるの？　また画鋲を道路に撒いてたんでしょう」

「違うよ」奇妙なことに、その言葉には真実の響きがあった。

でも、相手はアルフだ。「手に持ってるものを見せなさい」と片手をさしだした。

アルフは灌木の茂みのほうへあとずさった。ズサッという怪しい音がして、アルフはからっぽの両手を前に出した。

「車に石ころを投げてたのね」といったものの、アルフが屋敷のほうを見ていたことを思い出した。屋敷から出てくる車を待っていたのは明らかだ。レイディ・キャロラインは、ナニートンの赤十字の会議に出ているから、ベントレーのはずはない。教区牧師もいっしょだから、オースティンでもない。「アルフ、屋敷にだれがいるの？」

その質問がひっかけかどうか決めあぐねているように、アルフはむずかしい顔でこちらを見ている。「さあ。知んない人」

やっと来てくれたんだ。「だれが来たの？」

「知らねえよ。車で通るのを見ただけだもん」

「車で？」

アルフはうなずいた。「レイディ・キャロラインの車みたいなやつ。でも石を投げるつもりじゃなかった。誓うよ。土だけ。ドイツ軍の上陸に備えて練習してるんだ。おれとビニーはドイツの戦車に石をぶつけてやるから」

アイリーンは聞いていなかった。レイディ・キャロラインの車みたいなやつ。ベントレーだ。回収チームは、わたしみたいにオックスフォードで練習してからこっちに来て、ベントレーを借り、それに乗って迎えにきたんだ。アイリーンは屋敷めがけて走り出した。

ベントレーは正面玄関の前に駐車されていた。玄関の階段を上がりかけたところで、すくなくともあと二、三時間は自分がまだ使用人であることを思い出し、ミセス・バスコームがいまも台所にいてくれることを願いながら、勝手口にまわった。いた。バターを入れたボウルを小脇に抱え、木のさじで勢いよくかき回している。アイリーンは、なにげないそぶりを懸命に装いつつ、「だれが来てるの？」とたずねた。「玄関前に車があったから――」

「陸軍省の人」

「でも……」陸軍省？　回収チームはどうしてそんな身分を名乗ったんだろう。

「この屋敷と敷地が使えるかどうか視察にきたんだって」

「泥玉はなんの害もねえよ」アルフがすぐうしろでいった。「ただの土なんだから」

アイリーンはそれを無視して、「使えるって、なんに？」とミセス・バスコームにたずねた。

「陸軍のために」ミセス・バスコームが力をこめてさじを回しながら、「当分のあいだ、政府がこの屋敷を接収するの。なにかの訓練校にするんだって」

「角は突くためのもので、口はモーッていうためのものです」

――疎開児童が牛について説明する手紙、一九三九年

27 ケント 一九四四年四月

長くおそろしい数秒間、雄牛は牧場の向こうからアーネストをにらみつけていた。「ワージング！ 逃げろ！ 牛だ！」ハセスがトラックのうしろから叫んだ。

「ほうら、いわんこっちゃねえ！」と農夫がいった。「おらの牛を怒らせちまった。ここはやつの牧場で――」

「ええ、見ればわかりますよ」アーネストは牛から目を離さずに答えた。

牛のほうも、小さな目をアーネストからそらさない。必要なときにかぎって、霧はどこへ消えたんだ？

牛はその巨大な頭を下げた。

うわ、やめてくれ、こっちへ来るぞ！ アーネストは背中を戦車にぺったり押しつけた。

牛は前足で地面を掻きはじめた。アーネストは必死の目で農夫のほうを見やった。好戦的

に腕組みして、フェンスのわきに立っている。「完全に怒らせちまったな。やつはおまえらがこの牧場にしたことが気に入らねえ。おらもそうだ。轍《わだち》なんかつけやがって。クソ戦車で牧草をぐちゃぐちゃにしやがって。やつはそれでカンカンになってる」

「わかります」とアーネスト。「ぼくはどうすれば？」

「逃げろ！」セスが叫んだ。

牛は巨大な頭をぐるっと回して、だれが声を出したのかをたしかめ、それからまたアーネストに顔を向けた。鼻を鳴らす。

「やめろ――」アーネストは交通警察官のように片手を突き出したが、牛はすでに草の上をアーネストめがけて一直線に突進しはじめていた。

「逃げろ！」セスが怒鳴り、アーネストは戦車の向こう側へ回り込んだ。戦車のうしろにしゃがんでいれば安全だとでもいうように。

牛はまっすぐ戦車に向かって驀進《ばくしん》する。

「止まれ！　怪我するぞ」ようやく動き出した農夫が怒鳴った。「戦車にはかなわん。止まれ！」

しかし牛は耳を貸さなかった。頭を低くし、角を銃剣のように前に突き出して、戦車へと突撃する。角は根もとまでずぶりと戦車に突き刺さった。

また果てしない数秒が流れ、やがて、細くかん高い、空襲警報のサイレンのような音が聞こえてきた。「死んじまったじゃねえか」農夫が怒鳴りながら牧場を走ってくる。「このクソ野郎――」そこであんぐり口を開いて立ち止まった。

牛の口も開いていた。さらに数秒間、角を戦車に突き立てたまま、じっとそこに立っていたが、やがておびえたように一歩後退し、戦車から角を抜いた。戦車はゆっくりと萎《しな》びて、くたっとした灰緑色のゴムのかたまりへと縮んでいった。むせび泣くようなサイレンの音はシューシューの音に変わり、やがて小さくなって消え、また長い沈黙がつづいた。

「なんてこった」農夫が低い声でいった。牛のほうも、しゃべれるものならおなじ台詞をいいたそうな顔をしていた。ぺちゃんこになった戦車を、麻痺したようにじっと見つめている。

「なんてこった」と、農夫がひとりごとのようにもう一度いう。「装甲師団《パンツァー》がフランスで陸軍を蹴散らしたのも当然だな」

牛は頭を上げて、まっすぐアーネストを見た。それから低いうなりを発すると、向きを変えて、安全な柵のほうへと駆けていった。「おまえら、なにをやってやがる？」農夫が詰問した。「ペテンかなんかか？」

「ええ。ぼくらは――」といいかけて、アーネストはかすかなブーンといううなりに空を見上げた。

「飛行機だ！」セスがいわずもがなの言葉を発し、こちらに走ってくると、空気が抜けた戦車の砲塔をつかんだ。「うしろをつかめ！　急げ！」ふたりは、濡れた牧草の上、戦車を林のほうへとひきずりはじめた。

「おまえら、いったいなにを――」農夫がけんか腰で口を開いた。

「ぼうっと突っ立ってないで、手を貸してくれ」しだいに大きくなってくる上空のうなりに負けじとアーネストは声を張り上げた。「ドイツの偵察機だ。これを見られたらたいへんだ！」

農夫は晴れてきた空を見上げ、それから戦車に視線をもどし、ようやく状況を理解したようだった。不器用に走ってくると、戦車の右のトレッドをつかみ、林のほうへひきずるのに手を貸した。

くらげを動かすようなものだった。しっかりつかめる手がかりがなにひとつないうえに、重さは一トンもある。泥だらけの濡れた牧草は、手に負えない巨体をひっぱるのが楽になりそうなものだが、すべりやすいのは足もとだけだった。地面のでっぱりを乗り越えさせようと力を込めてぐいと引いた拍子に、アーネストは足を滑らせ、自分がつくった轍の上にばったり倒れた。「急げ！」立ち上がろうともがくアーネストにセスが怒鳴る。「もうすぐ頭上だ！」

そのとおりだった。空気が抜けたゴムのかたまりを撮影した写真たった一枚で、フォーティテュード・サウスのたくらみすべてが露見する。アーネストは泥だらけのブーツで必死に踏ん張り、渾身《こんしん》の力で戦車をもういちど持ち上げ、三人の力を合わせて押したり引いたりしながら、戦車を木の下へと動かした。

セスが空を見上げた。「こっちの飛行機だ。テンペスト」

そのとおりだった。特徴的なシルエットがアーネストの目にも見分けられた。「今回はセーフ。でも次はそうはいかない」

セスはうなずいて、「敵機があらわれる前に、こいつをトラックに積み込んだほうがいい。トラックをこっちへまわしてくれ」

「この牧場を通っちゃなんねえ」と農夫がいった。「んでなくとも、いいかげんめちゃくちゃにしてくれたんだからな。おらの牛を飼い葉から遠ざけたのはもちろんだが」柵のそばでのんびり牧草を噛んでいる牛のほうにあごをしゃくった。「それ以外にどんな悪影響があったか知れたもんじゃねえ。来週、セドルスコームに連れていって交配させる予定なのに、いまじゃあのざまだ」

雄牛は草を噛むのをやめて、柵の向こうにいる雌牛の一頭を見ている。それが問題になるとは思えなかったが、農夫は頑として譲らなかった。「これ以上、やつの気持ちを乱すのは許さねえ。その戦車をトラックに運ぶんなら、運んできたときとおなじやりかたでやんな」

「無理だ」とセス。「もしドイツの偵察機に見られたら――」

「なんにも見えやしねえよ。霧がもどってくっからな」そのとおりだった。牧場全体にぶあつく漂いはじめた霧が、草を食む雄牛と、トラックと、戦車の轍を覆い隠した。

「で、それが終わったら、そこの戦車も持ってけ」農夫は木々の下からはみ出している二台の戦車の不気味な輪郭を指さした。そこでふたりは、十五分間にわたって、ドイツ軍の偵察機が写真を撮影するまで戦車をここに置いておく必要があることを縷々《るる》説明した。

「ヒトラーを倒すのに、ぜひ力を貸してください」とセスはいった。

「その莫迦みたいなゴム風船でか?」

「ええ」アーネストはきっぱりいった。それに、木製の飛行機と古い下水管とダミーの無電で。

「牧場が被った損害は、陸軍が喜んで弁済します」とセスがいうと、農夫はたちまち元気になった。「それに、牛の心の傷も」

牛の話は持ち出すな、とアーネストは心の中で怒鳴ったが、農夫はにんまりした。「あの戦車を角で突き刺したときのやつの顔。いやはや、あんなのはじめて見たなあ」と首を振り、やがて太腿を叩いて大笑いしはじめた。「いまから楽しみだ、パブでみんなにこの話を――」

「だめだ!」ふたりは異口同音に叫んだ。

「だれにも口外しないでください」とアーネスト。

「最高機密ですから」とセス。

「最高機密?」農夫は、弁済の話を聞いたとき以上に満足げな表情になった。「上陸作戦と関係あんだろ」

「ええ」とセス。「きわめて重要ですが、あいにくそれ以上は申し上げられません」

「いうにゃおよぶ。その程度のことは考えりゃわかる。したら、ノルマンディーに上陸すんだな? やっぱりなあ。オーウェン・バットはカレーだといったが、おらは違うといったんだ。カレーはドイツ軍が予期している。こっちはその裏をかく。楽しみだな、みんなにこの話を――」

「オーウェン・バットにも、他のだれにも口外無用です」とセス。

「もしあなたが口外したら、そのせいでこの戦争に負けてしまうかもしれない」とアーネスト。それから十五分間、ふたりはじっとりした霧の中に突っ立って、この話を秘密にするよう、農夫を説得した。

「胸にしまっとくよ」農夫はついに、不承不承約束した。「しかし残念だな。牛のあの顔ときたら――」ぱっと表情を明るくして、「上陸のあとなら、しゃべってもいいんだろ？」

「ええ」とアーネスト。「ただし、三週間待ってください」

「どうして？」

「その理由も申し上げられません」とセス。「最高の最高機密なもので」

「それと、あの戦車は残していってもいいですよね」とアーネスト。「ドイツ機が写真を撮影したら、すぐに撤去しにくると約束しますから」

農夫はうなずいた。「それで戦勝に力を貸すことになるんならな」

「なりますとも」といってセスはトラックのほうに歩き出した。

「ちょっと待て。戦車を置いてっていいとはいったが、おらの牧場をトラックで走るのは許さん。その割れた風船は、持ってきたときとおなじルートで持って帰れ」

「しかし、それだと三十分かかるし、そのあいだに敵機に目撃されるかも」とセスが反論した。「霧はいつはれてもおかしくない」

「はれるもんか」と農夫はいった。そのとおりだった。灰色の重たい毛布のように牧場や林をぶあつく覆い、方向を見定めるのも不可能になった。そのため、トラックの場所がわからず、ぺちゃんこになった戦車を押したり引いたりして人力で動かす距離がさらに百メートル延び、その間にアーネストはさらに二回転んだ。

「まあとにかく、これ以上は悪くなりようがない」かさばるかたまりをトラックの後部に押し込もうと奮闘しながら、セスがいった。その時点で、また雨が降りはじめた。骨まで沁みるような冷たい霧雨が降りつづくなか、ふたりは戦車をしまい、掘削機とポンプと蓄音機を積み込み、その一部始終を雄牛といっしょに興味津々の目で見守っていた農夫に礼をいった。

カーデュー館に帰りついたときには、ふたりはずぶ濡れで、体の芯まで凍え、腹ぺこだった。

「ああくそ、朝メシを食い損ねた」セスは蓄音機を持ち上げて、「昼メシまで保たないな。一週間眠れそうだ。おまえはどうする、寝るか食うか？」

「どっちでもない」とアーネスト。「記事を書かなきゃ」

「あとにすればいいだろ」

「だめだ。四時までにクロイドンに送らないと」

「締切はけさじゃなかったのか？」

「ああ。でも、怒れる雄牛にあやうく殺されかけたせいでサドベリー・ウィークリー・ショッパーの締切に間に合わなかったから、かわりにクロイドン・クラリオン・コールに送るよ」

「悪かった」

「いいんだ。あの苦行もまったくの無駄骨だったわけじゃない。われらが農夫の友人のおかげで、編集部宛てのお便りの文面を思いついた」アナログ・レコードの山を持ち上げて、『拝啓、火曜日の朝、目を覚ますと——』ええと、ここに来たのはどこの戦車大隊なんだっけ？　アメリカ？　イギリス？」

「カナダだ。カナダ第四歩兵旅団」

『——カナダの戦車大隊がうちの牧場をめちゃくちゃにしていたのです。牧草をぺちゃんこになぎ倒し、丹精込めて育てた立派な牛を死ぬほど怯えさせて——』

「どっちかというとおまえのほうが死ぬほど怯えてたけどな」といって、セスが自転車用の空気入れを手渡した。

『——泥だらけの戦車の轍をいたるところに残していきました。それも、失礼しましたの一言さえなく』レコードを小脇にはさみ、空気入れを左手に持ち替えて、右手でドアを開けられるようにした。『ドイツを打ち破るために一致団結しなければならないことも、多少の犠牲が必要なこともわかっています』ドアを開けながら、『しかし——』

「ふたりともどこにいたんだ？」モンクリーフが切り口上でたずねた。「遅刻だぞ」

「なんに？」とアーネスト。

「おいおい、かんべんしてくれ」とセス。「また戦車をふくらませろってんじゃないだろうな。こっちは徹夜だったたんだ」

「車で寝られる」とモンクリーフ。ツイードにネクタイ姿のプリズムが入ってきた。

「そんなかっこうじゃ、舞踏会に行けませんよ、シンデレラ」といいながら、レコードとポンプをアーネストの手から奪いとる。「さあ、シャワーを浴びて着替えろ。五分やる」

「しかし、これから記事を書いてクロイドンに――」

「あとにしろ」プリズムはレコードの山をデスクに投げ出し、アーネストをバスルームのほうに追い立てた。

「しかし、クラリオン・コールの締切が――」

「こっちのほうが重要だ。泥を洗い流して服を着ろ」とプリズム。「それとパジャマの用意」

「パジャマ？」

「ああ。これから王妃に拝謁するんだよ」


本書は、二〇一二年八月に早川書房より新☆ハヤカワ・SF・シリーズとして刊行された作品を文庫化したものです。

訳者略歴　1961年生，京都大学文学部卒，翻訳家・書評家　訳書『ザップ・ガン』ディック，『オール・クリア』『混沌（カオス）ホテル』ウィリス　編訳書『人間以前』ディック　著書『21世紀SF1000』（以上早川書房刊）他多数

HM=Hayakawa Mystery
SF=Science Fiction
JA=Japanese Author
NV=Novel
NF=Nonfiction
FT=Fantasy

ブラックアウト
〔上〕

〈SF2020〉

二〇一五年七月二十日　印刷
二〇一五年七月二十五日　発行
（定価はカバーに表示してあります）

著者　コニー・ウィリス
訳者　大《おお》森《もり》望《のぞみ》
発行者　早川浩
発行所　株式会社　早川書房
郵便番号　一〇一 - 〇〇四六
東京都千代田区神田多町二ノ二
電話　〇三 - 三二五二 - 三一一一（大代表）
振替　〇〇一六〇 - 三 - 四七七九九
http://www.hayakawa-online.co.jp
乱丁・落丁本は小社制作部宛お送り下さい。
送料小社負担にてお取りかえいたします。

印刷・星野精版印刷株式会社　製本・株式会社明光社
Printed and bound in Japan
ISBN978-4-15-012020-7 C0197

本書は活字が大きく読みやすい〈トールサイズ〉です。